V&R

Hans Walter Wolff
in Dankbarkeit
zum 75. Geburtstag

JÖRG JEREMIAS

Das Königtum Gottes in den Psalmen

Israels Begegnung mit dem
kanaanäischen Mythos in den
Jahwe-König-Psalmen

VANDENHOECK & RUPRECHT
IN GÖTTINGEN

Forschungen zur Religion und Literatur
des Alten und Neuen Testaments

Herausgegeben von
Wolfgang Schrage und Rudolf Smend
141. Heft der ganzen Reihe

CIP-Kurztitelaufnahme der Deutschen Bibliothek

Jeremias, Jörg:
Das Königtum Gottes in den Psalmen : Israels
Begegnung mit d. kanaan. Mythos in d.
Jahwe-König-Psalmen / Jörg Jeremias. – Göttingen :
Vandenhoeck und Ruprecht, 1987.
(Forschungen zur Religion und Literatur des Alten und
Neuen Testaments ; H. 141)
ISBN 3-525-53820-0 kart.
ISBN 3-525-53819-7 Gewebe

Inhalt

Einleitung

Die sog. Thronbesteigungspsalmen[1] gehören zu den umstrittensten Textgruppen innerhalb des Alten Testaments. Wieviel von der Deutung dieser Psalmengruppe, die ich um der Objektivität willen mit vielen anderen Autoren lieber Jahwe-König-Psalmen nennen möchte, abhängt – nicht nur für das Verständnis des israelitischen Gottesdienstes, sondern auch für jede Gesamtdarstellung des alttestamentlichen Glaubens –, ist heute jedem bewußt. Jedoch liefen über viele Jahrzehnte unseres Jh.s die Deutungen dieser Psalmen in Skandinavien und im angelsächsischen Raum einerseits und im deutschen Sprachraum andererseits nahezu beziehungslos nebeneinander her. Verstand man die Psalmen dort im Gefolge S. Mowinckels als die herausragenden Zeugnisse des biblischen Festgottesdienstes, bezogen auf den Mittelpunkt allen religiösen Lebens, so hier im Gefolge H. Gunkels als Belege für das Eindringen deuterojesajanischer Erwartungen in den nachexilischen Gottesdienst Israels. Deutete man dort den für diese Psalmen charakteristischen universalen Horizont als altorientalisches Erbe, so hier als Kennzeichen prophetischer Hoffnung. Der Zweite Weltkrieg unterbrach das ohnehin kaum vorhandene Gespräch[2], und als es nach Kriegsende wieder aufgenommen wurde, war die Ausgangslage erschwert. Inzwischen hatten sich im skandinavisch-angelsächsischen Raum die „Myth and Ritual-Schule" und die „Uppsala-Schule" gebildet, deren Vertreter Mowinckel vorwarfen, bei der Rekonstruktion des alttestamentlichen Festgottesdienstes auf halbem Wege stehengeblieben zu sein; sie bezogen

---

[1] Alle Autoren seit H. Gunkels formgeschichtlichen Untersuchungen bezeichnen so (zunächst) nur die Kerngruppe Ps 47. 93. (95.) 96–99. – Eine ausführliche Forschungsgeschichte hat E. Lipiński geschrieben (Les Psaumes de la Royauté de Yahwé dans l'exégèse moderne, in: Le Psautier, hg. R. de Langhe, Louvain 1962, 133–272; etwas kürzer in: Royauté de Yahwé, 11–90). Vgl. auch H. Cazelles, Nouvelle An. En Israël, DBS VI (1960) 620–45; L. Jacquet, Les Psaumes et le cœur de l'homme, Bd. II (1977) 804–8; Coppens, Royauté de Dieu 40–87; H. Ringgren – K. Seybold – H.-J. Fabry, ThWAT IV 926–57.

[2] Fundierte Kritik, mit der er sich später (1952) in einem Heft „Zum israelitischen Neujahr und zur Deutung der Thronbesteigungspsalmen" auseinandersetzte, erfuhr Mowinckel primär aus dem eigenen Traditionsraum durch N. Snaith und S. Aalen, während im deutschen Sprachraum nur die Diss. des Ungarn László I. Pap von 1933 und später die erweiterte Habilitationsschrift von H.-J. Kraus („Königsherrschaft Gottes") zu nennen sind; vgl. die Darstellung von J. J. Stamm, Ein Vierteljahrhundert Psalmenforschung, ThR N. F. 23 (1955, 1–68) 48–50. Mit O. Eißfeldt sowie Vertretern der eschatologischen Deutung hat sich Mowinckel in „Additional Notes" zu Psalms II (223 ff.) auseinandergesetzt.

die Mehrzahl individueller Psalmen als Zeugnisse einer Gott-König-Ideologie in die Diskussion ein. Entsprechend richtete sich die Polemik deutscher Forscher gegen Exzesse dieser neuen Forschungsrichtung[3], während die Arbeiten S. Mowinckels kaum wirkliche Beachtung fanden.

H. Gunkel selber hatte das Anliegen seines bedeutenden norwegischen Schülers, der die Psalmenforschung wie kein anderer Exeget außer Gunkel selber inspirierte, durchaus zu verstehen versucht. Den gewichtigen § 3 seiner „Einleitung in die Psalmen" mit dem Titel „Lieder von Jahves Thronbesteigung", den Gunkel schon 1913 verfaßt und 1919/20 noch einmal überarbeitet hatte, hat er in seinem letzten Lebensjahrzehnt durch einen nahezu dreimal so langen zweiten Teil ergänzt, in dem er sich ausführlich mit Mowinckels berühmten „Psalmenstudien II. Das Thronbesteigungsfest Jahwäs und der Ursprung der Eschatologie" von 1922 auseinandersetzt. Er konzediert dort Mowinckel durchaus die Existenz eines – allerdings nicht strikt beweisbaren – vorexilischen „Thronfestes Jahves", billigt auch der Analogie des babylonischen Neujahrsfestes Beweiskraft zu, bestreitet aber 1. die von Mowinckel (sowie vor ihm von P. Volz und nach ihm von H. Schmidt) ohne Einschränkung vollzogene Identifikation dieses Festes mit dem Herbst- und Laubhüttenfest und 2. die damit zusammenhängende Ausweitung der Psalmen vom Königtum Jahwes auf nahezu alle Hymnen[4]. Vor allem aber beharrt Gunkel 3. darauf, daß die Psalmen in ihrer uns überkommenen Gestalt ausnahmslos Widerspiegelungen prophetisch beeinflußter eschatologischer Hoffnungen seien.

In der Folgezeit sind Gunkels späte Differenzierungen meines Wissens von den Vertretern einer eschatologischen Deutung der Thronbesteigungspsalmen nirgends produktiv aufgegriffen worden[5]. An dem beziehungslosen Nebeneinander der beiden grundverschiedenen Deutungsansätze änderte sich nichts. Man verstand die Psalmen entweder „kultisch" oder aber „eschatologisch"; eine Vermittlung erschien kaum möglich[6]. Statt dessen wurden im Deutschland der Nachkriegszeit in

---

[3] Berühmt wurde M. Noths Aufsatz „Gott, König, Volk im Alten Testament. Eine methodologische Auseinandersetzung mit einer gegenwärtigen Forschungsrichtung" (ZThK 47, 1950, 157–91 = Ges. St. 188–229).

[4] Vgl. den bekannten Vorwurf, Mowinckel habe „‚Helena in jedem Weibe' gesehen" (a. a. O. 104).

[5] Sieht man einmal von der Modifikation Gunkels ab, die J. Begrich nach dessen Tod bei der Edition der „Einleitung in die Psalmen" vollzog (ebd. 420–22): Zeph 3, 14 f. zeige, daß es vorexilische Vorstufen des eschatologischen Thronbesteigungsliedes gegeben habe.

[6] Auf seiten der Nachfolger Mowinckels wurde eine Vermittlung besonders von Johnson, Sacral Kingship, angestrebt, der eschatologische Aspekte in seine kultische Psal-

Konkurrenz zu Mowinckel ebenfalls zentrale Feste Israels rekonstruiert, die nun freilich ungleich schwächer begründet waren als das
„Thronbesteigungsfest Jahwäs" und ohne nachhaltiges Echo in der Forschung blieben[7]. Wirkliche Fortschritte wurden in der Folgezeit erst
dort erzielt, wo man in den 60er Jahren vom Versuch, ein Gesamtverständnis *des* israelitischen Festgottesdienstes insgesamt zu erstellen,
wieder abrückte und sich einerseits einer stärkeren formgeschichtlichen, andererseits einer stärkeren religionsgeschichtlichen und schließlich auch einer historischen Differenzierung der Jahwe-König-Psalmen
zuwandte.

In der Tat ist aufgrund solcher – unumgänglicher – Differenzierungen ein Zurück zur Position Mowinckels genauso unmöglich wie ein
Vorbei an seinem überaus anregenden Versuch, von den Jahwe-König-
Psalmen aus ein Gesamtverständnis des israelitischen Gottesdienstes zu
entwerfen. Es ist Mowinckels großes Verdienst, den konzeptionellen
Zusammenhang der biblischen Hymnen untereinander herausgestellt
zu haben, und wenn seine späteren Kritiker ihm häufig vorgeworfen
haben, er wolle nahezu alle Hymnen auf das von ihm rekonstruierte
Fest beziehen, so ist er schon im Vorwort seiner „Psalmenstudien II"
prophylaktisch diesem Vorwurf entgegengetreten mit der Betonung,
die wesentlichen Ergebnisse „fast lediglich auf Grund der engeren Psalmengruppe 47 etc." erreicht zu haben (S. XV). Auch dem Mißverständnis, er habe ein neues Fest erfunden, ist er häufig mit dem Hinweis darauf entgegengetreten, er wolle von den Psalmen aus nur wesentliche
Merkmale des überlieferten Hauptfestes in Israel, des Herbst- und
Laubhüttenfestes, beschreiben. Seine 1922 naheliegende einseitige Bezugnahme auf die Analogie des babylonischen Neujahrsfestes hat er
nach Bekanntwerden der ugaritischen Texte selber relativiert[8], und
schon in den „Psalmenstudien II" hatte er mit Vermittlung babyloni-
scher Mythen durch die Kanaanäer gerechnet (S. 203). Auch der immer
wieder gegen Mowinckel erhobene Einwand, eine jährliche Thronbesteigung Jahwes setze voraus, daß er zuvor zeitweise sein Königtum

---

mendeutung aufnahm. Entsprechendes gilt auch für sein jüngstes Werk „The Cultic Prophet and Israel's Psalmody", Cardiff 1979.

[7] Das gilt sowohl für das allumfassende „Bundesfest" in A. Weisers Psalmenkom-
mentar als auch für das „königliche Zionsfest" in H.-J. Kraus' „Königsherrschaft Gottes"
(als letzter Ursprung der nach-deuterojesajanischen „Jahwe-König-Psalmen"). Beiden
Autoren ging es darum, gegenüber Mowinckel stärker die spezifisch israelitischen Inhalte
der atl. Feste herauszustellen. – Allerdings hat Kraus in der Folgezeit seine Sicht erheblich modifiziert; vgl. zuletzt die 5. überarbeitete Auflage seines Psalmenkommentars von
1978, bes. Bd. I 47. 100 f.

[8] Etwa in der Auseinandersetzung mit W. F. Albright im Aufsatz „Psalm Criticism
between 1900 and 1935", VT 5 (1955) 13–31; vgl. Psalms I 130–36.

verliere, trifft Mowinckels Meinung keineswegs[9]. Die Schwächen Mowinckels liegen auf anderer Ebene und hängen mit seinem schon genannten Hauptverdienst unmittelbar zusammen. Er hat den Einzelpsalmen viel zuwenig Aufmerksamkeit geschenkt, hat sie nur selten nach Form und Intention voneinander abgehoben, hat die je unterschiedliche Aufnahme und Verwendung altorientalischer Vorstellungen nicht herausgearbeitet, späte und frühe Psalmen nur sehr oberflächlich voneinander getrennt, so daß er insgesamt „den Kultmythus des Festes" durch ein recht beliebiges Nebeneinanderstellen von Themen beschreiben konnte, wie sie nie in den Einzelpsalmen begegnen, sondern nur in Mowinckels methodisch nicht kontrollierter Mischung von Psalmen[10]. Was heute not tut, ist m. E. eine differenzierte Exegese jener Texte, auf die sich sowohl Gunkel als auch Mowinckel stützten, beide in einer auffällig flächigen Auslegung, insbesondere auf ihrem ureigensten Gebiet der Form- und Traditionsgeschichte.

Mit diesen Bemerkungen möchte ich keineswegs die heftige Grundsatzdebatte der ersten Hälfte unseres Jh.s über das Wesen des israelitischen Gottesdienstes geringachten oder gar für fruchtlos erklären; sie hat im Gegenteil weite Horizonte geöffnet. Nur schwebte sie zu sehr über den Texten und hat Probleme der einzelnen Jahwe-König-Psalmen großzügig vernachlässigt. Wie Mowinckel in seiner Monographie so haben sich auch die Kommentare Gunkels und seiner Schüler um die *Form dieser Psalmen* im einzelnen faktisch nur wenig gekümmert, weil mit dem Stichwort „eschatologisch" scheinbar alles Nötige über die Psalmen gesagt war. Dabei hatte Gunkel in seiner Einleitung grundsätzlich schon beobachtet, daß die Jahwe-König-Psalmen nur teilweise mit dem Themasatz „Jahwe herrscht als König" beginnen und, wo sie dies tun (Ps 93. 97. 99), auch inhaltliche Besonderheiten aufweisen[11]. Aber erst nach dem Zweiten Weltkrieg wurde diese Beobachtung aufgegriffen. C. Westermann hat mit ihr begründet, daß es eine eigene Gattung der Jahwe-König-Psalmen nicht gebe; D. Michel hat konsequenter zwei Gruppen von Psalmen unterschieden, deren eben ge-

---

[9] Dies hat vor allem sein Schüler A. Kapelrud häufig hervorgehoben; vgl. etwa VT 13 (1963) 229–31; VuF 11 (1966) 78–81.

[10] Mowinckel unterscheidet sechs Fest-„Mythen": Neben den „Schöpfungs- und Drachenkampfmythus" und den „Götterkampfmythus" treten „Auszugsmythus", „Völkerkampfmythus", „Gerichtsmythus" und schließlich „mythisch-epische" Erzählungen von Rettung aus der Not (Ps.-Studien II, 45 ff.). Vgl. dazu u. S. 158. Das gleiche, auf einem ungeschichtlichen Verständnis der Psalmen beruhende Vorgehen wird gelegentlich noch heute im Gefolge Mowinckels geübt; vgl. etwa J. H. Eaton, The Psalms and Israelite Worship, in: G. W. Anderson (Hg.), Tradition and Interpretation (Oxford 1979) 238 ff., bes. 263 ff.

[11] A. a. O. 106.

nannte erste er als „Themapsalmen" beschrieb, während F. Crüsemann
nachwies, daß die zweite Gruppe (Ps 47. 96. 98) die Grundform des israelitischen Hymnus, den imperativischen Hymnus, charakteristisch abwandelt; am schärfsten hat E. Lipiński in seiner Dissertation beide
Gruppen von Jahwe-König-Psalmen voneinander abgehoben und ist
den drei Psalmen der erstgenannten Gruppe mit minutiösen, freilich
teilweise auch sehr anfechtbaren Exegesen nachgegangen[12]. Eine Ver-
hältnisbestimmung beider unterschiedlicher Formen und ihrer Funktion aber steht bis heute aus und erscheint mir als dringendes Desiderat
der Forschung.

In so gut wie allen neueren Arbeiten zum Psalter, die die Jahwe-König-Psalmen berühren, drückt sich zudem die Erkenntnis aus, daß diese
Psalmen zu *unterschiedlichen Zeiten* entstanden sind[13]. Das weckt von
vornherein Skepsis gegenüber der Alternative „kultisch" oder „eschatologisch". Nun ist allerdings die exakte Datierung von Psalmen ein anerkannt hoffnungslos schwieriges Unterfangen. Daß die großen Wissen-
schaftler des ausgehenden 19. Jh.s, die für die Forschung am Pentateuch
und an den Propheten unaufgebbare Fundamente legten, mit ihren Mitteln bei der Datierung der Psalmen letztlich scheiterten, muß ebenso
warnend vor Augen stehen wie die Tatsache, daß große Exegeten wie
B. Duhm einerseits und I. Engnell andererseits den einzig sicher datier-
baren Psalm (Ps 137) für den (nahezu) ältesten oder aber (nahezu)
jüngsten halten konnten. Einigkeit in der Forschung ist auf diesem Gebiet für die überschaubare Zukunft unerreichbar. Wohl aber scheint sie
mir im Blick auf eine relative Chronologie erreichbar zu sein, wenn
nicht sogar – was unsere Psalmengruppe betrifft – faktisch schon teilweise erreicht. Es gibt eine Fülle von evidenten Indizien, die anzeigen,
daß innerhalb der erstgenannten Gruppe, der „Themapsalmen", Ps 93,
innerhalb der zweiten, der Gruppe der imperativischen Hymnen, Ps 47
der jeweils relativ älteste Psalm ist[14]. Es versteht sich daher von selbst,
daß eine Behandlung der Jahwe-König-Psalmen mit diesen beiden Psalmen einsetzen muß. Persönlich bin ich der Überzeugung, daß der älteste (nun freilich außerhalb des Psalters stehende) Beleg für die Prädika-

---

[12] Westermann, Loben Gottes 114; Michel, Tempora 215–21; Crüsemann, Studien
70 f.; Lipiński, Royauté de Yahwé, bes. 9 f. – Als mißglückt erscheint mir demgegenüber
der Versuch einer motivgeschichtlichen Gliederung der Psalmen durch J. D. W. Watts,
Yahweh Mālak Psalms, ThZ 21 (1965) 341–48.

[13] Beispielhaft gilt das für den Kommentar von Kraus, für die soeben genannte Dissertation von Lipiński, für Coppens, Royauté de Dieu (mit den bis in den Wortlaut identischen Vorarbeiten in EThL 42, 1966, 225–31; 43, 1967, 192–96; 53, 1977, 297–362; 54,
1978, 1–59) und schließlich für F. Stolz, Erfahrungsdimensionen im Reden von der Herrschaft Gottes, WuD 15 (1979) 9–32.

[14] Das bekannteste Indiz ist wohl, daß Ps 96 sowohl Ps 29, 1 f. als auch Ps 93, 1 zitiert
und abwandelt.

tion Jahwes als König (Dtn 33) von dem jüngsten (Ps 97) denkbar weit (Richterzeit bis Zeit der Diadochen) entfernt ist, und hoffe gerade auch durch den Versuch, die Psalmen zeitlich zu differenzieren, ein wenig Bewegung in eine recht starre Auslegungstradition dieser Psalmen bringen zu können.

Die m. E. wichtigste und notwendigste Differenzierung aber ist mit all dem noch nicht genannt: die *traditions- und religionsgeschichtliche*. Gunkel schrieb seine Werke wie auch Mowinckel seine Psalmenstudien vor Entdeckung der ugaritischen Texte. Seit deren Entzifferung und insbesondere seit der vorzüglichen Dissertation von W. H. Schmidt, „Königtum Gottes in Ugarit und Israel" (1961; [2]1966), kann es als gesichertes Ergebnis der Forschung gelten, daß der Titel eines „Königs" für die Gottheit dem biblischen Israel schon seitens der Kanaanäer vorgegeben war[15]. Obwohl es gewiß hier und dort auch eine Überbewertung der ugaritischen Texte in ihrer Bedeutung für die biblischen Psalmen gab, die Mowinckel 1953 zu dem Stoßseufzer veranlaßte: „Libera nos, Domine, a rabie Ugariticorum!"[16], gewinnt das Thema des Königtums Gottes sein eigentliches Gewicht und seine Spannung erst aus der Tatsache, daß sich hier wie kaum andernorts die Auseinandersetzung zwischen biblischem und kanaanäischem Gottesverständnis vollzog, waren doch El und Baal in Kanaan Könige als Könige über die Götter in einem Pantheon. Als solche aber garantierten sie die Ordnung der Welt und sorgten für ihre Erhaltung. Israel konnte einerseits von seinen eigenen Denkvoraussetzungen diese Aussage nicht unbesehen übernehmen,

---

[15] Neben Schmidt haben vor allem Th. H. Gaster (Thespis), J. Gray (The Hebrew Conception of the Kingship of God: its Origin and Development, VT 6, 1965, 268–85; The Kingship of God in the Prophets and Psalms, VT 11, 1961, 1–29; zuletzt: Biblical Doctrine), F. M. Cross (Canaanite Myth) und sein Schüler P. D. Miller (Divine Warrior), E. Lipiński (a. a. O.), R. Hillmann (Wasser und Berg), aber auch A. Caquot (vor allem in seiner tiefschürfenden Auslegung von Ps 47 in RHPhR 39, 1959, 311–37) sowie in jüngster Zeit J. Day (God's Conflict) und C. Kloos (Yhwh's Combat) diesen Traditionszusammenhang nachgewiesen, wobei außer Schmidt auch Gray und Cross mit Recht auf die Notwendigkeit aufmerksam gemacht haben, in Israel wie in Ugarit zwischen Einflüssen des Königtums Els und des Königtums Baals zu unterscheiden. Vehement im gegenteiligen Sinn hat sich für Jerusalem, wo der Baal-Name kaum begegnet, F. Stolz (Strukturen, passim, bes. 153 f. 179 f.) ausgesprochen, allerdings mit weithin spekulativen Argumenten. Miller (a. a. O. 48 ff. und HThR 60, 1967, 411–31) hat versucht, ältere vor-ugaritische El-Traditionen zu rekonstruieren, die El Kämpfereigenschaften zuerkennen, wie sie in Ugarit fast ausschließlich Baal zugeschrieben werden. Jedoch bleibt diese Rekonstruktion hypothetisch, und das Alte Testament scheint im großen und ganzen Verhältnisse in Kanaan vorauszusetzen, die den in den ugaritischen Mythen vorgefundenen sehr nahe kommen. C. Kloos rechnet demgegenüber (in Ps 29 und Ex 15) mit ausschließlichem Einfluß des Königtums Baals.

[16] Der 68. Psalm, 73; vgl. etwa auch H. Donner, Ugaritismen in der Psalmenforschung, ZAW 79 (1967) 322–50; G. Sauer, Die Ugaritistik und die Psalmenforschung, II, UF 10 (1978) 357–86.

weil es kein Pantheon kannte; es mußte andererseits das Thema der Erhaltung der Welt und ihrer Ordnung – die die Staats- und Gesellschaftsordnung ebenso umfaßte wie die Ordnung der Völkerwelt und der Natur – aufgreifen und auf Jahwe übertragen, wenn es nicht Jahwe den kanaanäischen Göttern unterordnen wollte oder aber seine nomadische Religion in staatlicher Existenz unverändert weiterführen wollte. Kurz: Israel mußte, spätestens als es Staat wurde, sein Denken auf ein Gebiet ausrichten, das vor ihm nur polytheistisch behandelt worden war. In Kanaan stand der Komplexität der Welterfahrung eine ebenso komplex geordnete Götterwelt gegenüber. Wenn Israel sagte: „Jahwe ist König", tat es mehr, als kanaanäische Gottesnamen durch den Namen des eigenen Gottes zu ersetzen: Es bejahte zwar die Komplexität seiner Welterfahrung, verneinte gleichzeitig aber deren Analogie zu seiner Gotteserfahrung. Es versteht sich von selbst, daß es damit das Königtum Gottes auch neu und anders begründen mußte.

Hilfreich ist die religionsgeschichtliche Fragestellung nun gleichzeitig auch für die Datierung der Psalmen. Es sind eben nicht zufällig nur die älteren Psalmen, in denen eine intensive Auseinandersetzung mit kanaanäischen Gottesvorstellungen im Vollzug sichtbar wird, während die jüngeren Jahwe-König-Psalmen diese Auseinandersetzung schon als abgeschlossen voraussetzen und von ihr ausgehen. Aus diesem Grund sind in dieser Arbeit die älteren Psalmen des I. Hauptteils ausführlicher behandelt als die jüngeren. Die wesentlichen Weichenstellungen für das Verständnis des Königtums Gottes im Alten Testament werden m. E. schon in ersteren vollzogen. Es zeigt sich freilich gleichzeitig, daß diese Weichen in den beiden formgeschichtlich zu trennenden Psalmengruppen je unterschiedlich gestellt werden: hier (Ps 93) durch Umformulierung des kanaanäischen Mythos zu Zustandssätzen, dort (Ps 47) durch die wechselseitige Interpretation von Mythos und Geschichte. Um diesen doppelten Deutungsprozeß hinsichtlich seiner Enstehung und Wirkung möglichst genau beschreiben zu können, habe ich mich darum bemüht, ihn bis zu seinen ältesten erkennbaren Ursprüngen zurückzuverfolgen und seine wirkungsgeschichtlichen Spuren exemplarisch auch außerhalb der Jahwe-König-Psalmen aufzudecken. Daß die Ursprünge jeweils räumlich ins Nordreich weisen, hat mich selber überrascht.

Dem dreifachen – form-, traditionskritischen und geschichtlichen – Interesse entspricht das gewählte Verfahren. Ich bin bei allen Exegesen so vorgegangen, daß ich eingangs möglichst kurz und doch genau die Form des jeweiligen Psalms herausgestellt habe [17], ausführlich im Mit-

---

[17] Zu welchen Mißverständnissen Fehler auf diesem unerläßlichen Feld führen, zeigen die Arbeiten zweier vorzüglicher Philologen – E. Lipiński in seiner bedeutenden Mono-

telteil den Umgang Israels mit der kanaanäischen Tradition bzw. - im Falle der späteren Psalmen - mit der eigenen Tradition, wie sie die kanaanäischen Mythen schon verarbeitet hatte, behandelt habe und im jeweiligen Schlußteil schließlich das Interesse des Psalms, seinen zeitlichen Ansatz sowie Spuren seines Wachstums verfolgt habe. Letzteres erscheint mir grundsätzlich gerade bei älteren Psalmen unabdingbar, wenngleich schwer durchführbar[18], weil die Psalmen in ihrer überkommenen Gestalt ausnahmslos für den nachexilischen Gottesdienst zusammengestellt sind.

---

graphie „La Royauté de Yahwé", M. Dahood in seinem Kommentar - auf Schritt und Tritt; vgl. etwa u. S. 16 f.

[18] Vgl. aber die überzeugenden Versuche W. Beyerlins in seinen jüngsten Monographien zu Ps 15. 52. 107. 125. 126 und 131.

Teil I. Frühzeit:
Die Entstehung des Königstitels

A. Die Umprägung des Mythos zur Zustandsschilderung

1. Ps 93

1 Jahwe herrscht als König;
   mit Hoheit umkleidet,
umkleidet ist Jahwe,
   mit Macht umgürtet.
So ist die Erde fest gegründet[1],
   kann nicht wanken.
2 Fest steht dein Thron von uran,
   von Urzeit her bist du.

3 Es erhoben Fluten, Jahwe,
   es erhoben Fluten ihr Brausen,
      (ja ständig) erheben Fluten ihr Tosen!
4 Mehr als das Brausen mächtiger Wasser,
   gewaltiger als[2] die Brecher des Meeres
      ist gewaltig in der Höhe Jahwe.
5 Deine Setzungen[3] sind wahrhaft zuverlässig;
   deinem Haus gebührt[4] Heiligkeit,
      Jahwe, für die Dauer der Tage.

---

[1] Eine textkritische Entscheidung, von der viel für das Verständnis des Psalms abhängt: LXX, Σ, Vg, Pesch, Tg und vielleicht auch 11 QPsᵃ (...[k?]n) lesen *tikkēn* „er stellte fest hin" (vgl. Ps 75,4). Jedoch spricht für MT: 1) die beabsichtigte Assonanz (unter Verwendung der gleichen Wurzel *kûn*): *tikkôn* (V.1) – *nākôn* (V.2), die 2) ihre sachliche Entsprechung in der Parallelität von Festigkeit der Welt und Festigkeit der Königsherrschaft Jahwes findet. Umgekehrt wäre bei Änderung des MT 3) einzig in V.1b von einem Schöpfungshandeln Jahwes die Rede und 4) wäre syntaktisch ein selbstgewichtiger Verbalsatz inmitten von reinen (V.2) und zusammengesetzten Nominalsätzen (V.1a) höchst befremdlich, wie noch zu zeigen ist.

[2] Die hier vorausgesetzte Ordnung und Vokalisation des Konsonantentextes (*'addîr mimmišᵇrê jām*) ist seit einem Jh. (erstmals J. Dyserinck 1878 in der ThT) allgemein anerkannt. MT bietet vermutlich eine Parenthese: „... (und wie) gewaltig sind die Brecher des Meeres!"

[3] Vgl. zur Begründung der Übersetzung u. S. 25 f.

[4] Zur Form vgl. einerseits Ges.-K. §75x, andererseits F. Baethgen zu Ps 33,1.

1.

Grundlegend für jede Deutung von Ps 93 ist die Erkenntnis, daß sich der Psalm in *zwei Strophen* gliedert: V. 1–2 und V. 3–5. Es gibt eine Fülle von Indizien, die diese Aufteilung als völlig sicher erscheinen lassen. Ich beginne mit äußeren Merkmalen:

1. Zwischen V. 2 und V. 3 erfolgt ein einschneidender Wechsel im Metrum. Während die Verse 3–5 durchgehend von dem in hebräischer Poesie eher seltenen Metrum der Tripeldreier (3 + 3 + 3) geprägt sind, herrschen in den Versen 1–2 hämmernde Doppelzweier (2 + 2 // 2 + 2) vor, die nur aus Gründen der Betonung einmal (V. 2a) einem Dreier Platz machen[5].

2. Zwischen V. 2 und V. 3 erfolgt auch der wichtigste syntaktische Einschnitt im Psalm. Es findet ein Subjektwechsel statt (Jahwe – die Fluten), Nominalsätze (V. 2) werden von Verbalsätzen (V. 3) fortgesetzt, anredender Du- (V. 2) geht in schildernden Er-Stil (V. 3) über.

3. Beide Strophen beginnen im Berichtstil der 3. Person (V. 1 und 3 f.) und enden in der Anrede (V. 2 und 5); beide lassen die objektivierende Darstellung des Königtums Gottes übergehen in einen Lobpreis, in dem die Gemeinde sich in der Anrede direkt Jahwe zuwendet und dankbar die Auswirkungen seines Königtums auf die Welt bekennt.

4. Das Hauptgewicht beider Strophen liegt auf dem jeweiligen Abschlußteil in der Anrede, in dem die Konsequenzen des Königtums Gottes für die Gemeinde dargelegt werden. Diese Gewichtung erhellt daraus, daß die Anredeteile V. 2 und V. 5 auffällig parallel gestaltet sind:

a) Betont steht hier wie dort am Anfang die unerschütterliche Festigkeit bzw. die unverbrüchliche Zuverlässigkeit des Königtums Gottes.

b) Hervorgehoben ist daneben in Mittelstellung der Ort, von dem aus die göttliche Herrschaft ausgeübt wird: „dein Thron" (V. 2), „dein Haus" (V. 5).

c) Beide Verse schließen mit dem Zeitaspekt und zeigen hier am deutlichsten, daß sie aufeinander bezogen und sich wechselseitig ergänzend gelesen werden wollen: Jahwes Königtum besteht „von Urzeit her" (V. 2), und es hat Gültigkeit „für die Dauer der Tage" (V. 5).

Wie fahrlässig man weithin in der jüngeren Forschung mit der für alle Exegese grundlegenden Analyse des Aufbaus von Psalmen verfuhr, zeigt sich am

---

[5] In V. 1 a ist um der Zweiheber willen das Mittelglied (in Prosa: „Jahwe ist mit Hoheit umkleidet") in zwei Versglieder zu einer Anadiplosis zerdehnt. V. 1 b bildet am ehesten einen eigenen Doppelstichos (mit MT gegen die Druckanordnung von BHK und BHS), der 2 + 2 gelesen sein will.

Beispiel von Ps 93 besonders deutlich. Während in älteren Kommentaren wie
etwa bei F. Delitzsch der formale und gedankliche Einschnitt nach V. 2 grundsätzlich längst erkannt war, haben sich H. Gunkel und seine Schüler um den
Aufbau des Psalms merkwürdigerweise faktisch überhaupt nicht gekümmert.
Eine Formanalyse hat für Ps 93 bisher einzig E. Lipiński geboten, und diese
Analyse verfährt geradezu gewalttätig gegenüber dem Text. Allein aufgrund
metrischer Beobachtungen nimmt Lipiński an, daß V. 1a und V. 5 (seiner Ansicht nach jeweils Doppelzweier) eine formale Klammer um den Mittelteil in
V. 1b–4 (Dreiermetrum) bilden würden; er muß um dieser Vermutung willen
aber bedenklich in den Text eingreifen. In V. 2b muß er das erwartete Dreiermetrum des Mittelteils erst durch Ergänzung herstellen, indem er in Analogie
zum Targum den Text erweitert, obwohl keinerlei textkritische Veranlassung
dazu besteht[6]. In V. 5 muß er – nun mit dem Ziel, ein V. 1a entsprechendes
Zweiermetrum zu gewinnen – entgegen der massoretischen Akzentsetzung will-
kürlich Sätze abteilen, die ohne jede Analogie im AT sind (מאד לביתך soll an-
geblich heißen: „Das ist eine Kraft für dein Haus"), und zudem Anrede- und
Berichtstil beliebig mischen (der unmittelbar folgende Satz hieße: „Schön ist
das Heiligtum Jahwes")[7]. So verdienstvoll viele semantische Analysen des vorzüglichen Philologen sind, sein Verfahren bei der Formbestimmung wirkt ab-
schreckend.

2.

Die Festigkeit der Königsherrschaft Gottes, der Ort ihrer Ausübung
und ihre unendliche Dauer sind also die entscheidenden Themen des
Psalms. Der Zeitaspekt, in beiden Strophen betont in Schlußstellung
geboten, ist unter ihnen das Wichtigste, weil unabdingbare Voraussetzung für die Festigkeit der Königsherrschaft. Er muß bei allen Einzelaussagen im Psalm ständig mitbedacht werden. Es ergibt sich, daß in
beiden Strophen über Gott nur Aussagen gemacht werden, die *ausschließlich Zuständliches*, d. h. bleibend Gültiges und Unwandelbares
zum Gegenstand haben, nirgends aber von Gott einmalige Handlungen
berichtet werden.

---

[6] Das Targum stellt mit seiner Ergänzung *'ēl* einen Bezug zu Ps 90,2 her, Lipiński
(Royauté de Yahwé 96) mit seiner Ergänzung *jôšēb* einen zu Ps 9,8: ein neues Targum.
Er fühlt sich bei dieser Ergänzung sehr zu Unrecht bestätigt durch einzelne griechische
und lateinische Handschriften, die A. Rahlfs im Apparat der Göttinger LXX-Ausgabe
(²1967) nennt und die zu V. 2a(!) den Vokativ „o Gott" bzw. „o Herr" ergänzen, um
Mißverständnisse bei der Anrede („dein Thron") zu vermeiden.

[7] A. a. O. 101. 149. – M. Dahood z. St. „schafft" entsprechend durch Ugaritisierung
von V. 5aα („deine Thronbesteigung ist seit Urzeit gesichert") eine inclusio zwischen
V. 2a und 5a, während L. Jacquet z. St. um der rhythmischen Einheitlichkeit des Psalms
willen auch V. 1a durch grundlose Texteingriffe in das Prokrustesbett von Tripeldreiern
zwingt. E. Otto schließlich trennt ohne zureichende Begründung V. 5 als eigene „Struk-
tureinheit" von V. 3–4 (FS H.-J. Kraus, hg. H.-G. Geyer u. a., 1983, 59f.).

In der ersten Strophe zeigt sich dies zunächst syntaktisch schon daran, daß die darstellenden Sätze im Er-Stil (V. 1a) auf reine Nominalsätze im Du-Stil (V. 2), also auf Zuständliches hinzielen. Was in V. 1 beschrieben wird, sind Bedingungen der erkennbaren Festigkeit der Königsherrschaft Gottes, die „von Urzeit her" (V. 2) Gültigkeit haben. Die Handlungssätze des ersten Verses im x-qatal: „Jahwe herrscht als König" und „er ist mit Hoheit umkleidet, mit Macht umgürtet"[8] wollen die permanent wirksame Ausübung von Hoheit und Macht durch den König Jahwe beschreiben, wie die sogleich noch traditionsgeschichtlich näher zu untersuchenden Verben „sich kleiden" und „sich gürten" verdeutlichen[9]; sie wollen aber keinesfalls den Anfang solcher wirksamen Ausübung schildern, weil dies im Widerspruch zu V. 2 implizieren würde, daß Jahwe zuvor – welcher frühe Zeitpunkt auch immer im Blick wäre – nicht König der Welt gewesen wäre. Der Vorgang, daß Jahwe aktiv „sich umkleidet" und „sich umgürtet", ist „von Urzeit her" abgeschlossen, weil er unabdingbare Voraussetzung der urzeitlichen Festigkeit der Königsherrschaft ist, von der V. 2 spricht. Allein auf die königliche Ausrüstung zielt die Aussage, d. h. auf einen Zustand, wie er aus einer Handlung entstanden ist. Anders ausgedrückt: Die Handlungssätze in V. 1 müssen wegen V. 2 als zeitlos gültige Wahrheit interpretiert werden, die Grundgegebenheiten beschreiben, wie sie aller menschlichen Erfahrung vorausliegen und von keiner Erfahrung überholbar sind. (Die imperfektischen Verbalsätze von V. 1b sind Konsekutivsätze, nennen die Folgen dieser Grundgegebenheiten).

Daß in der Tat nur diese Interpretation von V. 1 f. möglich ist – und nicht etwa eine Deutung, die zwar im Zustandssatz V. 2 unveränderliche Wahrheit, in den Handlungssätzen V. 1a aber aktuelles (kultisches) oder gar zukünftiges Geschehen erkennen wollte –, erweisen unmißverständlich die analogen darstellenden Verse im Er-Stil in der zweiten Strophe (V. 3 f.). Zunächst ist deutlich, daß auch sie auf Zuständliches hinauslaufen, wie die Wahl statisch-intransitiver Verben im Anrede-Teil V. 5 (wieder x-qatal wie in V. 1a) zeigt. Jedoch stehen nun andererseits in V. 3 die einzigen wirklichen Handlungssätze im Psalm, deren Subjekt allerdings nicht Jahwe, sondern die Fluten sind. Sobald von Jahwe die Rede ist – in V. 4 in stark betonter Schlußstellung –, erstarrt die Handlung im Zustand, werden reine Nominalsätze verwendet. Die Sätze im Er-Stil (V. 3 f.) leben geradezu von dem extremen Kontrast

---

[8] Die poetische Zerdehnung des ersten Satzes (vgl. S. 16, Anm. 5) ändert natürlich nichts an seiner syntaktischen Struktur (unglücklich und irreführend übersetzt H.-J. Kraus: „Jahwe ist König, mit Hoheit bekleidet, ja, es hat sich gekleidet Jahwe …", ähnlich A. Weiser).

[9] Zu beachten ist, daß es sich im ersten Fall um ein ursprünglich intransitives Verb handelt (vgl. Ges.-K. § 117 v. y), im zweiten Fall um einen reflexiven Stamm.

zwischen Verbalsätzen in V. 3 und Nominalsätzen in V. 4. Dreimal verwendet V. 3 das gleiche Verb, zweimal im Perfekt, zuletzt im Imperfekt[10], dreimal in eindringlicher Penetranz das wörtlich gleiche Subjekt „Fluten", um das ständige Anbranden der Wasser sprachlich zu umschreiben. Welche Gefahren für die Betoffenen im Blick sind, verdeutlicht das erste Versglied, in dem angesichts der tosenden Wasser ein kurzer Aufschrei im Gebetsstil hörbar wird. Sobald aber mit V. 4 das Augenmerk auf Jahwe selber gerichtet wird, und zwar auf ihn an seinem Herrschaftsort „in der Höhe", tritt den aufgeregten Handlungssätzen von V. 3 die zuständliche Ruhe von V. 4 entgegen, Ausdruck einer unendlichen Überlegenheit, wie denn der Vers schon sogleich mit dem Komparativ einsetzt. Auch wenn die chaotischen Mächte nun im Unterschied zu V. 3 in ihrer Vielgestaltigkeit beschrieben werden („mächtige Wasser", „Meer"), ist ihnen mit dem anfänglichen Komparativ schon alle die Welt gefährdende destruktive Potenz genommen. V. 4 beschreibt also *nicht*, wie Jahwe die chaotischen Mächte, die seine Menschen bedrohen (V. 3), besiegt, sondern er hält diesen Mächten die schlechthin unbesiegbare Überlegenheit Gottes entgegen, wie sie „von uran" (V. 2) und „für die Dauer der Tage" (V. 5) besteht. Die Gemeinde, die diesen Psalm singt, weiß sich und die Welt vor allen Gefahren, auch allen künftigen, welcher Gestalt sie auch immer seien, in sicheren Händen geborgen.

3.

Ps 93 erzählt also nicht, wie Jahwe sein Königtum über die Welt errungen hat, sondern er stellt dar, wie sich Jahwes Königtum über die Welt gegenwärtig wie schon seit Urzeit und für alle Zukunft stets gleichartig auswirkt. Diese Beobachung ist von fundamentaler Bedeutung für die Frage, wie Israel in diesem Psalm mit der ihm vorgegebenen Konzeption vom Königtum Gottes umgegangen ist. Vorgegeben war der Mythos, in dem erzählt wurde, wie der Wettergott Baal den Meeresgott Jamm, vor dessen Machtanspruch sich die anderen Götter beugen, in einem urzeitlichen Kampf besiegt und dem Sieger daraufhin ein Palast gebaut wird, von dem aus er seine kraftvolle Herrscherstimme erschallen läßt[11]. Ps 93 nun ist zwar durchgehend von mythischen Vorstellungen und mythischen Zeitkategorien beherrscht, aber

---

[10] Vgl. dazu M. Held, The YQTL-QTL (QTL-YQTL) Sequence of Identical Verbs in Biblical Hebrew and in Ugarit, in: Studies and Essays in Honor of A. A. Neuman (1962) 281-90; Lipiński, Royauté 97 f., Anm. 3. Zur Deutung im Kontext vgl. u. S. 22.
[11] Vgl. Schmidt, Königtum Gottes 10 ff.

ihm fehlt die entscheidende und unabdingbare Charakteristik des Mythos, die Schilderung einer Handlung, durch deren Aktualisierung, ge-
gebenenfalls mit kultdramatischen Mitteln, der Mythos im Kult aller-
erst in Kaft gesetzt werden könnte. Aus dem Mythos ist eine Zustands-
schilderung geworden, die wesenhaft zeitlos ist. Eine kultdramatische
Deutung des Psalms erscheint von daher ausgeschlossen. (Entsprechendes gilt analog auch für jede eschatologische Interpretation.)

Mythische Sprache und Vorstellungswelt beherrschen nun freilich ganz
offenkundig den gesamten Psalm. Das ist in sich keineswegs überraschend, geht es dem Psalm doch thematisch um die Sicherheit und das
Gehalten-Sein der ganzen Erde (V. 1b), also um Jahwes universales Königtum, wie es nur in Kategorien der Urzeit, also mit der Sprache des
Mythos beschrieben werden kann [12]. Näherhin sind insbesondere die
Einführungsteile beider Strophen im Er-Stil (V. 1. 3 f.) von Vorstellungen geprägt, die ihren ursprünglichen Ort in der Erzählung von der Erringung des göttlichen Königtums durch den Sieg des göttlichen Kriegers gegen die Gewalten des Chaos haben. Von „Macht" als „Kleidung" und „Gürtel" Jahwes (V. 1) ist im AT vornehmlich dann die
Rede, wenn auf Taten angespielt wird, die Jahwe als königlicher Krieger in der Urzeit vollbrachte. „Mit Stärke umgürtet" bringt er das Tosen der Chaoswasser zur Ruhe und stellt die Welt auf ein sicheres Fun-
dament (Ps 65,7 f.), „mit Macht gekleidet" zerschlägt und durchbohrt
er das Chaosungeheuer und legt er die Urflut trocken (Jes 51,9 f.); „mit
seiner Macht" zerspaltet er das Meer (Ps 74,13), „mit seinem machtvollen Arm" vernichtet er das Chaosungeheuer (Ps 89,11). Aber auch die
Prädikation „Hoheit" (גאות, גאוה ,גאון) weist auf Kriegstaten des Weltenkönigs: Er tritt „in der Fülle seiner Hoheit" die Gegner nieder
(Ex 15,7), ist „in seiner Hoheit" der am Himmel in Wolkenwagen ein-
herfahrende, ständig hilfreiche Krieger für sein Volk (Dtn 33,26; vgl.
V. 29 und Ps 68,35 sowie den von der „Hoheit" Jahwes ausgehenden
„Schrecken" in Jes 2,10. 19. 21). Darin entsprechen diese Epitheta dem
„Schreckensglanz" (*pulḫi melamme*) der kriegerischen Götter Mesopo-

---

[12] Das hier implizierte Mythos-Verständnis hat im Anschluß an Malinowski, Kerenyi
und Eliade ausführlich W. Pannenberg ausgeführt (Christentum und Mythos, 1972); vgl.
auch H. P. Müller, Jenseits der Entmythologisierung (²1979). Grundlegend für die genannten Forscher ist die Verbindung des Mythos mit der „Urzeit". Der Mythos konsti-
tuiert, begründet und legitimiert die Ordnungen der Welt, in denen der Mensch sich vor
aller individuellen geschichtlichen Erfahrung immer schon vorfindet. Er zielt damit auf
letzte Wahrheit, wie sie jedes menschliche Leben prägt, und beansprucht damit universale
Geltung und Allgemeinverbindlichkeit. Er begründet – zumindest von Haus aus – zugleich die Riten des Kultes, die diese verbindliche Wahrheit zur Darstellung bringen und
vergegenwärtigen.

tamiens[13]. Sind andernorts „Majestät und Pracht" (הוד und הדר: Ps 104,1; Hi 40,10; vgl. Ps 96,6) als „Kleidung" Zeichen der stärker statisch gesehenen königlichen Weltherrschaft Gottes, so „Hoheit und Macht", verbunden mit dem Verb „sich gürten", Zeichen seiner dynamisch-kriegerischen Kraft gegenüber allen Mächten, die die Welt in den Abgrund zu reißen drohen. Hieraus folgt, daß die in der zweiten Strophe dargestellte Überlegenheit Jahwes über die chaotischen Mächte im Themavers des Psalms schon vorweggenommen ist; V.1 und V.3f. laufen einander traditionsgeschichtlich und sachlich parallel.

In V.3-4 liegt der Einfluß kanaanäischer Mythologie offen zutage. Er ist schon in der poetischen Struktur erkennbar, insofern die Verse 3-4 in trikolischen Dreihebern mit klimaktischem Parallelismus gestaltet sind, bei dem die ersten beiden Glieder sachlich parallel laufen, oft (wie in V.3) mit Wiederholung der ersten beiden Worte, ihr Ziel aber erst im dritten Glied finden, das den Hauptton trägt und die vorigen Aussagen mit dem zentralen Terminus variiert. Diese Stilform, in den Texten aus Ras Schamra sehr geläufig[14], begegnet im AT sehr selten und meines Wissens ausschließlich dort, wo mit der Form zugleich mythologische Aussagen der Kanaanäer aufgegriffen sind[15].

Und doch ist nun gerade in V.3-4 mit Händen zu greifen, wie im Psalm der überkommene Mythos abgewandelt wird, und zwar auf doppelte Weise. Zum ersten tritt Jahwe nicht ein göttlicher Konkurrent entgegen, der ihm sein Königtum streitig machen könnte, wie dem ugaritischen Baal in Gestalt des doppelnamigen *zbl.jm.ṯpṭ.nhr*, „Fürst Meer, Herrscher Flut", vor dessen Herrschaftsanspruch „die Götter ihre Häupter auf ihre Knie senken" (UT 137,23) und dessen Forderung nach Auslieferung des unbotmäßigen Baal vom Haupt der Götterversammlung, El, sogleich befolgt wird: „Dein Sklave, o Jamm, sei Baal, dein Sklave sei Baal ..., der Sohn Dagans sei fürwahr dein Gefangener" (137,36f.). Der Jahwe-Glaube kann – hier sowenig wie in den oben zu V.1 zitierten Parallelen – das Chaos nicht im strengen Sinn als göttliche Macht bezeichnen, kann Jahwes Königtum nicht aus einem Götterkampf errungen verstehen. Ps 93 behält die mythologischen Termini weithin bei, aber aus dem „Fürst Meer" wird das Urmeer (V.4), aus dem „Herrscher Flut" werden (pluralisch) die Urmeerfluten (V.3)[16], aus den „Söhnen der Aschera", „die Mächtigen" (*rbm*) und „die Zerschmetterer (?)" (*dkjm*, UT 49: V: 1-3), werden die „mächtigen Wasser"

[13] Belege bei Lipiński, a.a.O. 108ff. – Auch das Chaos verfügt über solche „Hoheit" bei seinem Angriff auf die Welt; vgl. Ps 46,3f.; 89,10.
[14] Vgl. etwa W.F.Albright, The Psalm of Habakkuk, Studies in OT Prophecy presented to T.H.Robinson (1950) 3ff.
[15] Z.B. Ps 77,17; 92,10; 118,15f.; Hab 3,8.
[16] Vgl. dazu Jeremias, Theophanie 92-94.

(V. 4)[17] und das „Tosen" der Wasser (V. 3)[18]. Auch ist in V. 3 nicht von einem Ereignis der Urzeit, sondern von der Gegenwart die Rede; die Perfecta am Anfang, die Fakten konstatieren, machen im dritten Versglied einem Imperfekt Platz, das die ständige Dauer der Gefahr bezeichnet, die die Gemeinde zum angstvollen Gebetsruf im Vokativ („Jahwe") treibt[19]. Das Chaos tost und braust – in Gestalt von Frevlern im Innern, von angreifenden Völkern von außen, von Natur- und Wirtschaftskatastrophen –; aber es ist für Israel nicht Gott, der sich anschicken könnte, Jahwe sein Königtum streitig zu machen. Es bedroht die Welt und Israel, es kann nicht Jahwe selber bedrohen.

Mit dem Letztgenannten hängt nun die zweite, schon erwähnte Abwandlung des Mythos unlöslich zusammen: Aus der Darstellung des Kampfes Baals als des Gottes der Ordnung gegen „Fürst Meer" als den Gott der chaotischen Mächte wird in Ps 93 die Schilderung eines Zustands. Dem donnernden Toben der Wasser wird der Weltenkönig „in (bzw. aus) der Höhe" nur noch komparativisch gegenübergestellt. Jahwes Kampf gegen das Chaos ist entschieden, bevor er überhaupt begonnen hat. Schärfer könnte die totale Überlegenheit Jahwes über das Chaos nicht ausgedrückt werden; unterschwellig klingt ein „Lachen" und „Spotten" des „im Himmel Thronenden" (Ps 2,4) mit. Die Urfluten bleiben als Gefahr für die Welt, aber – um es in der weisheitlich geprägten Sprache von Ps 104,9 zu sagen[20] – ihnen ist von Gott „eine Grenze gesetzt, die sie nicht überschreiten dürfen; sie können niemals wieder die Erde bedecken", um sie ins Chaos zu reißen. Ps 93 bringt den gleichen Gedanken mit einer feinen sprachlichen Nuancierung zum Ausdruck: Die Fluten „erheben" (נשׂא) ihre donnernde, tosende Stimme, aber sie „geben" sie nicht (נתן), d.h. lassen sie nicht siegreich und kampfentscheidend erschallen, wie es im kanaanäischen Mythos vom Sturmgott, im AT vom Weltenkönig Jahwe bei seinem Kommen ausgesagt wird[21]. Umgekehrt ist Jahwe mit der doppelten komparativischen Bezeichnung אדיר מן „gewaltiger", „majestätischer" als Sieger im Chaoskampf par excellence prädiziert; in Ex 15,10 sind wie in Ps 93 die Chaoswasser selber אדיר genannt, bevor Jahwe – als Chaoskämpfer

---

[17] Vgl. die Diskussion der Belege bei H.G.May, Some Cosmic Connotations of MAYIM RABBIM, Many Waters, JBL 74 (1955) 9–21.

[18] Freilich ist die Deutung des hapax legomenon weder in Ps 93,3 noch in UT 49: V: 3 gesichert; über die verschiedenen Interpretationsversuche unterrichtet Lipiński, a.a.O. 98f.; vgl. weiter M.Dahood, Psalms II 341, und kritisch H.Donner, ZAW 79 (1967) 346ff.; mehr spekulativ als überzeugend: J.Salomon, Psalm 93, BetM 17 (1972) 350f.

[19] Um es in der Terminologie der neueren Semitistik (A.Denz, Die Verbalsyntax des neuarabischen Dialekts von Kwayriš [Irak], 1971,7f.) auszudrücken: Das Imperfekt weitet den „individuellen Sachverhalt" der ersten Versglieder zu einem „generellen" aus.

[20] Vgl. u. S.45ff.

[21] Vgl. Jeremias, a.a.O. 17. 86 u.ö.

(נורא) und Wundertäter – mit dem gleichbedeutenden Verbaladjektiv derselben Wurzel als נאדר über alle Götter (V. 11) gestellt wird, und Ps 76, 8 interpretiert das parallele אדיר aus V. 5 durch: „Wer kann vor dir bestehen …?"

Mit all dem wird die mythische Sprachwelt implizit vergeschichtlicht: Jahwes Königtum *ist* nach Ps 93 urzeitliches Königtum (V. 1 f.), weil es universales Königtum ist. Aber es ist *nicht* in der Urzeit durch den Sieg über einen Konkurrenten erkämpftes Königtum, damit auch *nicht* ein potentiell bedrohtes Königtum, dessen Bestand durch den im Kult aktualisierten Ritus gesichert würde. Vielmehr wirkt es sich siegreich in der Gegenwart aus, in der überlegenen Kontrolle und Beherrschung aller Mächte, die die Weltordnung zu bedrohen versuchen. Israel darf in einer geordneten Welt sicher leben und frei atmen, weil es sein Gott Jahwe ist, der die Welt in Händen hält.

4.

Auch die Folge des göttlichen Königtums wird in der ersten Strophe in der Sprache des Mythos ausgedrückt. In V. 1b–2 ist die Festigkeit der Welt zweimal mit der Wurzel כון im Nif'al umschrieben. Diese Wurzel bezeichnet im Ugaritischen mehrfach[22] im L-Stamm die Zeugungstätigkeit des Schöpfergottes El, der dabei stets die Prädikation „König" trägt, und auch im AT werden das Polel und das Hif'il für das Handeln des Schöpfers verwendet, der Menschen ins Leben ruft (Dtn 32,6; Hi 31,15) bzw. die Berge (Ps 65,7), die Erde (Jes 45,18; Jer 10,12), den Himmel (Prv 3,19; Ps 89,3), die Gestirne (Ps 8,4; 74,16), den Zion (Ps 48,9; 87,5; Ex 15,17) etc. feststellt und gründet. Der mythische Hintergrund der letztgenannten Aussagen zeigt sich besonders deutlich in Ps 24,2: Die bewohnbare Erde (תבל wie in Ps 93,1) festigt Jahwe „über Wassern", „über den Urmeerfluten"; damit verbinden sich nicht primär räumliche Assoziationen, sondern Herrschaftsvorstellungen, wie denn Jahwes Thron im Himmel „über der Flut" (Ps 29,10; vgl. 104,2 f.) errichtet ist. Schon die Wortwahl zeigt somit, daß Ps 93 von einer wesensmäßig urzeitlichen Stabilität der Welt spricht, was V. 2 mit dem doppelten „von uran" ohnehin unüberhörbar verdeutlicht.

Dennoch aber unterscheidet der Psalm mit Nachdruck zwischen einer primären Festigkeit der Herrschaft Jahwes (Nominalsatz, V. 2) und einer abgeleiteten Festigkeit der bewohnbaren Erde (Folgesatz, V. 1b). Nur im letzten Fall wird die Stabilität durch eine negative Aussage expliziert: „… kann nicht wanken". Diese Differenz hat tiefreichende

---

[22] UT 51: IV: 48; 'nt V:44; vgl. 51: I: 5.

Gründe: Die anstürmenden chaotischen Mächte, von denen V. 3 spricht, können die Welt gefährden, nicht aber Jahwe selber. Die Welt kann „beben" und „schwanken", wie beispielhaft Ps 46; 60; 75 und 82 zeigen, dann nämlich, wenn die Weltordnung durch rechtsbrecherische Frevler (Ps 75, 4) und sie begünstigende Götter (Ps 82, 5) oder durch Fremdvölker in Gefahr gerät (Ps 46, 3; 60, 4; Jes 24, 19), d. h. es kann zu einer Erschütterung der Gesellschafts-, Staats- und Naturordnung kommen. Aber es kann nicht zu einer Außerkraftsetzung oder gar Vernichtung dieser Ordnungen kommen, da sie eben unmittelbare Auswirkung des Königtums Jahwes in seiner wesensmäßigen Festigkeit sind und Jahwe in solchen Situationen kämpfend bzw. strafend eingreift, um die gefährdete Weltordnung wiederherzustellen[23].

Wie gewichtig jedoch die Unterscheidung zwischen primärer Festigkeit der Herrschaft Jahwes und abgeleiteter Festigkeit des Universums ist, zeigt vor allem Ps 46. Er kann, geradezu paradox, zwei gegensätzliche Aussagen nebeneinanderstellen:

Darum fürchten wir uns nicht, mag auch die Erde schwanken
    und mögen die Berge mitten ins Meer wanken (מוט qal) (V. 3);

und:

Jahwe in ihrer (der Gottesstadt) Mitte –
    sie kann nicht ins Wanken geraten (מוט nif.) (V. 6)[24].

Auch hier ist das potentielle „Wanken der Berge", d. h. der Fundamente, auf denen die Erde ruht, von schäumenden und brausenden chaotischen Wassern hervorgerufen (V. 4). Die streng logisch mit Ps 93, 1 („so ist die Erde fest gegründet, kann nicht wanken") unvereinbare Aussage sagt dennoch letztlich das gleiche aus, nur daß Ps 46, 3 einen Irrealsatz („selbst wenn die Berge ... wanken sollten") nutzt statt eines Konsekutivsatzes in Ps 93, 1. Entscheidend ist allein, daß beide Psalmen a) eine Erschütterung der Welt kennen[25], die freilich deren Grundfesten und Grundordnungen nicht tangieren kann, b) davon unterschieden eine prinzipiell unerschütterliche Herrschaft Gottes, die den Bestand der geordneten Welt garantiert.

Freilich schärft die Parallele in Ps 46 den Blick dafür, daß die unableitbare und primäre Festigkeit der *Herrschaft Jahwes unlöslich mit einem Ort verbunden* ist, dem Zion. Wie Baal sein Königtum nicht ohne einen

---

[23] Das meint in Ps 75, 3; Ps 82, 8 und in den Jahwe-König-Psalmen 96, 13 und 98, 9 der Terminus *šāpaṭ*; vgl. u. S. 128–30.

[24] Die letzten Worte sind dabei identisch mit Ps 93, 1 b β. – Ps 104, der von der „Grenze" spricht, die den Chaoswassern von Gott gesetzt ist, so daß sie wohl aufbegehren, nicht aber die Welt ins Chaos stürzen können (V. 9), nennt als Folge wiederum: „Die Erde kann für alle Zeit nicht wanken" (V. 5).

[25] In Ps 93, 1 ergibt sich diese Feststellung aus dem Kontext (V. 3).

Palast ausüben kann (UT ʿnt und 51), so ist Jahwes Königtum fest mit
dem Zion verknüpft. Kann man in Ps 93,2 noch schwanken, ob mit
dem „Thron Gottes" (V.2) sein himmlischer oder aber sein irdischer
Wohnort im Blick ist, so zeigen doch V.4 („in der Höhe") und V.5
(„dein Haus"), daß diese Alternative nicht im Sinne des Psalms ist. Wie
unlöslich in vielen, insbesondere alten Psalmen (und im ganzen Alten
Orient) „himmlische und irdische Wohnstatt Jahwes" zusammenhängen, ja letztlich gar nicht differenzierbar sind, hat etwa M. Metzger
in seinem gleichnamigen Aufsatz gezeigt[26]. Wo von Jahwes Wohnort
„von Urzeit her" gesprochen wird (V.2), gebraucht der Psalm wegen
dieses Zeitaspektes die allgemeinere Begrifflichkeit vom Herrschafts-
„Thron". Aber der den Psalm betont abschließende V.5, der in die Zukunft blickt, feiert Jahwes Gegenwart auf dem Zion bei seinem Volk.
Himmel und Zion sind für den Psalm nicht zwei Orte, sondern der *eine*
Herrschaftsthron des Weltenkönigs, der *eine* Gottesberg, der Himmel
und Erde verbindet und der die kosmische Stabilität garantiert[27]. Auch
hinter dieser Identität steht mythisches Denken, dem entsprechend Mythos (Himmel) und Ritus (Tempel) untrennbare Darstellungsformen
der einen Wirklichkeit sind. Israel hat dieses Denken nicht aufgehoben,
wohl aber abgewandelt; in der zuständlich-statischen Ausdrucksweise
von Ps 93 besagt der abschließende V.5, daß Jahwes Gegenwart im
Tempel und damit inmitten seines Volkes seine dauerhafte, wesenhaft
urzeitliche und durch keine potentielle Macht zu gefährdende Herrschaft über die Welt vom Zion aus garantiert.

5.

Schwieriger ist das erste Versglied in V.5 auszulegen. Die Bedeutung
des Nomens עדות ist uns erst in der exilisch-nachexilischen Zeit, besonders in der priesterschriftlichen Theologie sowie gehäuft im Tora-
Psalm 119, sicher belegt im Sinne von „Anordnung, Weisung, Gebot".
Im Duktus unseres Psalms, der mit hoher Wahrscheinlichkeit aus der
Königszeit stammt (s.u.), fiele eine Aussage über die Zuverlässigkeit
der anordnenden Weisungen Jahwes, über die Unwandelbarkeit seines
geoffenbarten Willens aus dem Rahmen. Sie wird – wie nachweislich

---

[26] UF 2 (1970) 139–158; vgl. Steck, Friedensvorstellungen 14 (mit weiterer Lit.); zuletzt Mettinger, Dethronement 29f.
[27] Vgl. Ps 48,3: Der Zion *ist* der „Gipfel des Zaphon", der im kanaanäischen Mythos
Ort der Götterversammlung ist, und damit Ort, an dem sich das Geschick der Welt entscheidet.

Ps 99,7 b, in dem der Terminus wiederkehrt[28] – auf *aktualisierende Neuinterpretation* der nachexilischen Zeit zurückzuführen sein, zumal sie im späten Ps 19 B eine nahezu wörtlich gleiche Parallele findet (V. 8; dort nur der Singular). In der Spätzeit des AT wird man damit den gesamten Psalm von V. 5 a her neu gehört und gesprochen haben: Jahwes Weltherrschaft bezeugt sich wesenhaft in der Zuverlässigkeit seiner Willenskundgebung, wie sie seinem Volk anvertraut ist und im Mittelpunkt des Gottesdienstes („dein Haus …") steht.

Ob dieses Neuverständnis einen älteren Begriff verdrängt oder – wahrscheinlicher – nur eine ältere Bedeutung des Begriffs ersetzt hat, ist nicht mehr sicher auszumachen. Für den letzteren Fall hat man an die Bedeutung „(feierliche) Zusage"[29], „(heilige) Versammlung"[30] oder aber – von der ungesicherten Bedeutung des ugaritischen ʿad/ʿadt in UT 51: VII: 16; 127,22 ausgehend – „Thron, Königsherrschaft"[31] gedacht. Am ehesten ist m. E. in Abwandlung des erstgenannten und philologisch einzig begründeten Vorschlags עֵדוּת (Sg) mit „Setzung" wiederzugeben, die in Gestalt des Königsprotokolls, das dem irdischen König beim Herrschaftsantritt überreicht wurde[32], seinen Herrschaftsauftrag und Herrschaftsbereich regelt: Der Davidide darf Jahwe vom Zion aus vertreten (Ps 2.72.110 u. ö.). Bei dieser Annahme (mit der man allerdings, wie mir wohl bewußt ist, den Raum der Spekulation betritt) hätte die spätere Zeit für das ihr vertraute und wesentliche Verständnis den Begriff und das zugehörige Verb nur anders – pluralisch – vokalisieren müssen.

6.

Ps 93 muß im Jerusalem der älteren, allenfalls der mittleren Königszeit Israels enstanden sein[33]. Er setzt den Bau des Jerusalemer Tempels voraus (V. 5) und schließt sich terminologisch, in seiner poetischen Struktur und in der Aufnahme überkommener Vorstellungen so eng an kanaanäische Mythen an[34], wie das nur für ganz wenige, durchweg

---

[28] Vgl. u. S. 119 und auch die sachlich entsprechende Neuinterpretation in Dtn 33,4 (u. S. 92).

[29] Johnson, Sacral Kingship 67; Lipiński, a. a. O. 143 ff. (Zusagen an die davidische Dynastie).

[30] Pl. von ʿēdâ: A. Bentzen, Fortolkning til de gammeltestamentlige Salmer (1939) 496.

[31] J. D. Shenkel, An Interpretation of Psalm 93,5, Bib. 46 (1965) 401–16; ähnlich M. Dahood z. St.

[32] Vgl. ʿēdût in 2 Kön 11,12 parallel ḥoq in Ps 2,7 und dazu G. von Rad, Das judäische Königsritual, Ges. St. (1958) 205 ff.; Z. W. Falk, Forms of Testimony, VT 11 (1961) 88–91, sowie die Bedeutung „Satzung" in Ps 81,6 (für die Festzeiten) und in Ps 122,4.

[33] Shenkel, a. a. O. 401 f.; Lipiński, a. a. O. 163–71, und ihnen folgend Dahood z. St. wagen eine exaktere Datierung: 10. Jh. v. Chr. Vgl. im übrigen etwa Kraus z. St. und Gray, Biblical Doctrine 46 f.

[34] Vgl. o. S. 21 f. und H. G. Jefferson, Psalm 93, JBL 71 (1952) 155–60.

frühe Psalmen im Alten Testament gilt (etwa Ps 29 und 68). Abgesehen vom soeben besprochenen mehrdeutigen ersten Wort in V.5 deutet schlechterdings nichts auf eine späte Entstehung des Psalms hin; insbesondere ist eine gelegentlich angenommene Abhängigkeit des Psalms vom Gedankengut Deuterojesajas aus vielen Gründen ausgeschlossen[35].

Die entscheidende Abwandlung der aus Kanaan übernommenen Thematik des Königtums Gottes ereignet sich in Ps 93 in der Umsetzung von mythischer Erzählung in statisch-nominale Aussagen. Damit wird das Königtum Gottes als ein Königtum ohne Anfang und Ende prädiziert, als prinzipiell nicht zu gefährdende, bleibend gültige Voraussetzung allen kontingent geschichtlichen Geschehens, dem die Welt ihre gesicherte Ordnung verdankt. Ps 93 schildert eben *keinen* Chaoskampf – das ist in der Literatur fast durchweg bei der Deutung des Psalms verkannt worden[36] –, sondern er beschreibt die Voraussetzungen einer gehaltenen und stabilen Welt. Diese Stabilität der Welt ist nur eine abgeleitete, insofern sie an der Stabilität der Herrschaft Gottes und seines Herrschaftsortes partizipiert, der „heilig" ist (V.5), „von uran" (V.2) und „für die Dauer der Tage" (V.5) besteht und von dem aus der König der Welt alle bedrohenden Mächte, die die Welt gefährden, unter Kontrolle hält (V.4). Dieser Ort ist im Himmel (V.4), zugleich aber auf dem Zion inmitten Israels; es ist der vom Zion aus himmelhoch ragende Gottesberg (Ps 48,3), das Band zwischen Himmel und Erde (Gen 28,12). Er bedingt, daß im Tempel von Jerusalem die Kategorien von Irdisch und Himmlisch, von Raum und Zeit aufgehoben sind, insofern dieser Tempel zwar nur die Gewandsäume (Jes 6,1) oder die Füße (Ez 43,7) des Weltenkönigs zu fassen vermag, dennoch aber zugleich den Thron Gottes birgt und damit die ungeteilte Präsenz Gottes. „Wer das Heiligtum betritt, steht vor dem im Himmel thronenden Gott."[37]

Mit der Hervorhebung des Tempels, der als Stätte der Gottesgegenwart die Festigkeit der Welt garantiert, in den anredenden Zielaussagen beider Strophen rückt Ps 93 in die Nähe der Zionpsalmen. Dafür sprechen auch schon erwähnte Einzelheiten, etwa die Parallelität mit Ps 46 in der Gegenüberstellung von akuter Gefährdung der Weltordnung und unerschütterlicher Festigkeit des Zion (Ps 46,3f. 5f.) oder die Par-

---

[35] Vgl. den überzeugenden Nachweis von Lipiński, a.a.O. 170ff.

[36] In einer besonders extremen Weise ist Ps 93,4 mehrfach von J.Coppens irrtümlich „ugaritisch" gedeutet worden; vgl. EThL 42 (1966) 226; 54 (1978) 3; Royauté de Dieu 158. Zutreffend dagegen B.Halpern, The Constitution of the Monarchy in Israel, HSM 25 (Ann Arbor/Mich. 1981) 62: „statively descriptive", keine „sequence of events". Ähnlich zuvor R.Tournay, RB 68 (1961) 131.

[37] M.Metzger, a.a.O. 145.

allelität mit Ps 76 in dem Gebrauch des Titels אדיר „gewaltig" für Jahwe an hervorgehobener Stelle (Ps 76,5). Zudem kennen auch die Zionpsalmen 48 und 76 den Wechsel von beschreibenden Nominalsätzen im Er-Stil und der Anrede an Gott. Aufgrund solcher Beobachtungen hat E. Lipiński Ps 93 den Zionpsalmen voll zugeordnet[38]. Aber hier ist Behutsamkeit am Platze. Zum einen ist in den Zionpsalmen nicht die strenge strophische Zweiteilung zu beobachten, die wie Ps 93 auch die meisten übrigen „Jahwe-König-Psalmen" kennzeichnet. Zum anderen sind für die Zionpsalmen im Unterschied zu Ps 93 gerade perfektische Verbalsätze charakteristisch, mit denen die Abwehr des urzeitlichen Völkeransturms gegen den Zion durch Jahwe gefeiert und vergegenwärtigt wird. Die Tradition vom Chaoskampf des Götterkönigs ist in den Zionpsalmen also in signifikant anderer Weise umgeprägt worden als in den Nominalsätzen von Ps 93[39]. Einen „Zionpsalm" wird man Ps 93 somit nur nennen können, wenn man auf eine präzise Analyse der zusammengehörigen Psalmen 46; 48 und 76 mit ihren Parallelen verzichtet und den Begriff in einem sehr weiten Sinne verwendet.

So viel ist jedenfalls sicher: So gewiß Ps 93 ein Kultpsalm ist, ist er es doch nicht in dem Sinne, daß seine Rezitation am Fest einen Ritus begleitet, interpretiert und in Kraft gesetzt haben könnte. Dazu fehlen dem Psalm im Unterschied zu den Zionpsalmen und zu Ps 47 alle verbal-erzählenden Momente. Der durchweg nominal formulierte Psalm gipfelt vielmehr angesichts von lebhaft beschriebenen Gefahren in Vertrauensaussagen der Anrede an Gott und rückt damit in die Nähe von Psalmen, die H. Gunkel „Vertrauenslieder" genannt hat[40]. Aber diese Kennzeichnung, ohnehin an individuellen Psalmen gewonnen, ist eher behelfsmäßig und erfolgte ohne präzise formgeschichtliche Analyse; die von Gunkel unter dieser Überschrift subsumierten Psalmen sind untereinander höchst different. Daß Ps 93 an dem Fest angestimmt wurde, das als Anlaß zum Vortrag von Ps 47 diente (u. S. 57 ff.), ist aufgrund vielfältiger Sachzusammenhänge überaus wahrscheinlich. Jedoch deuten die Differenzen zwischen beiden Psalmen darauf hin, daß sie innerhalb des Festgeschehens ihre je eigene Position und Funktion besaßen. Für Ps 47 ist diese Position noch recht exakt auszumachen, für Ps 93 nicht mehr.

In der Forschung an den Psalmen ist bis heute m. W. übersehen worden, daß verbale Schilderungen des Chaoskampfes Jahwes (Ps 74,12 ff.; 89,6 ff.; Jes 51,9 f.; vgl. Ps 77,15 ff.) a) sich nie in Hymnen finden, sondern ausschließlich in (hymnischen Partien von) kollektiven Klagepsalmen, b) nur in Form der

---

[38] A. a. O. 153 ff.; vgl. 118 ff.
[39] Vgl. zum Einzelnachweis den Anhang u. S. 167 ff.
[40] Einleitung in die Psalmen, 254–56.

Anrede begegnen, und zwar stets mit betont vorangestelltem אתה („du bist es
doch, der …"), c) auch jetzt noch durchgehend im Partizipstil einsetzen oder
ihn sogar durchhalten (Jes 51,9 f.) und d) diese Klagepsalmen ausnahmslos in
die Exilszeit gehören[41]. Dieser Sachverhalt kann unmöglich zufälliger Natur
sein. Vielmehr bricht im Exil mit der Krise des Erwählungsglaubens elementar
die Frage auf, ob Gott noch zu seinem Volk und zu seiner Welt steht. Der in
früheren Klagen des Volkes übliche Hinweis auf Gottes Heilstaten genügt hier
nicht mehr, da diese Heilstaten ihre frühere Eindeutigkeit verloren haben. Vielmehr muß Jahwe jetzt mit der Macht der Urzeit das Weltganze wieder aus dem
Chaos reißen[42]. Jahwes Heil wird in der Kategorie der Neuschöpfung erbeten
(bzw. angekündigt), weil die Gemeinde gewiß ist, daß Gott als Schöpfer – und
König Israels (Ps 74,12) – seine Geschöpfe nicht preisgeben kann und keine
Macht der Welt sie ihm entreißen kann. Es ist also in der Sache begründet,
wenn in diesen Psalmen Chaoskampf und Schöpfung (mesopotamischer Traditionsbildung entsprechend) verbunden sind wie nie in den Jahwe-König-Psalmen, wie noch zu zeigen ist (vgl. u. S. 158). Auch darin besteht eine Differenz
zu allen Psalmen unserer Untersuchung, daß das Chaos jetzt in der Gestalt
mythischer Ungeheuer (Rahab, Tannin und Leviathan) erscheint. Ein Götterkampf findet freilich auch hier nicht statt; ja, „ein wirklicher Kampf wird nicht
mehr geschildert, sondern jeweils nur noch an die vergangene Gottestat erinnert"[43].

2. Ps 29 – eine mögliche Vorstufe

Mit seiner zuständlichen Ausdrucksweise für Gottes welterhaltende
königliche Kontrolle über alle chaotischen Mächte steht Ps 93 nicht allein. Die gewichtigste Parallele bietet Ps 29. Sein hohes Alter legt sich
schon von der Erkenntnis aus nahe, daß er unmittelbarer und gehäufter
als alle anderen überkommenen Psalmen der Bibel kanaanäische Sprache spricht. Das ist oft aufgezeigt worden, so daß sich ein erneuter Einzelnachweis erübrigt[1]. Ja, der Mittelteil des Psalms schließt sich so eng

---

[41] Vgl. Zur Datierung zuletzt Vosberg, Reden vom Schöpfer (1975); T. Veijola, Verheißung in der Krise. Studien zur Literatur und Theologie der Exilszeit anhand des 89.
Psalms (Helsinki 1982). – Auf die scheinbare Ausnahme des weisheitlich geprägten Psal-
mes 104 ist noch zurückzukommen (u. S. 45 ff.).
[42] Vgl. zu dieser Differenz O. H. Steck, Deuterojesaja als theologischer Denker, KuD
15 (1969) 280–93, bes. 288 f. (= Ges. St., 1982, 214 f.); Vosberg, a. a. O. 46 ff. 56 f.; J. Jeremias, Die Verwendung des Themas Schöpfung im AT, in: W. Lohff-H. C. Knuth (Hg.),
Schöpfungsglaube und Umweltverantwortung, Zur Sache 26 (1985) 101–45, bes. 139 ff.
[43] Schmidt, Königtum Gottes 52.
[1] Morphologische Merkmale (wie etwa das enklitische m in V. 6 a) stehen neben stilistischen (etwa der schon zu Ps 93,3 f. erwähnte dreigliedrige klimaktische Parallelismus
in V. 1–2 a) und terminologischen (die Benennung der niederen Götter als bn il(m); „Sirjon" par. Libanon als Bezeichnung des Hermon; die „Wüste qdš" wie in UT 52,65: offen-

an ugaritische Texte an, die Baals Theophanie in seiner Donnerstimme schildern (und unten näher aufgeführt werden), daß eine große Zahl an Auslegern annahm, er wandle einen schon vorliegenden kanaanäischen Hymnus ab.

Damit stellt sich die Frage, ob das statisch-zuständliche Reden vom Königtum Gottes, wie es Ps 93 übt, in Ps 29 schon kanaanäisches Erbe ist[2] oder aber wiederum erst auf israelitische Neudeutung kanaanäischer Tradition zurückzuführen ist. Sie ist deshalb schwer zu beantworten, weil in der nahezu unüberschaubaren Literatur zu Ps 29[3] kontrovers diskutiert wird, ob der Psalm einen schon fertigen kanaanäischen Hymnus aufgreift und umprägt oder aber sich nur kanaanäischer Vorstellungen und kanaanäischer Ausdrucksweise bedient[4]. Gewiß sind manche Tatbestände unabhängig von dieser Kontroverse evident und mit Recht immer wieder herausgestellt worden. So bezeichnet der im gesamten Psalm geradezu hämmernd wiederholte Gottesname „Jahwe" offensichtlich mehr als nur den Ersatz eines vorgängigen „Baal" bzw. „Hadad" o.ä.; er hat einen bemerkenswert polemischen Akzent, insbesondere durch die Voranstellung in den letzten Versen: „Jahwe (und kein anderer) thront über der Flut" (V. 10). Zugleich ist der abschließende V. 11 leicht als interpretatio israelitica erkennbar: In charakteristisch alttestamentlicher Vorstellungsweise erbittet (bzw. erwartet) er den Erweis von Gottes Macht über die Welt in Gestalt der Anteilgabe dieser Macht an sein Volk. Für unsere Fragestellung ist mit diesen Beobachtungen freilich noch wenig gewonnen. Vielmehr ist für sie entscheidend, ob die zentralen Aussagen des Psalmkorpus - insbe-

sichtlich in der primären Bedeutung wie die anderen geographischen Begriffe nördlich Israels zu lokalisieren und als „heilige" Wüste zu deuten, wenngleich von Späteren als Wüste Kadesch verstanden, etc.).

[2] Daß die kanaanäische Dichtung nominale Hymnenaussagen kennt, wird etwa schon durch UT 51: IV: 41–43; ʿnt V: 38 f. belegt.

[3] Für die Zeit zwischen 1900 und 1979 nennt F. Gradl, SBFLA 29 (1979) 91 ff. nicht weniger als 45 Titel, wobei er nur die Spezialliteratur berücksichtigt. Im letzten Jahrzehnt sind allein zwei Monographien zu Ps 29 erschienen: J. L. Cunchillos, Estudio del Salmo 29. Canto al Dios de la fertilidad-fecundidad (Valencia 1976) und O. Loretz, Psalm 29. Kanaanäische El- und Baaltraditionen in jüdischer Sicht (Soest 1984), beide mit ausführlicher Darstellung der Forschungsgeschichte. Hinzu kommt jüngst mit C. Kloos' „Yhwh's Combat" ein Buch, das sich in seiner gewichtigeren ersten Hälfte ganz Ps 29 widmet; auf es kann hier leider nur noch hingewiesen werden.

[4] Die erstgenannte Ansicht vertrat etwa H. L. Ginsberg, der als erster die kanaanäischen Bezüge des Psalms aufgrund der ugaritischen Texte herausstellte (A Phoenician Hymn in the Psalter. Atti del XIX Congresso Internazionale degli Orientalisti, Roma 23–29 Settembre 1935, erschienen 1938, 472–76; vgl. ders., Kitbê Ugarit [hebr.], 1936, 129–31). Variiert begegnet sie dort, wo nur ein literarischer Grundbestand des Psalms als kanaanäisches Erbe gedeutet wird (z. B. K. Seybold, ThZ 36, 1980, 208–19). Als Vertreter der zweiten Ansicht sind etwa F. C. Fensham (Ps 29 and Ugarit, Studies on the Psalms, OTWSA. P, 6th Meeting, 1963, 84–99) und O. Loretz, a. a. O., zu nennen.

sondere V.3b: „Jahwe über gewaltigen Wassern" und V.10a: „Jahwe thront über der Flut" – sich schon kanaanäischem Erbe verdanken oder nicht. Zur Beantwortung bedarf es einer form- und traditionsgeschichtlichen Analyse des gesamten Psalms.

1 Bringt Jahwe dar, ihr Göttlichen,
     bringt Jahwe dar Glorie und Macht,
2   bringt Jahwe dar die Glorie seines Namens;
          werft euch nieder vor Jahwe in (seiner) heiligen Majestät[5]!

3 Die Stimme Jahwes über den Wassern,
     – der Gott der Glorie hat gedonnert –,
     Jahwe über gewaltigen Wassern.
4 Die Stimme Jahwes voll Kraft,
     die Stimme Jahwes voll Majestät.
5 Die Stimme Jahwes beim Zerbrechen von Zedern,
     schon hat Jahwe die Zedern des Libanon zerbrochen;
6 er hat den Libanon hüpfen lassen wie ein Kalb
     und den Sirjon wie einen jungen Wildstier.
7 Die Stimme Jahwes beim Zerschlagen von (Felsen,
     schon hat Jahwe Felsgestein zerbrochen) mit Feuerflammen[6].
8 Die Stimme Jahwes kann die Wüste in Wehen versetzen,
     schon hat[7] Jahwe die Wüste Qadesch in Wehen versetzt.
9 Die Stimme Jahwes kann mächtige Bäume[8] durcheinanderwirbeln,
     schon hat (Jahwe) Wälder[8] abgeschält.
Aber in seinem Palast ruft ein jeder: Glorie!

---

[5] Die erstmals von F.M.Cross, BASOR 117 (1950) 21 im Anschluß an das in einer El-Vision belegte *hdrt* (*Krt* 155) vorgeschlagene Übersetzung „Erscheinung" ist von H.Donner, ZAW 79 (1967) 331ff., bestritten worden; vgl. die Entgegnung von Cross, Canaanite Myth and Hebrew Epic (1973) 152f. Im Blick auf das ähnliche *hādār* in V.4 erscheint mir die Übersetzung „Majestät, Erhabenheit", die A.Caquot, „In splendoribus Sanctorum", Syria 33 (1956) 37–41, vorschlug, angemessener. So auch P.R.Ackroyd, JThS N.S.17 (1966) 393–96.

[6] *ḥṣb* bedeutet von Haus aus das Abbrechen von Steinen im Steinbruch und hat sonst nie ein Objekt wie „Feuerflammen" bei sich; zudem fehlt einzig hier ein paralleles Versglied. Vermutlich entstand die Lücke durch Augensprung; die obige Ergänzung folgt B. Duhm z.St. Oder sollte V.7 als Zentrum einer Ringkomposition (s.u.S.33) betont ohne Parallelglied stehen?

[7] Imperf. consec. analog V.5f. 9f. mit LXX, Pesch; vgl. BHS.

[8] Die Übersetzung der Objekte geht (mit Duhm u.a.) von der Annahme aus, daß die sonst maskulin belegten Substantive (im Nordteil Israels?) auch feminine Plurale bilden konnten; für das erste ist die feminine Form ohne *j*, also *'ēlâ*, häufig belegt. Zu den Verben vgl. Jer 23,19 bzw. Jl 1,7. Ich selbst habe früher mit vielen anderen im Anschluß an G.R.Driver eine andere Deutung für die Objekte („Hirschkühe", „Zicklein") und dementsprechend für die Verben („kreißen" bzw. „gebären machen") vertreten (Theophanie 30f., Anm.8), die aber im zweiten Stichos auf allzu ungesicherten Annahmen beruht. – Der Gottesname im 2.Stichos ist wohl infolge Homoioarkton ausgefallen.

10   Jahwe thront über der Flut,
     ja Jahwe thront als König auf ewig.

11   Jahwe verleihe[9] seinem Volke Macht,
     Jahwe segne sein Volk mit Heil.

1.

Ps 29 ist sehr kunstvoll aufgebaut; jedoch werden auch Wachstumsspuren sichtbar.

1. Deutlich erkennbar bilden die Imperative in V. 1 f. zusammen mit
den schon genannten abschließenden Jussiven in V. 11 einen Rahmen
um die Verse 3–10, die Sachverhalte schildern. Beide Rahmenteile sind
auch terminologisch dadurch verbunden, daß das Königsepitheton
„Macht" aus V. 1 in V. 11 für den Bereich geschichtlicher Erfahrung erbeten wird. Die anfänglichen Imperative sind allerdings sowohl begrifflich als auch in ihrer Struktur deutlich von den üblichen imperativischen Hymnen in Israel unterschieden[10]. Sie führen in den himmlischen
Bereich, in dem die Jahwe umgebenden Himmelswesen, Relikte des kanaanäischen Pantheons, zur Huldigung des Weltenkönigs aufgefordert
werden.

2. Im schildernden Mittelteil beginnt zunächst in den Versen 3–9 a
jede poetische Einheit mit dem identischen Einsatz „die Stimme Jahwes
..." (Ausnahme und vielleicht früher Zuwachs[11]: V. 6) und führt dann
zumeist im parallelen Glied Jahwe selber ein (bewußte Ausnahme: V. 4),
den seine Donnerstimme vollgültig repräsentiert. Beschrieben werden
ab V. 5 Auswirkungen dieser Stimme im irdischen Bereich, speziell in
der Natur. Bemerkenswert und von sachlichem Gewicht ist die syntaktische Variation. Die Anfangsverse 3–4 sind als verblose Nominalsätze
gestaltet, und zwar durchgehend, sieht man von der Parenthese V. 3 aβ
ab, die interpretatorische Funktion hat (s. u.). Ab V. 5 werden dann in
den regelmäßigen Versen die jeweiligen Parallelaussagen mit Jahwe als
Subjekt im Erzählstil des Imperf. consec. formuliert. Die Eingangssti-
chen variieren dagegen planmäßig. Sie sind in V. 5 + 7 im Partizipialstil

---

[9] Mit der Mehrzahl der Exegeten werden die Verben jussivisch zu deuten sein. Als
Indikative würden sie eine Erwartung („... wird verleihen") ausdrücken.

[10] Vgl. den Nachweis von F. Crüsemann, Studien 35, Anm. 1. Singulär im Psalter
(Ps 96,7 f. ist literarisch von Ps 29 abhängig) ist insbesondere der Aramaismus *jhb* für
„huldigend darbieten".

[11] Gewichtige Argumente dafür nennen S. Mittmann, Komposition und Redaktion
von Ps 29, VT 28 (1978) 172 ff., bes. 181 f., sowie F. Gradl, a. a. O. 95. Vgl. aber u. S. 42,
Anm. 39.

gehalten, in V. 8–9 a im Imperfekt. Es findet in den Eingangssätzen also eine beabsichtigte Steigerung statt: von verblosen Nominalsätzen zu solchen mit Partizipien zu zusammengesetzten Nominalsätzen mit imperfektischen Verben.

3. Hat man dies einmal erkannt, wird V. 10 unschwer als letzter Höhepunkt der Steigerung identifizierbar. Vor dem Parallelglied, das wieder wie in V. 5–9 a im Imperf. consec. abgefaßt ist, steht jetzt ein zusammengesetzter Nominalsatz mit perfektischem Verb; zugleich begegnet an diesem Höhepunkt in beiden Stichen der Gottesname Jahwe und nun nicht mehr „die Stimme Jahwes". Entsprechend bietet V. 10 als eine Art thematischer Zusammenfassung auch den inhaltlichen Höhepunkt des Psalms, indem er das Königtum Jahwes explizit nennt[12].

4. Ursprünglich waren die drei Abschnitte, die von der Stimme Jahwes handeln, vermutlich einmal gleich lang (je zwei Stichen). Die gegenwärtigen Unregelmäßigkeiten – in V. 3 die Parenthese; in V. 6 ein Stichos, der als einziger die Stimme Jahwes nicht nennt, statt dessen den Gedanken von V. 5 b weiterführt; in V. 7 das Fehlen eines Parallelgliedes – deuten auf *Wachstumsspuren*, die in V. 6 f. um einer überlagernden neuen poetischen Struktur willen vorgenommen sind. In V. 5–9 a ist eine Ringkomposition entstanden, in der Objekte der Natur genannt werden, wie sie von der göttlichen Donnerstimme vernichtend getroffen werden, in der menschlichen Erfahrung dagegen besonders fest gefügt sind. Nach dem Schema A-B-C-B′-A′ werden Wirkungen des Sturmes, der mächtige Bäume entwurzelt, entschält und zerbricht (V. 5. 9 a), neben denen eines Erdbebens, das hohe Gebirge „tanzen läßt" und unbewohnte Gegenden „in Wehen versetzt" (V. 6. 8), genannt, während im Zentrum Blitze stehen, die selbst Felsen in Brand setzen (V. 7), vermutlich als grauenhafteste Folge eines Gewitters[13].

5. Als formal überschüssiges Element, das um seiner Isoliertheit willen viele Exegeten zu Versumstellungen verleitet hat, bleibt V. 9 b übrig, auf den sogleich in der Traditionsgeschichte zurückzukommen ist. Seine Funktion ist eindeutig. Er nimmt das Thema der Huldigung vor

---

[12] Von den jeweiligen Vordersätzen aus müssen die gleichbleibenden Imperfecta consecutiva der Parallelstichen in V. 5 ff. gedeutet werden. Beruhen sie auf massoretischem Mißverständnis einfacher Imperfekte (so F. C. Fensham, The Use of the Suffix Conjugation and the Prefix Conjugation in a Few Old Hebrew Poems, JNSL 6, 1978, 14 f.)? Zumindest in V. 10 ist ausgeschlossen, daß Stichos a einen anderen Sachverhalt bezeichnet als b. Abwegig erscheint mir die von W. Groß, Verbform und Funktion. *wayyiqtol* für die Gegenwart (1976) 96–98, versuchsweise erwogene Interpretation von V. 3–9 a auf einmaliges Geschehen in der Vergangenheit. Er selber räumt ein, daß dann die Imperfekte in 6 f. unerklärlich blieben. Am ehesten ist die Funktion der Imperfecta consecutiva so zu n, daß sie den verschiedenen Aussageformen (Partizip für Dauer; Imperfekt für Po- lis; Perfekt für Actualis) jeweils die Erfahrungsdimension hinzufügen wollen, ohne e Ebene genereller Sachverhalte zu verlassen. In diesem Sinn ist oben übersetzt

l. zu dieser Komposition auch G. C. Macholz, Ps 29 und 1 Kön 19, FS C. Wester- 980) 325 ff., bes. 329.

dem Weltenkönig in V. 1 f. auf, aber nicht in Gestalt der Aufforderung, sondern beschreibend, wobei das Partizip des Satzes dazu dient, die ununterbrochene Dauer des Vorgangs und die Gleichzeitigkeit mit den Machterweisen der Stimme Jahwes auszudrücken. Verdeutlichend müßte man übersetzen: „Aber in seinem Palast ruft (währenddessen) ein jeder (anhaltend): Glorie!" Die schwebende Formulierung ist gewählt, weil nach den Erfahrungen der Donnerstimme mit „ein jeder" die im Tempel feiernde Gemeinde in den himmlischen Lobpreis mit einbezogen wird. Der „Palast", von dem V. 9 b spricht, bezeichnet gleicherweise himmlische Residenz und irdischen Tempel. Wie in Ps 93 sind im Heiligtum die Unterschiede zwischen Himmel und Erde aufgehoben. Formal wird durch V. 9 b der Mittelteil auf V. 3–9 a verkürzt; V. 9 b–11 bilden nun sachlich mit V. 1 f. einen Rahmen um diesen Mittelteil, eine Gliederung, die der Form von V. 10 zuwiderläuft.

6. Die Endgestalt des Psalms ist dadurch gekennzeichnet, daß die schon aus Ps 93 bekannten Königsepitheta Herrlichkeit und Macht in leicht variierter Terminologie in allen drei Psalmteilen verwendet werden: Glorie – Macht – Majestät (V. 1 f.), Kraft – Majestät (V. 4), Glorie und Macht (V. 9 b. 11).

2.

Die Aufgliederung des Psalms in einen Mittel- und einen Rahmenteil hat aber tiefer liegende Gründe als die genannten formalen und inhaltlichen. Es ist das Verdienst von Werner H. Schmidt in seiner vorzüglichen Dissertation „Königtum Gottes in Ugarit und Israel" gewesen aufzuweisen, daß die Rahmenteile und der Mittelteil auch *traditionsgeschichtlich* voneinander zu trennen sind. Während der erste Rahmenteil (V. 1 f.) Eltraditionen, wie sie uns die ugaritischen Texte kennenlehren, aufgreift, spiegelt der Mittelteil des Psalms deutlich Traditionen des Sturmgottes Baal-Hadad wider. In V. 9 b–10 mischen sich beide: V. 9 b bietet Eltradition, V. 10 wieder Baaltradition. Schmidt hat mit dieser Beobachtung die These verbunden, daß die Zusammenfügung von El- und Baaltraditionen in Ps 29 erst in Israel, noch nicht in Kanaan bzw. Ugarit erfolgt sei[14]. Diese These ist in der Folgezeit sowohl bekräftigt als auch bestritten worden[15].

Sie läßt sich jedoch an Ps 29 noch erhärten. Trotz der auffälli und in dieser Dichte singulären kanaanäischen Formensprach

---

[14] A. a. O. 57 f.
[15] Bekräftigt z. B. von H. Strauß, ZAW 82 (1970) 91 ff.; Macholz, a. a. O.; Lo O.; bestritten vor allem von F. Stolz, Strukturen 153 f.; vgl. E. Otto, VT 30 ((nur Eltradition) und von Kloos, a. a. O. 16 ff. (nur Baaltradition).

Ps 29, auch abgesehen von V. 11, keineswegs mehr ein kanaanäischer, sondern ein charakteristisch israelitischer Psalm. Wichtigstes Indiz ist, daß die traditionsgeschichtliche Trennung von El- und Baaltradition mit formgeschichtlichen Beobachtungen koinzidiert. Wo typische El-tradition außerhalb der Einleitungsverse 1 f. begegnet, äußerlich insbesondere erkennbar am Leitwort dieser Traditionsschicht כבוד („Glorie")[16], trägt sie typische Kennzeichen sekundärer Interpretation. In V. 3 („der Gott der Glorie hat gedonnert") unterbricht sie den Parallelismus der beiden sie rahmenden Versglieder, offenbar in der Absicht, die Identität des Gottes, dem eingangs im Himmel die „Glorie" dargebracht wird, mit dem, der sich im siebenfachen Donner offenbart, zu sichern; ebendamit aber zeigt die Interpretation, daß hier ein Problem vorlag, das auf der Differenz zwischen El- und Baaltradition beruht. In V. 9 b („aber in seinem Palast ruft ein jeder: Glorie") unterbricht ein Einzelstichos ohne Parallele und noch dazu mit Prosa-Merkmalen (Wortstellung, „ein jeder") eine Kette jeweils analog gebauter Parallelismen. V. 10 bietet nicht nur Baaltradition wie V. 5–9 a, sondern er entspricht formal genau der Mehrzahl der Verse 5–9 a, wie wir oben sahen. Somit spricht alles dafür, daß die Eltradition in Ps 29 (V. 1 f. 3 aβ. 9 b) eine Interpretationsschicht bildet, deren Bedeutung noch erörtert werden soll.

3.

Ist sie einmal abgehoben, wird die inhaltlich zentrale, von den Auslegern oft übersehene Inklusion des Grundbestandes deutlicher erkennbar: „die Stimme Jahwes über den Wassern" (V. 3) – „Jahwe thront über der Flut" (V. 10). Das Thema des Grundbestandes von Ps 29 ist keineswegs nur die grenzenlose Macht Gottes, vor der die sichersten und festesten Größen menschlicher Erfahrung erschüttert werden (V. 5–9 a), sondern auch – und zwar als notwendige erste und ebenso notwendig letzte Aussage – die Kontrolle Jahwes über die chaotischen Wasser. Alle Aussagen über Jahwes Macht müssen von der Klammer her, die V. 3 und V. 10 formal wie inhaltlich bilden, verstanden werden. Jahwes Macht ist eine Macht, die – so verheerend und vernichtend ihre Wirkungen sein mögen – zum Schutz der Welt wirkt. Zudem ist die Kontrolle über das Chaos sowohl in V. 3 f. als auch in V. 10 das entscheidende Merkmal des Königtums Jahwes. In den Nominalsätzen von V. 4 wird es mit den schon aus Ps 93,1 bekannten Komplementärbegriffen der Königstradition „Kraft"/„Majestät" als ein machtvoll bewährtes,

---

[16] Ich habe dieses ungeläufige Wort gewählt, um beide Aspekte des *kābôd* – die Gott dargebrachte „Ehre" (V. 1 f.) und seine im Donner erkennbare „Herrlichkeit" – auch im Deutschen in einem Begriff auszudrücken.

freilich zugleich zeitlos-wirksames eingeführt, am sachlichen Höhepunkt V. 10 in Gestalt eines zusammengesetzten Nominalsatzes –
„Jahwe thront über der Flut" ist in der Satzstruktur analog יהוה מלך
(„Jahwe herrscht als König") in Ps 93, 1 par. – als Voraussetzung aller
zuvor genannten Erfahrung in der Welt bezeichnet. Schlechterdings
nichts deutet im Kontext darauf, daß sich mit Jahwes Thronen Gedanken des Zustandekommens dieses Faktums verbinden („er hat sich gesetzt und sitzt daher jetzt").

Jedoch ist bemerkenswert, daß in V. 10 b zwar ein Thronen Jahwes
„auf ewig", also für alle Zukunft ausgesagt wird, nicht aber eine Herrschaft „von uran" wie in Ps 93, 2. Darin entspricht Ps 29, 10 b der Zusage an Baal: „Du sollst erhalten dein ewiges Königtum (*mlk. 'lmk*),
deine Herrschaft von Geschlecht zu Geschlecht" (UT 68, 10). Ist damit
erwiesen, daß V. 3 f. und 10 unmittelbare Ausprägungen der Baaltradition sind? In der Tat hat man insbesondere V. 10 gern in diesem Sinne
als Handlungsbeginn verstanden und „ugaritisch" gedeutet[17]. Aber hier
gilt es, genauer zu differenzieren. Einerseits findet die nominale Formulierung von V. 3 in Ugarit keinerlei Sachparallele, und es ist wenig
wahrscheinlich, daß das nur auf der Zufälligkeit der Textfunde beruht.
Andererseits hat der zusammengesetzte Nominalsatz V. 10 in Ugarit
Parallelen, aber sie haben andere Bedeutung als Ps 29, 10.

1. Wollte man den Themasatz des Psalms „Jahwe thront über der
Flut" in V. 10 „ugaritisch" lesen im Sinne der uns überkommenen Mythen, müßte man ihn in der Tat als Handlungsbeginn in der Vergangenheit verstehen: „Jahwe setzte sich auf (seinen Thron über) die Flut."
Man vergleiche nur UT 127, 22–24: „Seht, ein Tag und ein zweiter
(verstrichen), da kehrte Krt zurück zu seinem früheren Status; er setzte
sich auf (seinen) Königsthron (*jtb. lksi. mlk*), auf den Ruheplatz, (seinen) Herrschaftssitz"; oder – sachlich gewichtiger – aus dem Baalmythos 76: III: 14 f.: „Baal setzte sich auf seinen Königsthron (*b'l. jtb. lks*
[*i. mlkh*][18], der Sohn Dagans auf seinen Herrschaftssitz." Unmittelbar
zuvor (Z. 12 f.) ist davon die Rede, daß Baal etwas besteigt, vermutlich
seinen Götterberg, und im Paralleltext 49: V: 5 ist Baals Thronbestei-

---

[17] Vgl. etwa Groß, a. a. O. 97 zu V. 10: „... betonen Suffixkonjugation und *wayyiqtol*
die Herbeiführung eines Zustandes, sie sprechen also von YHWHs Thronbesteigung und
dem daraus resultierenden Zustand." Ähnlich formuliert W. H. Schmidt, a. a. O. 57: „Hier
wird Jahwe, wie im Ugaritischen Baal, ein Königtum zugesprochen, das bei einem be-
stimmten Ereignis einsetzt und von dann ab immer fortdauert." Aber von einem „Ereignis" dieser Art redet der Text bewußt nicht. Dahood z. St. füllt diese empfundene Lücke
künstlich, indem er übersetzt: „Yahweh has sat enthroned from the flood" und „from the
flood" temporal deutet: seit dem Chaoskampf; Gray, Biblical Doctrine 41, folgt dieser
Auffassung.
[18] Ergänzung nach *'nt* IV: 46 sowie 49: V: 5.

gung in ihrem Ingreßcharakter noch deutlich festgehalten, insofern sie hier Ergebnis seiner vorhergehenden Siege (Z. 1 ff.) ist. Weiter könnte man auf 49: I: 27 ff. verweisen, wo „Aschtar, der Schreckliche" vergeblich versucht, Baal zu ersetzen, nachdem er zuvor „die Gipfel des Zaphon bestieg, sich setzte (*jtb*) auf den Thron des mächtigen Baal".

2. Offensichtlich anders ist der Sachverhalt in einem 1968 in Ugaritica V veröffentlichten Text (RS 24. 245 = UT 603), der wohl kaum einfach ein Mythenfragment bietet[18a], obwohl er passagenweise mit bekannten Mythen parallel läuft, sondern eher ein „Kultlied"[19]. Er hat freilich ganz verschiedene Deutungen erfahren, z.B. als Thronbesteigungsritual[20], Epiphanieschilderung[21], aber auch als Beschreibung einer Statue[22]. Diese Unsicherheit hat mit der Lückenhaftigkeit des Textes zu tun, die am Anfang gerade die Verben betrifft. Für uns ist er von Bedeutung, weil er Baals „Thronen" statisch faßt und zudem mit der „Flut" in Verbindung bringt. Ich folge weithin der syntaktisch und poetisch sorgfältig begründeten Übersetzung von Pope und Tigay.

> (1) Baal thront, wie ein Berg thront,
> Haddu [   ] (2) wie die Flut[23],
> in der Mitte seines Berges, des göttlichen Zaphon,
> in [der Mitte] (3) des Berges seines Sieges.
> Sieben Blitze [hält er],
> (4) acht Magazine voll Donner;
> die Lanze des Blitzes [stößt herab] ...

Dieser Text wirkt wie ein Bild[24]. Man denke etwa an die berühmte Stele, auf der die thronende Anath ihre Waffen schwingt[25], oder an Rollsiegel, auf denen die thronende Ischtar mit Keulen und Sichelaxt dargestellt ist[26], oder man kombiniere versuchsweise eine der bekann-

---

[18a] So etwa de Moor, New Year II, 8.

[19] K.H.Bernhardt, in: W.Beyerlin (Hg.), Religionsgeschichtliches Textbuch zum AT, ATD.E 1 (1975) 238; vgl. jüngst M.Dietrich – O.Loretz, UF 17 (1985) 129–46: ein „Sieges - und Thronbesteigungslied Baals".

[20] L.R.Fisher – F.B.Knutson, JNES 28 (1969) 157–67.

[21] E.Lipiński, UF 3 (1971) 81–92.

[22] M.H.Pope – J.H.Tigay, UF 3 (1971) 117–130; ähnlich W.H.Irvin, UF 15 (1983) 53–57 (Z.4 ff.: Beschreibung eines Berges als Bild für Baal).

[23] Diese Bedeutung ist für *mdb* wahrscheinlich durch den synonymen Parallelismus zu *jm* in UT 52,33–35. Anders (*km db*: „wie ein Bär") im Gefolge anderer Dietrich - Loretz, a.a.O. 132f.

[24] Fisher - Knutson und Lipiński übersetzen anders: Erstere leiten den Themasatz *b'l. jtb* von *twb* „zurückkehren" ab, was Pope – Tigay zwingend widerlegen, letzterer zerstört den Parallelismus membrorum der ersten beiden Zeilen, wenn er Z.2 übersetzt: „... denn eine Flut (er denkt an einen Platzregen) ist inmitten seines Berges."

[25] Vgl. U.Cassuto, The Goddess Anath (1971) S.IV; W.Beyerlin (Hg.), a.a.O. (Anm. 19) 213, Abb.11.

[26] O.Keel, Wirkmächtige Siegeszeichen im AT, OBO 5 (1974) 162, Abb.1–2.

ten Statuen des kämpferischen Baal aus Ugarit mit Keule und Blitz-lanze[27] mit einem der Skarabäen oder Grabdarstellungen, auf denen der thronende Pharao auf der Jagd Tiere erlegt oder Feinde besiegt[28]. Der Mythos in Ugarit erzählt, wie der siegreiche Chaoskämpfer Baal einen Palast erhält, um von ihm aus die Weltherrschaft auszuüben; un-ser Text stellt dar, wie diese Herrschaft dauerhaft ausgeübt wird, und zwar von jenem Götterberg aus, der der Ort des Sieges war. Insofern bewährt sich die grundsätzliche Unterscheidung zwischen Mythos als Gründungsgeschehen und Hymnus als Widerspiegelung von dem My-thos entsprechender geschichtlicher Erfahrung, wie sie F. Stolz erwogen hat[29]. Das statisch-zuständliche Reden von Gott im Hymnus war Israel schon in Kanaan vorgegeben. Und vorgegeben war auch die Verbin-dung vom Thronen des Weltenkönigs mit dem Aussenden seiner unwi-derstehlichen Gewitterwaffen.

Aber diese Überlegungen führen noch keineswegs zu den Aussagen von Ps 29,3 und 10. Die Erwähnung der „Flut" in Z.2 des ugaritischen Textes dient dazu, im Vergleich neben der Festigkeit und Höhe des Thronens Baals (paralleler Vergleich in Z.1) auch seine Weite und Tiefe darzulegen. Pope und Tigay zitieren mit Recht als Parallele Ps 36,7: „Deine Gerechtigkeit gleicht den Gottesbergen, dein Rechts-walten dem weiten Urmeer." Im Blick auf die Tiefe denke man daran, wie der schon erwähnte Versuch Aschtars, Baal in seiner Abwesenheit zu ersetzen, daran scheitert, daß seine Füße nicht vom Thron bis auf den Thronschemel reichen. Der Götterberg wurzelt eben in den Tiefen der Erde und ragt in den Himmel hinein. Der Vergleich mit der Flut in RS 24. 245, Z.2 hat dagegen schlechterdings nichts zu tun mit Jahwes Thronen über dem „Himmelsozean" (מבול in Ps 29,10), dessen Ver-ständnis durch die Inklusion mit V.3 festgelegt ist.

3. Wollte man hier nach traditionsgeschichtlichen Wurzeln fragen, würde man in den mesopotamischen Raum verwiesen. Beim babyloni-schen (und später beim assyrischen) Neujahrsfest wurde, wie vor eini-ger Zeit W. G. Lambert aufgrund verstreuter Texte nachgewiesen hat[30], im Akītu-Haus der Kampf Marduks mit Tiamat nicht nur, wie seit lan-gem bekannt, als zentrale Festperikope rezitiert, sondern auch rituell vergegenwärtigt. Als Ergebnis des Kampfes „setzte sich" Marduk „in die Mitte des Meeres im Akītu", so daß – wie es in einem anderen Text heißt – „Tiamat der Sitz Bels ist, auf dem er sitzt". Lambert vermutet

---

[27] Z. B. Keel, Bildsymbolik Abb. 291.

[28] Belege bei O. Keel, ZDPV 93 (1977) 153 ff., der auch die weite Verbreitung in Palä-stina und Syrien aufweist.

[29] Strukturen 80 f. 221.

[30] The Great Battle of the Mesopotamian Religious Year. The Conflict in the Akītu House, Iraq 25 (1963) 189 f.; dort auch die im Text genannten Belege.

ansprechend, daß das „Meer" bzw. „Tiamat" ein kleiner kultischer Thron im Akītu-Haus gewesen sei, auf den die Marduk-Statue gesetzt wurde; darauf erfolgte die Huldigung der zahlreichen anderen beim Fest erschienenen Götter mit Geschenken vor dem Sieger und Götterkönig Marduk[31].

Ob nun dergleichen babylonische Riten dem Psalmisten bekannt waren oder gar in Ugarit analoge Riten üblich waren, wissen wir nicht[32]. Wohl aber verdeutlicht der Ritus, was auch ohne ihn zu erschließen wäre, daß nämlich die Aussagen in Ps 29,3 und 10 nichts anderes sind als ins Statisch-Räumliche übersetzte Chaoskar pfreminiszenzen, nahezu ein auf den Begriff gebrachter Chaoskampf. Es gibt in den ugaritischen Texten keinen Anlaß, *diesen* Traditionsprozeß schon in Kanaan zu vermuten. In beiden Versen des Psalms schimmert die Aggressivität der Wasser noch durch. Mit dem Nominalsatz V. 3 „die Stimme Jahwes über den Wassern" ist natürlich nicht primär eine Örtlichkeit gemeint; das belegt allein schon der zuvor zu Ps 93,1 zitierte Ps 24,2, demzufolge Jahwe die bewohnte Erde „über Meeren gegründet, über Fluten gefestigt" hat. Wie hier in Ps 24 geht es auch in Ps 29,3 um die kosmi-

---

[31] Vgl. *enūma eliš* I 71, wo Ea seinen Wohnsitz „über (dem erschlagenen) Apsu" errichtet. Wenig Hilfe zum Verständnis von Ps 29 bietet dagegen ein Relief aus Sippar (AOB Nr. 322; ANEP No. 529; Keel, Bildsymbolik Abb. 239), das seit H. Gunkel gelegentlich zu Ps 29,10 herangezogen wurde (am betontesten von M. Metzger, UF 2, 1970, 141 f.; Königsthron und Gottesthron, 226 ff.). Es stellt dar, wie Schamasch über dem Apsu (dem unterirdischen und hier wohl kosmischen Süßwassermeer) thront,

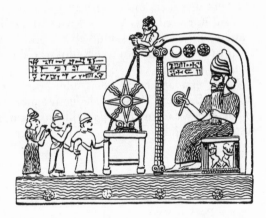

und die Beischrift verbindet Schamasch mit Sin und Ischtar, also den Göttern des Mondes und des Venussternes. Die Darstellung hat mit dem Wettergott nichts zu tun; sie symbolisiert, wie der Tempel der Himmelsgötter nicht nur in den Himmel ragt, sondern auch hinab in die Tiefe (W. G. Lambert, The Cosmology of Sumer and Babylon, in: C. Blacke – M. Loewe, Ancient Cosmologies, 1975, 64); die Beziehung zum Apsu erhellt am ehesten aus *enūma eliš* VI 62 f., wo die künftige Wohnung Marduks, Esangil, „Gegenstück zum Apsu" (*meḫret apsî*) genannt wird; vgl. dazu ausführlich W. L. Moran, A New Fragment of DIN. TIR. KI ..., Studia Biblica et Orientalia III. Oriens Antiquus, AnBib 12 (1959) 257 ff., bes. 262 f.

[32] Man könnte es allenfalls aus der Tatsache entnehmen wollen, daß das ugaritische *jšb l* im AT anders als das geläufige *jšb 'l* „den unmittelbaren Kontakt mit dem Sitzplatz oder -gegenstand zum Ausdruck bringt" (Mittmann, a. a. O. 192).

sche Stabilität aufgrund der göttlichen Kontrolle über die chaotischen Urmeerwasser und -fluten[33]. Noch deutlicher zeigt das der Parallelstichos: „Jahwe über gewaltigen Wassern". Diese „gewaltigen Wasser" sind keine anderen als die in Ps 93,4a genannten „gewaltigen Wasser", deren ständigem Tosen dort der unendlich überlegene Weltenkönig statisch entgegengestellt wird[34]. V.10 bezeichnet diese Wasser im Rückgriff auf andere Traditionen mit dem Begriff מבול, „Himmelsozean", der außerhalb von Ps 29 nur noch im Zusammenhang der Sintflutberichte begegnet[35]. In diesen Texten wird die von den kosmischen Wassern ausgehende Gefährdung breit geschildert. Beim Jahwisten etwa „wird das Wort מבול nur dann gebraucht, wenn vom Kommen der Wasser auf die Erde die Rede ist"[36]. Die „Wasser des מבול", wie J sie nennt (Gen 7,7.10), sind also für das alte Israel näherhin diejenigen Wasser des Himmelsozeans, die, einmal von Gott losgelassen, zu Zeiten Noahs das Leben auf der Erde vernichteten, die aber nie wieder von Gott freigesetzt werden, „solange die Erde besteht" (Gen 8,22), weil Gott sich an die Zusage gebunden hat, daß die Sintflut unwiederholbar bleibt. Es geht also in V.10 („Jahwe thront über der Flut") wie in V.3 („Jahwe über gewaltigen Wassern") um die Sicherheit und das Gehalten-Sein der Welt, um die göttliche Kontrolle über alle chaotischen Potenzen; nur wird, was V.3 im Anschluß an die Chaoskampftradition gestaltete, in V.10 im Anschluß an die Sintfluttradition ausformuliert, und zwar in beiden Fällen unter Reduktion der Aussage auf eine scheinbare Ortsangabe.

Nicht erst am Ende des Psalms, sondern von allem Anfang an ist Jahwe „über den Wassern", jeder Donnerruf der Verse 4ff. kommt von „über den Wassern" her. Es geht im Psalm nirgends um die Umstände, unter denen Jahwe König wurde, sondern in V.10 wie in den syntak-

---

[33] Zu erinnern ist in diesem Zusammenhang an die im AT vielfältig belegte chaoskämpferische Macht der „Stimme Jahwes", die die Wasser (Ps 104,7) oder den Völkeransturm gegen den Zion als Verkörperung des Chaos (Ps 46,7) zum Rückzug zwingt; vgl. Nah 1,4; Ps 18,16 u.ö.

[34] Vgl. zu ihrem Chaoscharakter etwa Hab 3,15 (MT): „Du tratest aufs Meer mit deinen Rossen, auf das Geschäum der gewaltigen Wasser" oder Ps 77,17: „Es sahen dich, Gott, die Wasser, es sahen dich die Wasser und wanden sich, ja die Urfluten erzitterten" oder auch die übertragene Redeweise in Ps 18,17, wo Jahwe vom Himmel aus den bedrängten israelitischen König „aus gewaltigen Wassern herauszieht". Weitere Belege bei H.G. May, a.a.O. (o.S.22 Anm.17).

[35] Zur Begriffsgeschichte vgl. J.Begrich, Mabbūl, ZS 6 (1928) 135ff. = Ges.St. (1964) 39ff.; Cunchillos, a.a.O. 111ff.

[36] Kaiser, Mythische Bedeutung 120, im Anschluß an Begrich, a.a.O. 45. Unwahrscheinlich ist dagegen die Deutung „Regenreservoir" (Hillmann, Wasser und Berg 142; Kloos, a.a.O. 88f.), weil mit ihr die Inklusion zwischen V.3 und V.10 zu wenig berücksichtigt wird.

tisch analogen Sätzen in Ps 93, 1 um die zuständliche Festigkeit und Verläßlichkeit der gehaltenen Welt als Folge des Königtums Jahwes. Ps 29 bietet (noch?) nicht die griffige Zeitdimension von Ps 93, 2. 5 „von uran" – „für die Dauer der Tage", sondern nur deren zweiten Teil, ist insofern noch dichter an der vorgegebenen kanaanäischen Tradition und noch intensiver mit der Auseinandersetzung mit ihr beschäftigt. Daß er mit der Vorordnung der nominalen Verse 3 f. vor V. 10 letztlich das gleiche wie Ps 93 ausdrücken will, kann aber kaum zweifelhaft sein[37].

4.

Es ergibt sich somit folgende *mögliche Entstehungsgeschichte* des Psalms, die ich freilich mit allem nötigen Vorbehalt, wie er bei einem solchen traditionsgeschichtlichen Rücktasten in ungesicherte Räume geboten ist, zur Diskussion stellen möchte:

1. Vorgegeben war Israel vermutlich ein Hymnus auf Baals Herrschaft vom Götterberg Zaphon aus mit seinen Gewitterwaffen, wie ihn etwa der zitierte Text RS 24. 245 widerspiegelt, wobei auch an andere Texte zu denken ist, die seine Donnerstimme rühmen, wie UT 51: VII: 29–35:

> Baal läßt seine heilige Stimme ertönen (*jtn. ql*),
> Baal wiederholt die Äußer(ung) seiner (Lip)pen,
> seine hei(lige) Stimme (erschüttert?) die Erde,
> ... die Berge erbeben,
> ... die Höhen (der Erde) erzittern.

oder UT 51: V: 68–71:

> Seht doch, Baal hat die Zeit seines Regens festgesetzt,
> er hat festgesetzt die Zeit ... im Schnee;
> er hat seine Stimme in den Wolken ertönen lassen (*jtn. ql*),
> hat Blitze zur Erde geschleudert.

Man vergleiche die Adadprädikation aus einem typischen Brief an den Pharao Echnaton, in dem dieser mit dem Wettergott verglichen wird:

> Der seinen Schall am Himmel gibt
> wie Adad, so daß das ganze Land
> vor seinem Schall erzittert[38].

---

[37] Treffend formuliert Mittmann: „Der gewaltigste aller kosmischen Bereiche, die Urflut, ist damit zu einem willenlosen, der Verfügung Jahwes gänzlich unterworfenen Ding degradiert; und in dieser Verdinglichung liegt die eigentliche, die totale Entmächtigung des Chaoselementes" (a. a. O. 192).

[38] *Ša iddin rigmašu ina šamē / kima Addi u tarkub gabbi / māti ištu rigmašu* (J. A. Knudtzon, Die El-Amarna-Tafeln, 1915, Text 147, 13–15).

Dieser vorgegebene Hymnus bzw. Hymnenausschnitt in Ps 29 hat sehr wahrscheinlich den Grundbestand der Verse 5–9 a und 10 umfaßt, kaum aber nach den obigen Ausführungen V. 3 in seiner gegenwärtigen Gestalt und wohl auch nicht V. 4, der syntaktisch (verbloser Nominalsatz) unlöslich auf V. 3 bezogen ist. Mit diesem Baalhymnus ist Israel wahrscheinlich im Nordteil seines Territoriums in Berührung gekommen, wie die geographischen Begriffe Libanon, Sirjon und die auch in Ugarit belegte „heilige" syrische Wüste (s. o. S. 29 f., Anm. 1) zeigen [39]. Er pries die Donnerstimme Baals als eine gleicherweise unwiderstehliche kriegerische Macht, vor der keine Kraft der Natur und kein Gegner Baals standhalten kann, als auch eine Macht, auf die die Erde angewiesen ist; wo sie unterbleibt, hört alles Gedeihen auf [40]. Daß auch V. 10 (ohne מבול) zum vorgegebenen Gut gehört haben wird, ergibt sich nicht nur aus RS 24. 245, sondern auch aus dem Kontext der beiden soeben zitierten ugaritischen Texte, dementsprechend die Stimme des Sturmgottes mit dem Bau seines Himmelspalastes als Zeichen der Königsherrschaft verbunden ist bzw. mit dem Einsatz von Fenstern in diesem Palast, durch die Baal seine Blitze zur Erde schleudert. Deutlich ist Baal damit als der Gott angesprochen, der mittels seiner Donnerstimme die Ordnung der Welt aufrechterhält.

2. Ob nun jener vorgegebene kanaanäische Hymnus einen Hinweis auf Baals Sieg über den Meeresgott Jamm enthielt oder nicht: Entscheidend wurde der Hymnus nicht durch die kleineren Abwandlungen in den Versen 5–9 a verändert, als Israel ihn übernahm, sondern durch die Zufügung der nominalen Verse 3 f. und des Stichwortes מבול in V. 10 als interpretierender Rahmen. Davon ist oben zur Genüge die Rede gewesen.

3. Kaum schon im Nordreich, sondern eher in Jerusalem (wo Baaltraditionen offensichtlich kaum bekannt waren) hat Israel mit V. 1 f. 3 aβ und 9 b (ebenfalls kanaanäisch geprägte) Eltradition mit dem auf Jahwe übertragenen Baalhymnus verbunden. Für sie ist charakteristisch, daß der Himmelskönig im Kreis seines Thronrates residiert, der ihm – und zwar permanent (Jes 6) – die gebührende Huldigung zukommen läßt. Am ehesten ist diese Traditionsmischung wohl erfolgt, um noch stärker, als es schon durch den Rahmen V. 3 f. und 10 geschehen war, die dynamischen Traditionselemente der Baaltradition zu umklammern mit statischen Elementen der Eltradition, die dem Jahweglauben viel vertrauter waren. Die Baaltradition war eben unlöslich mit dem Thema

---

[39] Wenn V. 6 Zuwachs ist (vgl. o. S. 32), müßte er sehr früh angesetzt werden. – Wie das spätere Israel Kadesch neben Libanon verstand – nämlich als äußerste Grenze seines Siedlungsgebietes –, hat S. Mittmann, a. a. O. 183 f., Anm. 25, überzeugend gezeigt.

[40] Im Aqhat- Epos wird eine Dürre so beschrieben: „Kein Tau, kein Regen ..., kein Anschwellen der Tiefen, kein Wohlklang der Stimme Baals" (1 Aqht: I: 44–46).

einer uranfänglichen Erringung des Königtums verbunden, wie es Israel
nicht einfach nachsprechen konnte; Baal war anfangs „ohne Haus wie
die (anderen) Götter, ohne Behausung wie die Söhne der Aschera"
(UT 51: I: 10–13; IV: 50 f. u. ö.), damit ohne Herrschaft und ohne die
Möglichkeit, „seine Stimme erschallen zu lassen". Entfernte Anklänge
an solche Anfänglichkeit enthält noch der traditionelle V. 10, wie wir
sahen. Demgegenüber kennt die Eltradition keinen Anfang des Königs-
tums Els, weil El König der Götter als ihr Schöpfer ist.

Durch die Anreicherung mit der Eltradition ist dem Psalm ein neues
Thema zugewachsen: der göttliche כבוד („Glorie"). Er ist in seiner vier-
fachen Verwendung (V. 1. 2. 3. 9) der wichtigste Begriff des Psalms in
seiner fertigen Gestalt geworden, um mit Buber zu reden: sein „Leitwort". Der Begriff schillert zwischen sichtbarer Herrlichkeit, wie sie
den „Gott der Glorie" umgibt und den Menschen in Gestalt seiner
Donnerstimme hörbar wird (V. 3), und der Ehre, wie sie diesem Gott
gegenüber geziemt und ihm in Gestalt des Lobes „dargebracht" wird
(V. 1 f. 9); das Lob, zu dem eingangs aufgefordert wird, erfolgt im
himmlischen wie im irdischen Heiligtum aufgrund der Machterweise
Gottes, die seinen כבוד ausmachen. Wesentlich ist, daß am Begriff כבוד
deutlich wird, inwiefern Jahwe das Königtum Els *und* das Königtum
Baals beanspruchte: das Königtum Els, insofern das im Tempel Jerusalems feiernde und Gott lobende Israel sich der Präsenz des Weltengot-
tes sicher ist und weiß, daß sein Loben (כבוד sagen: V. 9) Teil der kosmischen Huldigung ist (כבוד darbringen: V. 1 f.); das Königtum Baals,
insofern die in Natur und Kosmos erfahrene göttliche Macht (כבוד
V. 3 im doppelten Sinne des kämpferischen Erschütterns und des güti-
gen Gedeihenlassens) allein dem im Jerusalemer Tempel verehrten Wel-
tengott Jahwe zukommt. „Wenn Jahwe seine Donnerstimme erhebt, …
demonstriert und praktiziert (er) seine Herrschaft über den Kosmos."[41]
Verändert waren beide vorgegebenen Traditionen tiefgreifend: die Eltradition dadurch, daß in Israels Nachbeten aus den „El-Söhnen" bzw.
„Göttern" (*bn. ilm*) der kanaanäischen Mythen nur noch lobende Himmelswesen geworden waren; die Baaltradition, insofern sie aller mythisch erzählenden Elemente entkleidet und in ihrer Funktion als Begründung des göttlichen Königtums auf den nominalen Basissatz reduziert worden war: „Jahwe über gewaltigen Wassern" (V. 3), wiederauf-
genommen durch: „Jahwe thront über der Flut" (V. 10).

4. Der Wunsch (bzw. die Erwartung) von V. 11 könnte um seiner
spezifisch israelitischen Tradition willen erst als letzter Teil dem Psalm
zugewachsen sein. Wahrscheinlich ist das freilich nicht, denn V. 11
steht keineswegs bezugslos zu V. 1–10 da. Vielmehr legt er zusammen

---

[41] S. Mittmann, a. a. O. 189.

mit V. 9 b in der Endgestalt des Psalms den ersten Vers aus: „Bringt Jahwe dar Glorie und Macht!" Die „Glorie" Jahwes wird dem Gottesdienst im Tempel zugeordnet (V. 9 b), die „Macht" Jahwes aber dem Erfahrungsraum der Geschichte, wo sie sein Volk Israel ins Heil führt (V. 11). Jedenfalls ist mit V. 11 der Prozeß der Umdeutung kanaanäischer Tradition wirklich abgeschlossen; mit ihm wird deutlich, daß Israel von Jahwes weltüberlegener „Macht" (V. 1) gar nicht anders sprechen konnte als von jener Macht, die es in seiner Geschichte erfuhr und weiter zu erfahren hoffte. Mit V. 11 wird auf diese Weise zugleich das Leitwort כבוד „Glorie" nochmals neu gedeutet: Es umgreift auch Jahwes Taten in der Geschichte. Das „Gloria in excelsis" von V. 1 f. hat in dem „et in terra pax" von V. 11 seine adäquate Entsprechung gefunden.

5.

In Ps 93 ist die Usurpation und Umprägung kanaanäischer Tradition vom Königtum Gottes für den Jahweglauben schon abgeschlossen, in Ps 29 ist sie noch im Vorgang erkennbar; besonders gilt das für den Themasatz V. 10, dessen Herkunft aus „erzählendem" Kontext des Mythos noch nachweisbar ist, während seine Aussage im Text analog V. 3 eine statisch-zuständliche ist. Zugleich sagt Ps 29 in seiner israelitischen Gestalt deutlicher als Ps 93 aus, daß das Handlungsfeld des Königs über das Universum Natur und Geschichte gleichermaßen ist. Auch wird durch die aufeinander bezogenen Rahmenteile betonter als in Ps 93 das Zusammenfließen himmlischer und irdischer Erfahrungswelt im Kultgeschehen des Tempels herausgestellt. Daß der Weltenkönig, der die Erde in all ihren Festen zu erschüttern vermag, der sie zugleich aber fest in seinen Händen hält, im irdischen (Jerusalemer) Tempel gegenwärtig ist, ist das eigentliche Wunder, das der Psalm in seiner Endgestalt preist. Eben um dieser Verbindung willen war die Auseinandersetzung mit der Baaltradition für Israel so wichtig; denn der Tempel als Ort der Weltherrschaft Gottes war für den syrisch-kleinasiatischen Raum und für Mesopotamien unlöslich mit der Tradition vom Chaoskampf verbunden[42]. Umgekehrt hängt es wohl auch mit der größeren Nähe zu kanaanäischer Tradition zusammen, daß Ps 29 das Thema der Gefährdung der Welt stärker als Ps 93, wo es im Bild der kraftvoll anbrandenden Fluten eindrucksvoll herausgestellt ist, in den Hintergrund treten läßt und auf die Andeutung in V. 3 und

---

[42] Das gilt genauso wie für den Baalmythos für *enūma eliš*: Nach seinem Sieg über Tiamat erhält Marduk eine „Kammer" mit einem Thron (VI 38 ff.); vgl. die „heilige Kammer" Eas nach seinem Sieg über Mummu, hier zugleich „Heiligtum" (*gipāru*) genannt, I 73 ff.; 77.

V. 10 beschränkt. Wo in Ps 93 die Fluten furchterregend „ihre Stimme erheben", den Erdkreis bedrohen und erst mit Jahwes Überlegenheit konfrontiert werden müssen, da waltet in Ps 29 machtvoll, unbedroht, dafür selber erschreckend, „Jahwes Stimme über den Wassern". Bei diesem Vergleich deutet sich an, daß Israel über die Jahrhunderte seiner Geschichte hinweg erst lernen mußte, auch die Erfahrungen, die Jahwes Königtum über die Welt scheinbar widersprachen, mit dem Lobpreis Jahwes in Verbindung zu bringen, ja sie in ihn zu integrieren.

3. Ps 104,1–9 – exemplarische Wirkungsgeschichte

Zur Wirkungsgeschichte von Ps 93 gehören zunächst natürlich die beiden Psalmen, die ihm formal am engsten verwandt sind: Ps 97 und 99. Sie sollen im II. Teil der Arbeit ausführlich behandelt werden. Ps 104 ist seiner Form nach weiter von Ps 93 entfernt, obwohl es durchaus auch auf formaler Ebene Verwandtschaft gibt. Traditionsgeschichtlich freilich ist die Nähe mit Händen zu greifen, soweit die Verse 1–9 im Blick sind. Ich habe Ps 104 aber vor allem darum als nur kurz zu behandelndes Beispiel der Wirkungsgeschichte von Ps 93 gewählt, weil er in einen neuen Aussagebereich voranschreitet: Er versucht – mit ähnlichem Grundanliegen wie Ps 93 –, *Jahwes Weltherrschaft* und seine Kontrolle über das Chaos *ohne Tempel* zu umschreiben. H.-J. Hermisson hat aufgewiesen, daß darin ein charakteristisch weisheitlicher Argumentationsvorgang zum Tragen kommt[1].

1 Lobe Jahwe, meine Seele!
   Jahwe, mein Gott, du bist sehr groß!
   Mit Hoheit und Pracht bist du umkleidet,

2   der du dich hüllst in Licht wie in ein Kleid;
   der den Himmel wie ein Zelt ausspannt,

3   der über den Wassern seine Obergemächer zimmert;
   der Wolken zu seinem Wagen macht,
   der auf den Flügeln des Windes einherzieht;

4 der Winde zu seinen Boten macht,
   zu seinen Dienern verzehrendes Feuer[2].

5 Er hat die Erde auf ihre Fundamente gegründet,
   sie kann nie und nimmermehr wanken.

---

[1] Observations on the Creation Theology in Wisdom, FS S. Terrien (1978) 43–57, bes. 47–49 (wieder abgedruckt in: Creation in the Old Testament, ed. B. W. Anderson, 1984, 118–134); vgl. O. H. Steck, Der Wein unter den Schöpfungsgaben, TThZ 87 (1978) 175, Anm. 6 = Wahrnehmungen Gottes im AT, Ges. St. (1982) 242 f., Anm. 6 (Lit.).

[2] 11 QPs^a bietet das Ptz. fem., wie man es nach ʿeš erwartet.

6 Die Urflut hatte sie wie ein Kleid bedeckt[3],
   über den Bergen standen Wasser;
7 vor deinem Kriegsruf flohen sie,
   von deiner Donnerstimme wurden sie vertrieben.
8 Da stiegen die Berge auf[4], senkten sich die Täler
   an den Platz hin, den du ihnen gegründet hattest.
9 Eine Grenze hast du gesetzt – die können sie nicht überschreiten,
   können nie wieder die Erde bedecken.

Das zentrale Thema des Korpus von Ps 104 (V. 10 ff.) ist das Staunen über die unermeßliche Vielfalt an Leben, wie es der Mensch nur teilweise gewahr wird, weil es sich fern von ihm oder nachts oder in unbeachteten Räumen entwickelt, wie es aber von Jahwe in immer neuer Güte ständig umsorgt wird. „Naturweisheit", wie sie nach 1 Kön 5, 13 Salomo zugeschrieben wird, und der berühmte Sonnenhymnus des Pharao Echnaton[5], auch mesopotamische Schöpfungshymnen haben ihre erkennbaren Spuren hinterlassen. Geradezu singulär heiter klingt der Psalm, ungewöhnlich optimistisch, wenn man von den dunkleren Tönen einmal absieht, die spezifisch israelitisches Denken beim Abgesang (V. 31–35) der Tradition hinzufügt. Diese Heiterkeit, mit der Gottes Fürsorge und Güte in der Natur unmittelbar wahrgenommen wird, gründet allerdings in der Stabilität der Welt, die nicht zufällig zuvor besungen wird und nach V. 1–9 Auswirkung des Königtums Gottes ist. Es ist eben die von Gott gehaltene Welt, an der man so positive Beobachtungen machen kann, und um sie zu beschreiben, greift auch ein weisheitlicher Psalm wie Ps 104 auf ganz andere Traditionen zurück als im Psalmkorpus V. 10 ff., nämlich notgedrungen auf die Jerusalemer Kulttraditionen; aber er verändert sie an wesentlichen Punkten.

Zunächst gibt sich Ps 104 durch die anfängliche Selbstaufforderung als ein reflektierender Solohymnus zu erkennen; er ist aus diesem Grund neben Ps 103 gestellt worden. V. 1aβ–9 gliedern sich sodann in zwei Strophen, die in der Abfolge zu einem guten Teil den beiden Strophen in Ps 93 entsprechen: V. 1–4 sind wesenhaft partizipial gestaltet und entwickeln das in V. 1 vorangestellte Thema, die „Größe", „Hoheit

---

[3] MT („du bedecktest sie", d. h. die Urflut) ist wohl nur als Schreibfehler erklärlich; die meisten Ausleger lesen *kissattâ*. G. Leonardi, Bib. 49 (1968) 238 schlägt *k^esäjätô* vor. Anders Th. Seidl, BN 25 (1984) 42–48 („Mit der Urflut hast du sie (die Erde) bedeckt ...").

[4] Daß entgegen der üblichen Auffassung kaum die Wasser Subjekt der Aussage sein werden, hat Hermisson, a. a. O. 56 f., Anm. 26, überzeugend nachgewiesen. Freilich lassen sich auch die Gegenargumente (vgl. z. B. G. Leonardi, a. a. O. 238–40) nicht eindeutig entkräften.

[5] Vgl. etwa J. Assmann, Die „Häresie" des Echnaton, Saec 23 (1972) 109–26; E. v. Nordheim, Der große Hymnus des Echnaton und Ps 104, Studien zur altägyptischen Kultur 7 (1979) 227–51.

und Pracht" des Königs der Welt, an der Erstellung des Himmels;
V. 5–9 sind ausschließlich mit finiten Verbformen gestaltet und beinhal-
ten die Zurückdrängung der chaotischen Wasser von der Erde. Beide
Strophen wechseln zwischen darstellender Rede in der 3. Person und
bekennender Anrede Gottes in der 2. Person, nur in gegensätzlicher
Reihenfolge und Gewichtung: V. 1–4 beginnen mit der Anrede (V. 1),
lassen aber dann die darstellende Redeweise vorherrschen, V. 5–9 dagegen beginnen mit der Darstellung (V. 5), gehen aber dann sogleich zur
Anrede über (V. 6–9) [6]. In unserem Zusammenhang erfordert natürlich
insbesondere die zweite Strophe Aufmerksamkeit, weil sie mit Verbalsätzen „erzählt", was Ps 93 und Ps 29 nur nominal zu formulieren wag-
ten. Ist in Ps 104 ein völlig anderer Umgang mit dem Thema des
Chaoskampfes in Israel belegt als in den Jerusalemer Kultpsalmen? Nur
im Vorbeigehen seien daher zwei Beobachtungen zur ersten Strophe
notiert.

Zum einen fällt auf, daß die Kleidung Jahwes zwar mit traditionellen
Königsepitheta umschrieben wird, aber statt der geläufigen und tradi-
tionellen Verbindung von „Hoheit und Macht" (Ps 93, 1; Ps 29, 4 zu-
sammen mit der Mehrzahl der Jahwe-König-Psalmen) mit „Hoheit und
Pracht" zwei nahezu gleichbedeutende Begriffe gebraucht werden.
Mit dieser bewußten Umprägung werden alle Assoziationen an einen
Kampf in der Gegenwart im voraus ausgeschlossen, wie denn auch im
folgenden eine Gefährdung der Welt nirgends sichtbar wird. Die tradi-
tionsüberschreitende Umschreibung des göttlichen Kleides mit Licht im
Parallelstichos – jetzt allerdings nur im Vergleich – verdeutlicht diese
Intention. Mit dem Begriff „Licht" wird zudem eine Brücke zwischen
der Herrlichkeit des Schöpfers und der erfahrbaren Schönheit der
Schöpfung (vgl. Gen 1, 3) geschlagen; von Finsternis ist nicht die Rede.
Zum anderen werden in V. 3–4 mehrere ursprüngliche Merkmale des
Wettergottes genannt; aber wie weit ist die Tradition verändert! Die
soeben in Ps 29, 10 behandelte Herrschaft Jahwes über die Wasser ist
zum Symbol für die höchste Höhe der Wohnung Jahwes geworden,
von der aus er die Geschöpfe in seiner Güte versorgen kann (V. 13) –
die kosmischen Wasser werden (wie in Gen 1 von der Himmelsplatte)
schon vom himmlischen Zeltdach abgehalten (V. 2b) –; der (zu Ps 68
und Dtn 33 noch näher zu behandelnde) Kriegswagen des Sturmgottes,
die Wolken, sind nur noch Symbol der denkbar schnellen Fortbewe-
gung [7], die Waffe des Blitzes (Ps 29, 7) ist nur noch Symbol der souveränen Beherrschung der Elemente. So verdeutlicht schon diese erste Stro-

---

[6] Vgl. zu dieser Stilmischung Crüsemann, Studien 195 ff. 287 f. 295. 301 f.

[7] Auch an die durch die Wolken und Winde gesicherte Wasserversorgung der Erde
mag gedacht sein (Steck, a. a. O. 183 f. = Ges. St. 252).

phe, daß die von Gott ins Licht getauchte Welt nicht nur von ihm gehalten ist, sondern auch ganz und gar von seinen Werkzeugen und Dienern durchwaltet ist. Eine Gefahr, vor der Gott die Welt bewahren müßte, gibt es nach diesen Versen anscheinend nicht.

Aber reden nicht doch die folgenden Verse, die nun von der Erschaffung der Erde handeln, von chaotischen Wassern? Hier bedarf es einer genauen Nachzeichnung des Gedankenganges. Zunächst ist wichtig, daß V.5 mit seiner objektivierend-darstellenden Rede in 3.Person die Funktion eines Themaverses innerhalb von V.5–9 wahrnimmt, der in V.6–9 ausgelegt wird. Das wird einmal daran deutlich, daß das Verb „gründen" (יסד), mit dem V.5 einsetzt, in V.8b bewußt wieder aufgenommen wird, zum anderen daran, daß die negierende Formulierung von V.5b („nie mehr") von V.9 weitergeführt wird (jeweils בל). V.5a wird also in V.6–8 expliziert, V.5b in V.9. Freilich geschieht das so, daß die anfängliche Explikation von V.5a in V.6 ein Verb benutzt („bedecken", כסה pi.), das im Negativsatz von V.9 wieder aufgegriffen wird (Subjekt sind jeweils die Wasser, Objekt ist jeweils die Erde); die Explikation des „nie mehr" von V.5b in V.9 nimmt also auf die Aussagen in V.6–8 bewußt Bezug. Schließlich ist zu beachten, daß die Explikation des „Gründens" von V.5a in V.6–8 so vorgenommen wird, daß eine Situation *vor* dem „Gründen" (V.6) einer *nach* dem „Gründen" (V.8) gegenübergestellt ist, und zwar jeweils unter exemplarischer Betrachtung der „Berge". Der Wandel zwischen beiden entgegengesetzten Befindlichkeiten von Erde und Bergen vollzieht sich im Zentrum der Verse, in V.7, der die eigentliche Auslegung des „Gründens" bietet. So bilden V.5–9 eine kunstvolle Ringkomposition A-B-C-B′-A′, bei der die Negativsätze mit ihrem „nie mehr" (V.5.9) den äußeren Ring A-A′ bilden, die konträre Situation der Berge (V.6.8) den inneren Ring B-B′ und V.7 das Zentrum[8]. Selbstgewichtige Handlung im strengen Sinne bietet nur letzterer; V.6 formuliert eine Zustandsbeschreibung mittels Verbalsätzen, und zwar zeitlich in der Vorvergangenheit, V.8 nennt Folgesätze, die sich aus V.7 ergeben.

Der schöpferische Vorgang des „Gründens" der Erde (V.5) vollzieht sich also weithin in einem Kampfgeschehen (V.7) – allerdings nicht ausschließlich, wie die Aufnahme des Verbs „gründen" in V.8b zeigt. Der Kampf schafft die Wende von V.6 zu V.8: vom Leben verhindernden Bedecken der Erde durch das Wasser zur Leben ermöglichenden Trennung von Erde und Wasser. Er ist traditionsgeschichtlich ganz vom Chaoskampf her zu deuten, was schon aus den Verben „fliehen" und „vertrieben werden" mit den Wassern als Subjekt hervorgeht sowie

---

[8] Vgl. hierzu P. Auffret, Hymnes d'Égypte et d'Israël, OBO 34 (1981) 144 ff.; B. Renaud, La structure du Ps 104 et ses implications théologiques, RevSR 55 (1981) 1–30, bes. 7 f.; ähnlich Steck, a.a.O. 184 f. (= Ges. St. 253), Anm. 29.

aus den Begriffen des göttlichen „Kriegsrufes" und seiner kriegerischen
„Donnerstimme"[9]. Der Gegner ist nicht nur mit der Bezeichnung תהום
„Urflut" in seiner chaotischen Potenz dargestellt, sondern auch implizit
als widergöttlich, insofern die „Bekleidung" der Berge mit Wasser (V. 6)
in bewußtem Kontrast zur „Bekleidung" Jahwes mit „Hoheit, Pracht"
und „Licht" tritt (V. 1 f.). Jedoch ist mit diesen Beobachtungen stärker
die zugrundeliegende Tradition getroffen als der Psalm selber. Für sein
Verständnis ist schlechterdings entscheidend, daß die „Flucht" der
Wasser aufgrund des Kampfes (V. 7) ein für allemal beendet ist; „sie
können nie wieder die Erde bedecken" (V. 9; vgl. Jer 5, 22; Hi 26, 10;
38, 10), wie sie es nach V. 6 einmal taten. In dieser Betonung des „Nie
wieder" klingt die biblische Sintfluttradition an.

Damit aber ist der Mythos weit radikaler seiner Kraft beraubt worden als durch die nominale Umformulierung in Ps 93 und 29. Ps 93
wollte das Mißverständnis unterbinden, als habe das Königtum Jahwes
einen Anfang und gründe im Sieg über das Chaos; für ihn ist entscheidend, daß die im Tempel verbürgte Gegenwart Jahwes das Heil der
Welt und ihre Ordnung garantiert, in welch furchtbarer Gestalt auch
immer das Chaos sich zeigen mag, angesichts dessen die lobende Gemeinde erschreckt Jahwe anruft (V. 3). Die Erde „kann nicht wanken"
(V. 1), weil Gott jeder Gestalt des Chaos unendlich überlegen ist (V. 4).
Für Ps 104 gibt es ein solches bedrohendes Chaos nicht mehr; es gibt
nur noch chaotische Wasser, die eine von Gott ein für allemal gesetzte
Grenze nicht überschreiten können. Soweit sie nicht schon im voraus
von der ausgebreiteten Himmelsdecke abgehalten sind (V. 2 f.), sind sie
künftig dem Menschen zur Seefahrt und zum Fischen freigegeben
(V. 25 f.). So fallen Kampf Jahwes (V. 7) und Schöpfung der Erde (V. 5.
8) zusammen. Die Erde „kann nie und nimmermehr wanken" (V. 5),
weil die Wasser gar keine Möglichkeit mehr haben, sie auch nur zu bedrohen; sie bleiben – als chaotische Wasser – seit der Schöpfung endgültig aus ihr ausgegrenzt. Innerhalb der Schöpfung begegnet der
Mensch nur Gottes Handeln, und sei es in der Erfahrung des Todes
(V. 27–30).

Erschreckt werden kann die Erde seit der schöpferischen „Gründung" durch Jahwe nur von ihm selber (V. 32), bedroht werden nur
noch von innen: durch „Schuldige" und „Frevler", also durch Menschen
(V. 35). Das Chaosungeheuer ist demgegenüber im folgenden zum
Spielzeug für Gottes Mußezeit geworden, das er zudem selber geschaffen hat (V. 26). Ps 104 knüpft in seinen Anfangsversen zwar ständig an

---

[9] Vgl. zu g'r etwa Nah 1, 4; Ps 18, 16; 68, 31; Jes 50, 2; 17, 13 sowie Jeremias, Theophanie 33; zur kriegerischen „Donnerstimme" Ps 77, 19; 46, 7; zum Fliehen der Wasser
Ps 114, 3. 5; Jes 17, 13 sowie zu ihrem Erzittern Ps 18, 16; 77, 17 bzw. zu ihrem Austrock-
nen Jes 50, 2; Nah 1, 4; Ps 106, 9.

die Tradition vom Chaoskampf an, wie sie nun einmal unlöslich mit dem Thema des Königtums Gottes verbunden war; aber sie liefert in V. 2–4 nur noch die Bilder für die Festigkeit und sinnvolle Funktion des geschaffenen Himmels, und in V. 5–9 dient sie dazu, einen ein für allemal vergangenen Zustand vor der Schöpfung der Erde zu umschreiben. Des Tempels bedarf es in Ps 104 nicht, weil es keiner Vergewisserung bedarf. Der wache Verstand des Menschen, wie ihn die Weisen wecken möchten, wird im Beobachten der Welt von selbst in den reflektierenden Lobpreis geführt, der dem gilt, der die Welt so sinnvoll geordnet hat. Ps 104 ist schwerlich ein alter Psalm, aber der Umgang mit den Fragen Hiobs liegt noch weit vor ihm.

B. Mythos und Geschichte

1. Ps 47

Ein völlig anderer Umgang mit dem vorgegebenen mythischen Gut vom Königtum Gottes als in Ps 93 ist in denjenigen Jahwe-König-Psalmen zu beobachten, die sich formal an die geläufigen israelitischen Imperativ-Hymnen anschließen und sie abwandeln. Das älteste und wichtigste Beispiel ist Ps 47, den die Überlieferung unter die Zionpsalmen der Korachiten eingereiht hat. Die entscheidende Erkenntnis zur Deutung dieses Psalms scheint mir darin zu liegen, daß der auffällige Wechsel von Nominal- und Verbalsätzen in der Aussagestruktur traditionsgeschichtlich dem Wechsel zwischen mythischen und geschichtlichen Themen entspricht. Auch in Ps 47 werden mythische Themen behutsam nominal ausgedrückt, dagegen geschichtliche, die in Ps 93 fehlen, kräftig verbal. Die Verquickung von mythischer und geschichtlicher Thematik macht das eigentliche Anliegen und den besonderen Reiz von Ps 47 aus; sie ist im einzelnen freilich keineswegs einfach zu deuten.

> 2   All ihr Völker, klatscht in die Hände,
>   jauchzt Jahwe[1] mit jubelnder Stimme zu!
> 3   Denn Jahwe ist ein furchtgebietender Höchster,
>   ein großer König über die ganze Erde.

---

[1] MT: „Gott" infolge elohistischer Redaktion in den Psalmen 42–83.

4 Er unterwirft uns Völker,
   Nationen unter unsere Füße,
5 er erwählt uns unser[2] Erbland,
   den Stolz Jakobs, seines Geliebten.
6 Hinauf stieg Gott unter Festjubel,
   Jahwe unter Hörnerschall.

7 Spielt Jahwe[1], spielt auf,
   spielt unserem König, spielt auf!
8 Denn König über die ganze Erde ist Jahwe[1],
   spielt ihm einen Maskil[3]!
9 Die Königsherrschaft über die Völkerwelt hat Gott angetreten,
   Jahwe[1] sich auf seinen heiligen Thron gesetzt.
10 Die Edlen der Völker sind versammelt
   als Volk[4] des Gottes Abrahams;
   denn Jahwe[1] gehören die Schilde[5] der Erde,
   hoch erhaben ist er.

1.

Ps 47 gliedert sich in zwei Strophen von gleicher Länge (V. 2–6. 7–10). Der jeweilige Anfang (A) entspricht mit seinen pluralischen Imperativen dem Eingang des üblichen israelitischen Hymnus (V. 2. 7), nur daß in V. 2 der Adressat des Aufrufs durch Voranstellung ungewöhnlich hervorgehoben ist. Es folgt als Begründung des Aufrufs und gleichzeitig als Durchführung des Lobes selber[6] ein gattungstypischer כ‍י-(„denn"-)Satz, allerdings auffälligerweise in beiden Strophen nicht wie üblich in israelitischen Hymnen mit perfektischen Verben, sondern rein nominal gestaltet (Glied B, V. 3 und 8). Freilich stehen die erwarteten Verbalsätze sogleich danach, in der ersten Strophe zunächst mit Im-

---

[2] Statt „unser Erbteil, Eigentum" lesen LXX, Pesch, Vg „sein Erbteil, Eigentum", das dann Bezeichnung für Israel ist. Für MT spricht, daß die Präposition *l* beim Verb *bāḥar* sonst stets im AT denjenigen bezeichnet, dem die Wahl zugute kommt (dativus commodi), nicht das Objekt der Wahl.

[3] Ein noch nicht sicher gedeuteter terminus technicus; die einschlägige Lit. nennt HAL 605.

[4] Statt „Volk" (‛*am*: MT, Σ, Θ, Tg) vokalisieren LXX, Vg, Pesch ‛*im*: „beim (Gott Abrahams)". Die Mehrzahl der Kommentare rechnet mit Haplographie und verbindet beide Auffassungen: „beim Volk des Gottes Abrahams". Entscheidend für die schwierigere Lesart des MT spricht die Tatsache, daß ’*āsaph* ni. im AT nie mit ‛*im* konstruiert wird, sondern mit ’*æl*, ‛*al* (im feindlichen Sinn) oder *l*. Nachträglich sehe ich, daß schon F. Delitzsch z. St. diese Beobachtung gemacht hat. E. Beaucamp, Bib. 38 (1957) 457 f., hat gezeigt, warum dies so ist: Die Präposition nennt den Zweck, wozu man sich versammelt, nicht aber den Partner, mit dem man sich vereint.

[5] Zur Bedeutung des Begriffs s. u. S. 67.

[6] Crüsemann, Studien 19 ff.

perfekten gebildet (Glied C, V. 4 f., ohne Entsprechung in der zweiten
Strophe), dann, und zwar nun wieder in beiden Strophen, mit Perfekten
gebildet (Glied D, V. 6 und 9). Subjekt all dieser Lobdurchführungen
im כי-Satz ist immer Jahwe. Ein abschließendes Glied E, das nun auf
die zweite Strophe beschränkt ist (V. 10), führt in der Funktion eines
Umstandssatzes einen zusammengesetzten Nominalsatz im x-qatal ein,
dessen Subjekt die Völker, genauer: ihre Repräsentanten, sind; er
schlägt damit einen sachlichen Bogen zum Anfang des Psalms, wo im
Aufruf zum Jubel der Adressat, eben die Völker, so betont voransteht.
Das Völkerthema, neben den Rahmenversen 2 und 10 auch in V. 4 und
V. 9 hervorgehoben, beherrscht den Psalm von Anfang bis Ende. Der
Umstandssatz seinerseits erhält schließlich in V. 10 b eine erneute Be-
gründung im כי-Satz, die die Durchführung des Lobes in V. 3–6 und
V. 8–9 fortsetzt und zunächst wie V. 3 und V. 8 nominal gestaltet ist
(Glied B), sodann wie V. 6. 9 perfektisch verbal (Glied D).

Es ergibt sich somit, daß beide Strophen wesentliche Formglieder gemeinsam haben – imperativischer Aufruf (A), nominale Begründung (B)
und Begründung im perfektischen Verbalsatz (D) –, jede der beiden
Strophen aber ein Formglied als proprium hat: die erste imperfektische
Verbalsätze (C), die zweite einen zusammengesetzten Nominalsatz (E),
der mit V. 2 den Rahmen des Psalms bildet. Graphisch sieht die Abfolge
der poetischen Stichen in den Strophen so aus: A – B – C – D in der ersten Strophe, A' – B' – D' – E (– B'' – D'') in der zweiten[7].

2.

Das entscheidende Problem für die Deutung des Psalms stellt sich in
der Bestimmung des Verhältnisses von nominalen Zustandssätzen und
verbalen Handlungssätzen in der Durchführung des Lobes, genauer:
des Verhältnisses von Nominalsätzen (B), imperfektischen Verbalsätzen (C) und perfektischen Verbalsätzen (D). Dabei wird recht bald erkennbar, daß die zuständlichen Aussagen in den Nominalsätzen, mit
denen der Psalm beginnt und die er formal mit Ps 93 gemein hat (Glied
B, V. 3. 8. 10 b α), tief in mythischen Vorstellungen verwurzelt sind, die
imperfektischen Verbalsätze (Glied C, V. 3 f.) dagegen Ereignisse der
Geschichte Jahwes mit seinem Volk benennen, während die perfektischen Verbalsätze (Glied D, V. 6. 9. 10 b β) gegenwärtig vor der Gemeinde sich vollziehendes kultisches Geschehen darstellen und deuten.

---

[7] Vgl. die sorgfältige Formanalyse bei E. Otto, Fest und Freude 52. Bei einem derart
bewußt künstlerisch gestalteten Aufbau können Vorschläge zur Versumstellung (I. L. Seeligmann, Ps 47, Tarbiz 50, 1981, 25–36: Glied D vor C in der ersten Strophe) nur ultima
ratio sein.

Der Gedankengang ist im Groben damit nachvollziehbar: Jahwes the-
tisch in nominalen Zustandssätzen eingeführtes Königtum über die
Welt (B) wird expliziert und begründet durch seine Taten in der Geschichte, deren bis in die Gegenwart gültige Wirkungen die Imperfecta
von Glied C belegen; es wird zugleich aber in seiner nominalen statischen Unveränderbarkeit (B) wie in seinem Ereignischarakter (C) jetzt
im kultischen Vollzug unmittelbar erfahrbar (Perfecta, Glied D).

Das hier besungene Königtum Jahwes ist also 1) ein von Urzeit her
gesetztes und universales Königtum, das sich aber 2) in der Geschichte
verwirklicht und 3) im gegenwärtigen Kult neu als Realität erfahren
wird. Im Unterschied zu Ps 93 wird das Königtum Jahwes in Ps 47 somit nicht nur zuständlich beschrieben, sondern *auch als Ereignis* geschildert, und zwar als Ereignis der Vergangenheit und der im Gottesdienst
erfahrenen Gegenwart. Jetzt, wo die Geschichte im Blick ist, kann Israel
wieder erzählen, was es in Ps 93 mit seiner mythischen Vorstellungswelt
so geflissentlich vermied, freilich auch in Ps 47 dort vermeidet, wo nur
in mythischen Kategorien darstellbare Sachverhalte benannt werden
(V. 3. 8. 10 b). Mit dem neuen Erzählen bahnt sich aber zugleich eine
inhaltliche Wende an: In Ps 47 nehmen die Völker die Rolle des be-
drohlichen, aber von Jahwe kontrollierten Chaos aus Ps 93 ein. Auf sie
ist daher an zentralen Stellen im Korpus des Psalms der Blick gerichtet
(V. 4. 9), daneben aber stellen sie das Thema der beiden Rahmenverse 2
und 10 dar. An die Stelle der je neu bewährten Festigkeit der Welt in
Ps 93 tritt damit in Ps 47 die je neu bewährte Erwählung Israels, seines
Landes (V. 4 f.) und des Zion (V. 6. 9).

a)

Aber zeichnen wir die einzelnen Aussagen schrittweise nach, beginnend
bei den *Nominalsätzen* V. 3 und 8. In ihnen liegt der Hauptton auf der
Universalität des Herrschaftsbereiches Jahwes, wie das doppelte: „ein
(großer) König über die ganze Erde" (V. 3 b. 8 a; vgl. V. 10 b: „Jahwe gehören die Schilde der Erde") zeigt. Dabei verdient Beachtung, daß in
V. 3 einige hebräische Handschriften noch die ältere Gestalt dieses Titels bezeugen: „ein großer König über alle Götter", eine Variante, die
im Kontext des Psalms eher wie ein Fremdkörper wirkt und daher auch
kaum den Vorzug verdient, wohl aber in offensichtlich geläufiger Formulierung auf die Herkunft der Prädikation weist[8]. Entsprechend sind
die Titel עליון(„der Höchste") und „furchtgebietend" polemisch aus ka-

---

[8] Vgl. Ps 95,3 sowie die ähnliche, aber besser bezeugte Variante zu Ps 99,2. In Ps 97,9
stehen beide Wendungen („über die ganze Erde" und „über alle Götter") im Parallelismus membrorum.

naanäischer Vorstellungswelt auf Jahwe übertragen worden, wie noch das AT selber andeutet. Der erstgenannte Titel, in Gen 14,18–22 Name des Jerusalemer Stadtgottes in der Vollform אל עליון und überaus häufig im AT synonym mit El gebraucht[9], kennzeichnet noch an vielen Stellen sichtlich den Götterkönig, etwa wie er den Vorsitz im Götterrat führt – die Götter sind als seine „Söhne" ihm zugeordnet (Ps 82,1.6) –, wie er auf dem himmelhohen Versammlungsberg der Götter thront (Jes 14,13 f.) oder wie er als Lenker des Weltgeschicks den Göttern ihre Völker zuteilt (Dtn 32,8 txt. em.). Ps 97,9 verdeutlicht den Zusammenhang dieser traditionellen Prädikationen mit Ps 47,3 im synonymen Parallelismus: Jahwe „ist עליון über die ganze Erde", weil und insofern er „sehr erhaben (עלה ni.) über alle Götter" ist. Ps 83,19 fügt mit charakteristisch alttestamentlicher Polemik hinzu, daß „Jahwe allein עליון über die ganze Erde" ist. Als alleiniger Weltenherrscher (עליון) hat er in Zion seine „heiligste Wohnstatt" (Ps 46,6), die er eigenhändig „gegründet" hat (Ps 87,5). In Ps 47 selber beherrscht das Wortspiel mit diesem Titel alle folgenden Aussagen, und zwar so, daß der Titel nicht nur als Substantiv עליון die erste Prädikation Jahwes bildet (V.3), sondern als Verb, das einen abgeschlossenen Vorgang bezeichnet, auch seine letzte („er ist sehr erhaben", נעלה V. 10b) und schließlich als Handlungsdarstellung im zentralen Mittelvers 6 begegnet: Jahwe „stieg hinauf (עלה) unter Festjubel". Hinzu kommt noch der doppelte Gebrauch der Präposition על in V.3 b und 9 a („über die ganze Erde", „über die Völker"). Jahwe als עליון ist in Ps 47 zentraler Festinhalt, zugleich aber auch im kultischen Geschehen erfahrbar.

Stehen somit hinter dem Titel עליון statisch-universale Vorstellungen, wie sie in Ugarit mit El als Götterkönig und als „Schöpfer der Erde"[10] verbunden sind, so hinter der Prädikation „furchtgebietend" (נורא) Vorstellungen, wie sie von Haus aus dem Chaoskämpfer Baal als dem König der Götter gelten. Jahwe ist „gefürchtet im Rat der Heiligen, groß und furchtgebietend über allen, die ihn umgeben" (Ps 89,8), weil er die chaotischen Mächte bezwang (V.10 ff.); er ist daher „furchtgebietend über allen Göttern" (Ps 96,4; vgl. 99,3). „Macht" und „Hoheit"[11] gebühren dem Chaoskämpfer, weil er „furchtgebietend von seinem Heiligtum aus" wirkt (Ps 68,35 f.); im Zionpsalm 76 ist er „furcht-

---

[9] Num 24,16; Dtn 32,8 (txt.em.); Ps 73,11; 77,10 f.; 78,17 f.; 82,1.6; 107,11; Jes 14,13 f. Eljon war ursprünglich vermutlich Name einer eigenen, El freilich weithin entsprechenden und zugeordneten kosmischen Gottheit; vgl. etwa Gese, Religionen Altsyriens 113–116 (mit Lit.); R.Rendtorff, El, Baʿal und Jahwe, ZAW 78 (1966) 277–91; 280–82 (= Ges. St., 1975, 172–87; 175–77).
[10] Vgl. die erweiterte Prädikation „Schöpfer des Himmels und der Erde" für ʾēl ʿeljôn in Gen 14,19.22.
[11] Vgl. o. S.20 f. zum vorstellungsmäßigen Hintergrund von Ps 93,1.

gebietend über die Könige der Erde" (V. 13), „furchtgebietend", so daß
niemand vor ihm bestehen kann (V. 9), und „gewaltig" (V. 5)[12] als Sieger
über den urzeitlichen Völkeransturm, in dem sich das aufbegehrende
Chaos verkörpert. Israel erfährt diese Macht Jahwes, wo er in den
Großtaten der Geschichte sich als „furchtgebietend" über alle Feinde
erweist (Ps 106,22; 111,9; Ex 15,11; 34,10 u.ö.).

Die nominalen Zustandsaussagen von V. 3 und 8 preisen also die universale Macht und Überlegenheit des Weltenkönigs, wie sie in Ugarit
den Götterkönigen El als Schöpfer der Götter und der Welt bzw. Baal
als Sieger über das Chaos und Welterhalter eignen. עליון und נורא
drücken damit in ihrer Verbindung ganz entsprechende komplementäre
Aspekte des Königtums Jahwes aus wie in Ps 93,1 גאות „Hoheit" und
עז „Macht". Der Akzent der Aussagen liegt hier wie dort darauf, daß
Jahwe die gesamte Welt beherrscht und keine Macht der Welt ihm
seine Herrschaft streitig machen kann. Diese Herrschaft ist, insofern
sie ohne Anfang und ohne Ende ist, für Israel nur zuständlich beschreibbar, anders als die im ugaritischen Mythos erzählte, im Kampf
errungene Herrschaft Baals. Weil aber auch Jahwes Königtum urzeit-
lich-universal ist, ist es andererseits nur in mythischen Kategorien dar-
stellbar.

b)

Die entscheidende Differenz zwischen dem Königtum Jahwes und
dem Els und Baals zeigt sich aber erst in den *imperfektischen Verbalsätzen* von V. 4 f. Wird Jahwe schon in V. 3 und V. 8 nicht mehr als „König
über alle Götter", sondern als „König über die ganze Erde" gepriesen,
so wird nun dieses universale Königtum in den Verbalsätzen weder mit
der Schöpfung (Ps 104,1–9) noch mit dem Chaoskampf (Ps 89,10 f.;
vgl. 93,3 f.), also nicht mit Taten Jahwes in der Urzeit begründet, sondern mit geschichtlichem Eingreifen zugunsten Israels. Um es im Vor-
griff auf V. 9 auszudrücken: Aus dem Königtum „über die ganze Erde"
der Nominalsätze wird in den Verbalsätzen ein Königtum „über die
Völker". Jahwes furchterregendes Königtum über die Welt (V. 3) äu-
ßerte sich in der Unterwerfung der Völker zugunsten Israels (V. 4), in
der Erwählung Israels (V. 5). Darum ist Jahwe „unser König" (V. 7). Es
sind also jetzt Taten Jahwes im Raum der Geschichte, genauer: im
Raum der für Israel kanonischen Frühzeit- und Heilsgeschichte, die
sein universales und daher urzeitliches Königtum bezeugen und bestäti-
gen. Die Unterwerfung der Völker bei der Landgabe bewies und be-

---

[12] Vgl. o. S. 22 f. zum Hintergrund von Ps 93,4 und zur Parallelität beider Begriffe
weiter Ex 15,11 und dazu u. S. 102 f.

weist Jahwes Überlegenheit über alle Mächte der Welt. Die Erzählung von dieser Überwindung der Völker zugunsten Israels ist damit vollwertig an die Stelle getreten, die in Ugarit die mythische Erzählung vom Sieg Baals über das Chaos einnahm und die Israel aus den oben (S. 17 ff.) genannten Gründen nicht nachvollziehen konnte. Man hat diesen einschneidenden Interpretationsvorgang häufig als „Historisierung des Mythos" bezeichnet. Aber dieser Terminus ist zumindest mißverständlich. Denn der Mythos geht in Ps 47 keineswegs im geschichtlichen Denken auf, sondern bleibt – allerdings in nominalen Zustandssätzen – bewußt erhalten. Sonst hätte Israel ja nicht mehr von Jahwes universalem Königtum über die Welt sprechen können, das ohne Anfang und ohne Ende ist. Auch der mehrfach für diesen Vorgang gebrauchte gegenteilige Begriff „Mythisierung der Geschichte" ist, wenngleich vorzuziehen, dennoch vor solchen Mißverständnissen nicht geschützt[13]; denn ebensowenig wie der Mythos im geschichtlichen Denken aufgeht, geht in Ps 47 geschichtliches Denken im mythischen auf. Es bleibt vielmehr – sprachlich deutlich unterschieden – neben dem mythischen Reden stehen, so gewiß in Ps 47 geschichtliches Erzählen die Funktion des mythischen Erzählens in Kanaan übernommen hat. Nur beide genannten Begriffe, gleichwertig zusammen verwendet, werden dem Sachverhalt gerecht, daß sich hier mythisches und geschichtliches Denken untrennbar durchdringen.

Man muß diese Verbindung m. E. nach beiden Seiten entfalten. Einerseits tritt Jahwes Erwählungstat in der Landgabe an die Stelle des mythischen Chaoskampfes. Damit erfährt Israel das universale Königtum Jahwes nicht länger grundlegend im Kult, wie er in Israels Umwelt den Mythos vergegenwärtigt und in Kraft setzt, sondern primär im Raum der Geschichte. Weil Israel die Grundvoraussetzung mythischen Denkens im Alten Orient – die Göttervielheit – nicht nachvollziehen kann, muß seine Rede von Taten Gottes mit universaler Ausstrahlung notwendig geschichtlich werden. Andererseits gilt aber auch, daß die göttliche Geschichtstat der Landgabe in dem Augenblick, in dem sie als Erweis des urzeitlichen Königtums Jahwes verstanden wird und den Mythos vom Sieg im Chaoskampf ersetzt, den Charakter des einmalig-kontingenten Geschehens verliert und zur universalgültigen Heilstat überhöht wird, deren Wirklichkeit und Wirksamkeit die Gemeinde im Kult erfährt. Die Landgabe ist nicht länger mehr nur Erfahrung der Zuneigung Jahwes zu Israel, sondern ein Ereignis mit universaler Auswirkung und damit wesenhaft ein Ereignis der Urzeit, d. h. ein weltgründendes Ereignis, das jene Verhältnisse und Bedingungen des Le-

---

[13] Vgl. zu diesem Begriff J. Hempel, Glaube, Mythos und Geschichte im AT, ZAW 65 (1953) 113 ff.; W. H. Schmidt formuliert: „Darum bedeutet die Historisierung des Mythos zugleich eine Mythisierung der Geschichte" (Mythos im AT, EvTh 27, 1967, 247).

bens grundlegend bestimmt, in denen der Mensch sich immer schon vorfindet, vor aller individuellen Erfahrung. In neutestamentlichen Aussagekategorien formuliert: Die Landgabe in Ps 47 entspricht dem „Ein für allemal" (ἐφάπαξ) des Todes Christi in Rö 6,10; Hebr 7,27; 9,12; sie ist damit in eine Dimension gerückt, ohne deren Erwähnung nicht mehr recht von Gott geredet werden kann, ist letztgültige und irreversible Heilstat geworden. Jahwes Erwählungstat in der Landgabe – als universalgültiges Urzeitgeschehen gedeutet – garantiert, daß keine Macht der Welt, konkret: kein Volk der Welt, die Ordnung der Welt, die in der Landgabe erfolgte, rückgängig machen kann. Die Landgabe bleibt – wie in Ps 93 die Stabilität der Erde – durch aufrührerische Völker bedrohte Gabe, aber diese Völker kämpfen gegen den Weltenkönig Jahwe einen aussichtslosen Kampf[14].

c)

Diese Gewißheit wird in den *perfektischen Verbalsätzen* vertieft, die in beiden Strophen den Gedankengang als Höhepunkt abschließen (V. 6 und 9: Abschluß der Begründungen für die Aufrufe zum Lob in V. 2. 7; V. 10 bβ: Gesamtabschluß). Da insbesondere V. 6 voller kultischer Begrifflichkeit ist, liegt es nahe, an einen Kultakt zu denken. Die kultischen Begriffe von V. 6 sind außerdem schon mit dem ersten Vers des Psalms vorbereitet, insofern der „Festjubel" (תרועה) in V. 6 den Aufruf an die Völker „jauchzt zu" (הריעו) aufgreift[15] und der parallel genannte „Hörnerschall" (קול שופר) auf die „jubelnde Stimme" (קול רנה) der Völker anspielt. „Festjubel" verbunden mit „Hörnerschall" erklingt im AT zu drei Gelegenheiten: a) bei der Schlacht (Jos 6,5; Am 1,14; 2,2; Ez 21,27 u.ö.), b) bei der Königskrönung (Num 23,21; 1Sam 10,24 u. ö.) und c) an herausragenden Festtagen, wofür aus der Frühzeit die Ladeüberführung (2Sam 6,15) und die Sinaitheophanie (Ex 19,16: nur „Hörnerschall") belegt sind, in nachexilischer Zeit der Neujahrstag (Lev 23,24; Num 29,1) und die Tempeleinweihung (Esr 3,11ff.)[16]. Alle drei Anlässe fließen in Ps 47 zusammen.

---

[14] Schon F. Delitzsch beobachtete, daß hier „die zeitgeschichtliche Thatsache nicht in historischer Form ausgesprochen, sondern verallgemeinert und idealisirt wird" (Die Psalmen, ⁴1883, 376). – Insofern kann man im Blick auf Ps 47,3f. mit D. Michel, Tempora 110 (ff.) formulieren, die Imperfekte in den Psalmen hätten häufig „im Hinblick auf das handelnde Subjekt substantiellen Charakter".

[15] Vgl. unter den Jahwe-König-Psalmen Ps 95,1.2; 98,4.6. Auch sonst ist der Imperativ auf charakteristische Festpsalmen beschränkt: 66,1; 81,2; 100,1.

[16] Vgl. ausführlich P. Humbert, La „terouʿa". Analyse d'un rite biblique (1946); zuletzt F. Stolz, Jahwes und Israels Kriege, AThANT 60 (1972) 46ff.

Der wesentliche Kultakt des Psalms ist Jahwes vom Festjubel begleiteter „Aufstieg" (עלה, V.6). Dieser Begriff steht innerhalb des Psalms an zentraler Stelle, insofern er von der ersten Prädikation Jahwes vorbereitet ist (עליון, „der Höchste", V.3) und vom letzten Satz im Psalm als gültiges Ergebnis festgehalten wird (נעלה, „er ist erhaben", V.10 b β). Jedoch ist die Bedeutung nicht sogleich evident, weil das Verb nur selten mit Jahwe als Subjekt gebraucht wird. Fern liegt der Sprachgebrauch bei P, wo Jahwes „Aufstieg" auf die Väterzeit beschränkt bleibt und den Abschluß einer unmittelbaren Gottesrede an den Erzvater bezeichnet (Gen 17,22; 35,13) – im Anschluß an ältere Aussagen vom Verschwinden des Engels im „Aufstieg" (Ri 13,20; 2,1) –; fern liegt ebenso der Sprachgebrauch in Ex 33,3. 5, wo Jahwes „Aufstieg" in Israels Mitte auf die göttliche Gegenwart bei Israels Landnahme zielt. Es bleiben nur zwei wirkliche Sachparallelen: 1 Sam 6,20 und Ps 68,19. Die erste bindet Jahwes „Aufstieg" an den „Aufstieg" der Lade. Das kann nun insofern nicht Zufall sein, als vom „Aufstieg" der Lade von Bet-Schemesch nach Jerusalem einerseits bzw. von der Davidstadt auf den Tempelplatz und in den Tempel andererseits häufiger die Rede ist (1 Sam 6,9; 2 Sam 6,12.15; 1 Kön 8,1.4), vor allem aber in 2 Sam 6,15 mit der wörtlich gleichen Begrifflichkeit wie in Ps 47,6: „unter Festjubel, unter Hörnerschall". Es gab eben keinen Kultgegenstand, mit dem man Jahwe so eng verbunden wußte wie mit der Lade; neben der schon zitierten Ladeerzählung 1 Sam 4–6; 2 Sam 6 zeigt das insbesondere Ps 132, wo „der Ort für Jahwe", den David sucht (V.5), in dem Augenblick „gefunden" ist, als ein „Ruheplatz" für die Lade existiert, zu dem sich nun aber Jahwe selber begibt, und zwar „du und deine machtvolle Lade" (V.8).

Von großem Gewicht ist in diesem Zusammenhang vor allem, daß der „Aufstieg" der Lade – und zwar in beiden zuvor genannten Teilakten – jeweils zu einem „Sich Niederlassen, Sitzen, Thronen" (ישב) und „Wohnen" (שכן) führt, sei es der Lade (2 Sam 7,2), sei es Jahwes selber (1 Kön 8,12 f.). Ganz entsprechend hat auch der „Aufstieg" Jahwes in Ps 47,6 das „Sich Niederlassen, Thronen" Jahwes zum Ziel (V.9), und das gleiche gilt wiederum für die Sachparallele Ps 68 („Aufstieg" Jahwes V.19; „Sich Niederlassen, Thronen" V.17; „Wohnen" V.17 und 19). Der Ort des Thronens und Wohnens ist immer der Zion. „Aufstieg" der Lade bzw. Jahwes und Königtum Jahwes gehören offensichtlich unlöslich zusammen, wie denn auch der alte, fest mit der Lade verbundene Titel des „Kerubenthroners" nicht zufällig in der Themazeile von Ps 99 im Parallelismus zum Königstitel Jahwes steht[16a].

[16a] Lipiński, Royauté de Yahwé 394 ff., hat nachgewiesen, daß die Verse 6 und 9 mit ihrer Abfolge der Verben „aufsteigen" ('lh), „sich auf den Thron setzen" (jšb 'l ks') und

Der kriegerische Aspekt des „Aufstiegs" Jahwes, der bereits oben in dem Zitat Ps 132,8 („du und deine machtvolle Lade") anklang, tritt in der schon soeben erwähnten zweiten Sachparallele in den Vordergrund, die aus einem Psalm (Ps 68) stammt, der noch gesondert behandelt werden wird. Zunächst ist an ihm bemerkenswert, daß in V.25 zweimal der term. techn. für „Festprozession" (הליכות, „Umzüge") fällt, und zwar in Verbindung mit Gottes Königtum: „die Umzüge meines Gottes, meines Königs im Heiligtum". Weiter ist in ihm der Ort des göttlichen „Thronens" ungewöhnlich stark betont, insofern er von anderen „Gottesbergen", die einen Anspruch auf den Wohnort des Weltenkönigs erheben könnten, abgesetzt wird (V.17). Sodann fällt auf, wie der göttliche Einzug in den Tempel so dargestellt wird, daß Jahwe von unzähligen himmlischen Heerscharen und ihren Kriegswagen begleitet ist (V.18). Wo schließlich am Höhepunkt der Szene Jahwes „Aufstieg" beschrieben wird, da wird ein Sieger gepriesen, der Gefangene mit sich führt und Huldigungsgaben empfängt (V.19). Von hier aus erfährt der Zusammenhang der imperfektischen und perfektischen Verbalsätze in Ps 47 neues Licht: Es ist auch in Ps 47 der Sieger Jahwe, der bei der Landnahme die Völker um der Erwählung Israels willen unterworfen hat (V.4f.), der unter Festjubel „aufsteigt", um als König über die Völker zu herrschen (V.6.9).

d)

Insbesondere die Sachparallele Ps 68,18f. mit ihrem Bilderreichtum, der eine – wie auch immer geartete – Darstellung des „Aufstiegs" Jahwes in einem kultsymbolischen Akt nahelegt, aber auch die vielfältigen Bezüge von Ps 47,6 zur Lade- und zur Ziontradition lassen vermuten, daß der „Aufstieg" Jahwes kultdramatisch vergegenwärtigt wurde, am ehesten (ursprünglich) in Gestalt einer Ladeprozession, auch wenn uns direkte Belege im AT fehlen. Wenn man vom „Aufstieg" der Festgemeinde bei der Salbung Salomos zum König in 1 Kön 1,35.40.45 rückschließen darf, könnte sie ihren Ausgangspunkt an der östlich der alten Davidstadt tief im Kidrontal gelegenen Gihonquelle gehabt haben[17]. Jedoch wissen wir darüber nichts Näheres. Weit bedeutsamer als derartige Einzelheiten ist, daß der unsichtbar über der Lade thronende Jahwe mit dem Einzug der Lade in den Tempel neu Besitz von seinem

---

„die Königsherrschaft antreten" (*mlk*) genau ein kanaanäisches Thronbesteigungsritual nachzeichnen, wie es – bis auf die Präposition – wörtlich gleich in UT 49: I: 29–34 und 76: III: 12–15 aufbewahrt ist.

[17] Darauf könnte auch Ps 68,27 anspielen; vgl. u. S.72, Anm.22.

Herrschaftssitz nimmt, von dem aus er die Geschicke der Völkerwelt lenkt (Ps 47,9), und zwar als der für alle Zukunft konkurrenzlose Sieger (Ps 68,18f.), als der er schon bei Israels Landnahme die Völker unterwarf (Ps 47,4). In der Wahl des Zion zu seinem Wohnort vollendet Jahwe somit, was er in der Erwählung Israels (V.5) begann. Der „furchtgebietende Höchste" und „Großkönig über die ganze Erde" (V.3) hat mit dem Einzug der Lade nach Jerusalem den angemessenen Ort gefunden, von dem aus er sich „sehr erhaben" (V.10b) über alle Völkermächte erweist, die künftig sein Volk Israel bedrohen könnten.

Gegen die hier vorgeschlagene kultische Deutung von Ps 47,6 hat im Gefolge mancher Vorgänger zuletzt W.A.M.Beuken eine eschatologische Interpretation befürwortet, vor allem mit dem Hinweis, trotz des nicht bestreitbaren „cultic imagery" sei kein Ort für Gottes „Aufstieg" genannt[18]. Diese Beobachtung ist jedoch nur vordergründig zutreffend, denn der vermißte Ort des „Aufstiegs" wird in der zweiten Strophe genannt, und zwar im syntaktisch analogen und sachlich entsprechenden perfektischen Verbalsatz (V.9). Dennoch ist Beuken darin Recht zu geben, daß der Psalm nicht als Ritualtext im strengen Sinne verständlich wird. Vielmehr muß man wohl die Perfecta in V.6,9 und 10b darin ernstnehmen, daß sie auf schon vollzogene Handlungen zurückblicken[19]. Aber damit ist die naheliegende Verankerung des Psalms im Jerusalemer Festgeschehen natürlich noch nicht widerlegt. Beuken verkennt vor allem die sogleich zu besprechenden politischen Implikationen der Rahmenverse 2 und 10 und geht auf die engste Sachparallele, Ps 68, gar nicht ein. Freilich ist nicht zu leugnen, daß mit dem geschichtlichen Thema der Völker auch „eschatologische" Aspekte in den Psalm eindringen; davon muß noch die Rede sein.

Warum beim „Aufstieg" Jahwes und seiner Lade unter Festjubel und Hörnerschall die Feier Gottes als König einerseits und als Sieger andererseits unlöslich zusammengehören, zeigt wohl am deutlichsten das vermutliche Laderitual in *Ps 24,7–10*[20], das in einem Kontext steht, der deutlich vom Thema des Königtums Jahwes geprägt ist (vgl. die schon zu Ps 93,1f. erwähnte „Festigung" der Erde „über Meeren und Fluten" in Ps 24,1f. sowie den „Aufstieg" – nun freilich nicht Jahwes, sondern der Festteilnehmer – in V.3). Vor den geschlossenen Tempeltoren stehend bitten die Prozessionsteilnehmer um die Öffnung der Tempeltore:

---

[18] W.A.M.Beuken, Psalm XLVII: Structure and Drama, OTS 21 (1981) 38–54; 43. 48.

[19] Im einzelnen sind die Perfecta wohl so zu differenzieren, daß das erste als Punktualis aktuelles Geschehen bezeichnet („hinauf stieg …", V.6), die späteren im Sinne eines Präsens-Perfekt dessen Ergebnis („die Königsherrschaft … hat Gott angetreten, Jahwe sich … gesetzt", d.h. er ist jetzt König, thront jetzt, V.9; deutlicher noch beim letzten Wort des Psalms in V.10b: „Hoch erhaben ist er").

[20] Vgl. zur Begründung zuletzt M.Metzger, Königsthron und Gottesthron 362f.

7 Erhebt, ihr Tore, eure Häupter,
      erhebt euch, ihr uralten Tore,
         daß der König der Glorie einziehe!

„Uralt", „urzeitlich", „ewig" (עולם) sind die Tempeltore, weil sie im Zusammenhang mit dem himmlischen Heiligtum stehen und Anteil an seinem Wesen haben[21]. Wie anders könnten sie sonst den bergen, der mit
der ehedem kanaanäischen Prädikation des Götterkönigs, die speziell
in Jerusalem heimisch wurde, „König der Glorie", d.h. Weltenkönig[22]
heißt? Aber die Tore bleiben noch geschlossen, weil im Innern die Priester die Frage nach der Identität des „Königs der Glorie" stellen, und
sie bleiben auch dann noch geschlossen, als diese Identität von den Prozessionsteilnehmern nur begrifflich umschrieben wird:

8 Wer ist das, der König der Glorie?
      Es ist Jahwe, der Starke und Held,
         Jahwe, der Held in der Schlacht.

Daher beginnt das Ritual von neuem:

9 Erhebt, ihr Tore, eure Häupter,
      erhebt sie, ihr uralten Tore,
         daß der König der Glorie einziehe!
10 Wer ist's denn, der König der Glorie?
      Es ist Jahwe Zebaoth,
         er ist der König der Glorie!

Erst als der altehrwürdige, engstens mit der Lade verbundene Titel
„Jahwe Zebaoth", „Jahwe der Heerscharen" fällt, öffnen sich die Tempeltore. Es ist der Sieger in der Schlacht, der heimkehrt, wie die vorwegnehmende Exegese des Titels in V. 8 verdeutlicht, und zwar mit Begriffen, die bei jedem Kultteilnehmer Erfahrungen Israels bei Jahwekriegen der Frühzeit wachriefen, in denen nach altem Bekenntnis nicht
kriegerische Machtmittel, sondern allein Jahwe als „Held in der
Schlacht" die Entscheidung herbeiführte.
      Im Ritual von Ps 24,7–10 entsprechen die beiden Titel Gottes, „König der Glorie" und „Jahwe Zebaoth", sachlich den beiden traditionel-

---

[21] Vgl. dazu o. S.25. Sehr unterschiedliche Auslegung haben die Tor-„Häupter" erfahren. P. R. Berger (UF 2, 1970, 335 f.) deutet konkret und denkt in Analogie zu akkadischem *rūšu* an eine bewußt doppeldeutige Bezeichnung des Türsturzes, F. M. Cross (Canaanite Myth 97 f.) denkt an übertragene mythologische Sprache: Wie Baal die angesichts
des Meeresgottes mutlosen Götter auffordert: „Erhebt, ihr Götter, eure Häupter" (UT
137:27), so werde der Ruf in Ps 24 an die entmutigten Tore gerichtet, die auf die Rückkehr Jahwes aus dem Kampf warten. Am wahrscheinlichsten ist mir noch immer die traditionelle Deutung, daß das „Hochrecken" der Tore die Erhabenheit des Einziehenden
symbolisieren soll, den der Tempel nicht fassen kann (Jes 6,1; 66,1).
[22] Vgl. Ps 29 (o. S.35. 43 f.) und Schmidt, Königtum Gottes 25 f.

len Prädikationen Gottes in den Jahwe-König-Psalmen, „Hoheit" und
„Macht" (Ps 93, 1). Das Bemerkenswerte an diesem Ritual ist aber nun,
daß der erstgenannte Titel wie eine Art Anspruch gebraucht wird, der
der Deckung bedarf. Vermutlich spiegelt die zweifache Frage nach der
Identität des „Königs der Glorie" das Wissen Israels wider, daß sein
Gott, Jahwe, diesen Anspruch mit El bzw. Baal teilt. Wenn das richtig
ist, bewahrt die Frage gleichzeitig indirekt die Erinnerung Israels daran,
daß der Königstitel Gottes letztlich kanaanäischen Ursprungs ist. Wie
dem auch sei, sicher ist, daß die Antwort mit dem zweiten Titel, „Jahwe
Zebaoth", Israels Erfahrungen mit Gott aus der Frühgeschichte, wie sie
in diesem berühmten Ladetitel verdichtet vorlagen, zum entscheidenden
Deutungskriterium für den Anspruch seines Gottes erhob, die Welt in
Händen zu halten. Gottes universale Herrschaft wurde mit partikularer
Geschichtserfahrung begründet, seit die Lade des „Jahwe Zebaoth" in
der Stadt „zur Ruhe gekommen" war, die Gott als „Höchsten" und
„Großkönig über die ganze Erde" (Ps 47, 3) prädizierte.

Es ist also entscheidend die Lade gewesen, die durch ihren Einzug
unter David in das ehedem rein heidnische Jerusalem israelitische Geschichtstraditionen in einen Raum einführte, der ganz von der Vorstellungswelt des mythisch verstandenen göttlichen Königtums erfüllt war.
In der uns überkommenen Überlieferung des AT ist kaum zufällig nirgends eine so enge gegenseitige Durchdringung und Vermischung von
genuin israelitischen Traditionen und altorientalisch-mythischen Vorstellungen belegt wie eben in Jerusalem. Davids kühner, in seinen Auswirkungen kaum absehbarer Akt der Überführung der Lade nach Jerusalem schaffte die Voraussetzungen dafür, daß Jahwe als „König über
die Völker" und Lenker der Weltgeschichte gepriesen wurde. Israels
Geschichtserfahrungen verloren damit ihren partikularen Charakter
und wurden in seinem Selbstverständnis zur grundlegenden Bedingung
für sinnvolles Reden von Gott.

Es gibt nur eine wirkliche Analogie im AT für diesen Vorgang: den
Lobpreis Jahwes als Sieger über den Völkeransturm in den Zionpsalmen. Wie für Jahwes Königtum über die Völker in Ps 47 gilt auch für
seine Abwehr der Gesamtheit angreifender Völker am Zion, daß sie
sich nur zugleich sowohl als Vergeschichtlichung mythisch-universaler
Aussagen Kanaans deuten läßt wie auch als Ausweitung geschichtlicher
Erfahrungen Israels ins Universale; sie ist keines von beidem in Isolation, sondern nur beides zugleich und in einem. Die potentiellen Gegner Israels aus allen Zeiten werden im voraus zurückgewiesen: das ist
sowohl historisierter Götterkampf als auch universaler Jahwekrieg, wie
ich in dem Aufsatz „Lade und Zion" von 1971 zu zeigen versucht habe,
der im Anhang wieder abgedruckt ist. Ganz entsprechend setzt das im
„Aufstieg" Jahwes vergegenwärtigte „Königtum Gottes über die Völ-

ker" voraus, daß der in den Jahwekriegen der Frühzeit erfahrene
„Jahwe Zebaoth" zum König der Welt, zum „Kerubenthroner" geworden ist, um es mit den beiden berühmten Ladetiteln auszudrücken, und
als solcher nicht mehr länger nur über Israel, allerdings auch nicht (wie
in Kanaan in mythischen Kategorien) über Götter herrscht. Es ist universale Herrschaft, aber sie ist in geschichtlichen Kategorien vorge-
stellt. Ps 47 ist insofern mit Recht in die Gruppe der Zionpalmen eingereiht worden; über die erwähnte Parallelität hinaus und mit ihr zusam-
menhängend gilt das für die Betonung des Ortes der universalen Herr-
schaftsausübung Gottes, der im Ritual von V.6 und 9 eine ebenso gewichtige Rolle spielt wie in den Zionpsalmen.

3.

Die *Durchdringung von Mythos und Geschichte* in Jerusalem, wie sie
durch die Überführung der Lade in die Stadt der Jebusiter möglich
wurde, zeigt sich in Ps 47 auf sehr unterschiedlichen Ebenen: a) zum einen auf der Ebene der Syntax, insofern Nominalsätze mit mythischem
Inhalt neben Verbalsätzen mit geschichtlichem Inhalt stehen und beide
sich gegenseitig interpretieren; b) umgekehrt: auf der traditionsgeschichtlichen Ebene, insofern die Nominalsätze vorisraelitisch-mythi-
sche, die Verbalsätze aber spezifisch israelitische Geschichts-Traditio-
nen enthalten; c) auf der Ebene der Gottesbezeichnungen, insofern
Jahwe gleicherweise universaler Himmelsgott, „Höchster" (עליון), ist
und Gott Israels, als der er „Jakob liebt" und ihm und seinen Nachfah-
ren „das Erbland erwählt" (V.5) und auf diese Weise „unser König"
(V.7) wird.

Jedoch bleiben beide – noch im Formalen getrennten – Traditionsli-
nien nicht nur nebeneinander stehen. Sie treffen in den zuletzt behandelten perfektischen Verbalsätzen (und im noch auszulegenden Schlußvers), die kultisches Geschehen beschreiben, zusammen und bilden hier
ein völlig Neues; diese kultischen Beschreibungen stehen deshalb notwendig als Abschluß und Höhepunkt der beiden Strophen. Wo nämlich
Jahwes Erhabenheit über die ganze Welt als „Höchster" (עליון, V.3)
vom Vorgang des „Aufstiegs" der Lade (עלה, V.6) her gedeutet wird,
da ist aus dem „Königtum über die ganze Erde" (Nominalsatz, V.8)
Jahwes „Königtum über die Völker" (perf. Verbalsatz, V.9) geworden.
Davon hatten weder Israels geschichtliche Tradition noch Kanaans
mythische Tradition je für sich gesprochen. Die Völkerwelt ist nun in
der Tat der adäquate Herrschaftsbereich des Gottes, der zum einen als
Schöpfer die Welt in Händen hält und zum anderen sich seinem Volk
in geschichtlicher Erfahrung, die es nur als bindend begreifen konnte,
kundgetan hat. Jahwe ist Herr der Weltgeschichte vom Zion aus (V.9),

weil er im Akt der Landgabe alle – nun streng geschichtlich verstandenen – Mächte, die seiner Geschichtslenkung entgegentreten wollten,
unterworfen hat, und zwar ein für allemal. Die Landgabe ist von keiner
künftigen geschichtlichen Erfahrung überholbar; daher ist es Jahwe als
der Sieger im Völkerkampf, der mit der Lade in den Tempel einzieht
und seinen Thron auf dem Zion besteigt. Die Abgesandten der Völker
(V. 10) repräsentieren die Anerkenntnis der Weltherrschaft Jahwes
durch die Völkerwelt. Die mythische Prädikation Gottes als Welterhalter ist in geschichtlichen Kategorien aussagbar geworden; umgekehrt
sind kontingente Geschichtserfahrungen in ihrer universal-gültigen
Wahrheit erkennbar geworden.

Das Königtum Jahwes in Ps 47 ist, paradox genug, gleicherweise
ewig und ohne Anfang als auch geschichtlich geworden. Das Ungewor-
dene, Ewige sagen die Nominalsätze aus – „Großkönig über die ganze
Erde" ist Jahwe, um mit Ps 93,2 zu reden, „von uran" –, das gewordene
Zeitliche die Verbalsätze. Letzteres gilt nicht so sehr für die Verse 4 f.,
da ja die Landgabe als Explikation des Nominalsatzes V. 3 diesem sachlich engstens zugeordnet ist, wohl aber für die Perfecta von V. 6 und 9,
die Jahwes Inbesitznahme des Zion als Herrschaftssitz kultdramatisch
vergegenwärtigen. Am deutlichsten läßt sich die Differenz wiederum an
der Abfolge von V. 8 und 9 vor Augen führen, die bewußt sehr ähnlich
formuliert sind. V. 8 prädiziert Jahwe traditionell als „König der ganzen
Erde": Hier *muß* Israel nominal reden, weil dieses Königtum ohne Anfang und Ende ist. V. 9 spricht von Jahwes „Königsherrschaft über die
Völker", und zwar von Jerusalem aus, dem Ort „seines heiligen Thrones": Hier *kann* und darf Israel verbal reden, weil diese Gestalt der
göttlichen Herrschaft einen geschichtlichen Anfang hat. Israel hat in
seinen Festen, in denen das Königtum Jahwes im Mittelpunkt stand, *nie*
Jahwes Kampf zur Erringung seines Königtums gegen göttliche Chaosmächte gefeiert – wo immer das AT ungehemmt verbal den Kampf Jahwes gegen das Chaos schildert, geschieht dies in Klageliedern mit der
Bitte, die Macht der Urzeit in der Gegenwart neu zu bewähren
(Ps 74,12 ff.; 89, 10 ff.; Jes 51,9 f.[23])! –; *wohl aber* hat es den König
Jahwe als siegreichen Chaoskämpfer bei der Gewinnung des Landes
und seines Herrschaftssitzes (Ps 47; Ex 15) bzw. deren Verteidigung
gegen alle drohenden Gefahren (so die Zionpsalmen 46; 48; 76) gefeiert. Denn durch diese Gewinnung *wurde* der König des Universums,
der Jahwe von Urzeit her *war* (Ps 93,2), zum König Israels (Ps 47,7;
vgl. Dtn 33,5). Freilich ist dieses gewordene Königtum nun ein Königtum ohne Ende, weil es Ausprägung des urzeitlich-universalen Königtums Jahwes ist. Ps 47 drückt dies mit seinem abschließenden Nominal-

---

[23] Vgl. o. S. 28 f.

satz aus (V.10b), der wiederum bleibend Gültiges darstellt. Explizit sagt es der Schlußsatz des Schilfmeerliedes in imperfektisch verbaler Formulierung im Anschluß an die Schilderung der „Einpflanzung" Israels am Zion durch Jahwe: „Jahwe wird König bleiben für immer und ewig."

Man kann von daher Ps 47 in der Tat einen „Thronbesteigungspsalm" nennen, und es ist durchaus nicht zufällig, daß er im Unterschied zu den anderen Jahwe-König-Psalmen, die von Jahwes Königtum nur nominal oder in Gestalt von zusammengesetzten Nominalsätzen reden, als einziger verbal spricht, d.h. es im Vollzug schildert[24]. Aber die Verse 6 und 9 feiern und vergegenwärtigen nicht den Beginn der Weltherrschaft Jahwes, stellen nicht einen Investitur-Akt dar, sondern feiern die Besitzergreifung des Zion durch den Weltenkönig und damit den Beginn seiner Weltherrschaft zugunsten Israels, die sich in der Erwählung Israels, in der Unterwerfung der Völker bei der Landgabe erwies[25]. Landgabe und Besitzergreifung des Zion sind dabei (wie im Schilfmeerlied Ex 15 Vernichtung der Ägypter und „Einpflanzung" Israels am Zion) nicht als separate Ereignisse im Nacheinander gesehen, sondern als Akte eines einzigen Geschehens. In Jahwes „Aufstieg" zum Zion kommt die Erwählung Israels zu ihrem Ziel. Das Königtum Gottes über die Völker garantiert ihre bleibende Gültigkeit.

4.

Die Gottesprädikationen mythischer („Höchster" V.3) und geschichtlicher Herkunft (Gott „Jakobs" V.5; „unser König" V.7) haben in ihrer Verbindung nicht nur zu einer neuen Beschreibung des Herrschaftsbereiches Gottes geführt („über die Völker"), sondern auch zu einer im AT singulären Bezeichnung der feiernden Festgemeinde: „Volk des Gottes Abrahams" (V.10). Wieder sind geschichtliche und universale Kategorien in einen einzigen Begriff eingegangen. Diese Beobachtung führt auf das Sonderproblem der *Stellung der Völker* vor Jahwe im Psalm. Die Völker spielen ja im bisher behandelten Korpus des Psalms einerseits und in den noch nicht näher betrachteten Rahmenversen 2 und 10 andererseits eine je unterschiedliche Rolle, im Korpus eine passive, im Rahmen eine aktive. Wo die Völker im Korpus des Psalms begegnen, wird hervorgehoben, daß Jahwe sie definitiv unterworfen hat, indem er sie Israel als seinem Volk untertan gemacht hat,

---

[24] Ps 47 am relativ engsten verwandt sind Ps 68, Ex 15 und Dtn 33, auf die sogleich zurückzukommen ist.

[25] Das hat zuletzt am schärfsten Steck, Friedensvorstellungen 15f., Anm. 16 herausgestellt.

weil er in einem Erwählungsakt Israel das Land schenken wollte (V.
4 f.). Deutlich sind die Völker hier in der Funktion gesehen, die in Ps 93
die Chaoswasser einnehmen: Die Chaoswasser bedrohen die Welt, die
Völker Jahwes Heilstat, indem sie diese zu verhindern trachten. Während aber nun Ps 93 in seiner nominalen Aussagestruktur Jahwe als den
unendlich Überlegenen den Wassern gegenüberstellt und mit dieser
Differenz das Scheitern aller chaotischen Anstürme symbolisiert, geht
Ps 47 im erzählenden Duktus seiner Verbalsätze über diese Aussage
hinaus. Der „unter Festjubel aufsteigende" König kommt als Sieger
über unterworfene Völker und tritt damit eine Herrschaft an, deren
Umfang die Völkerwelt als ganze markiert (V. 9)[26].

Aber die Völker sind nicht nur als die unterworfenen, besiegten und
beherrschten im Blick. Die Rahmenverse 2 und 10 betrachten ihre aktive Rolle. Diese Aktion der Völker hat sowohl einen politischen als
auch einen kultischen Charakter. Das zeigt sofort der Anfangsvers des
Psalms, in dem die traditionellen pluralischen Aufrufe geläufiger israelitischer Hymnen gleich doppelt abgewandelt werden: einmal durch
betonte Voranstellung des Adressats „all ihr Völker", zum anderen
durch das erste Verb „klatscht in die Hände". Es entstammt nicht kultischer Diktion wie der Aufruf des Parallelstichos „jauchzt Jahwe mit jubelnder Stimme zu", der den „Festjubel" des zentralen Verses 6 vorwegnimmt, sondern es hat seinen Ort im Jubel über die Königskrönung
(2 Kön 11,12) und fordert die Völker mit politischer Terminologie zur
Anerkenntnis Jahwes als ihres eigenen Königs auf. Anders ausgedrückt:
Die Völker werden zur Teilnahme am Festgottesdienst Israels gerufen,
aber eben mit dieser Teilnahme auch zur politischen Anerkenntnis Jahwes als ihres Oberherrn [26a]. Er ist und bleibt „unser König" (V.7); ein
Kontakt der Völker mit Jahwe an der Erwählung Israels vorbei (V.4f.)
ist schon deshalb prinzipiell unmöglich, weil die Erwählung Israels, wie
wir sahen, zur universal-gültigen, weltgründenden Heilstat geworden
ist. Der Grund für den Jubel und die Huldigung der Völker (V.2) ist
kein anderer als der Grund für die Festmusik, zu der Israel in V.7 aufgefordert wird: die sich in der Unterwerfung von Völkern und in der
Erwählung Israels erweisende Erhabenheit Jahwes.

Das gleiche Nebeneinander von kultischen und politischen Aspekten
bestimmt auch den abschließenden V.10, in dem die Repräsentanten

---

[26] Sehr wahrscheinlich wird bewußt einzig in V.9, wo es um den Herrschaftsbereich
Jahwes geht, der Begriff *gôjim* („Heidenvölker, Nationen") verwendet, während die Verse
2. 4 und 10 von den *'ammîm* als den „Völkern" sprechen, mit denen Israel geschichtliche
Erfahrungen machte (und die mit Israel den „*'am* des Gottes Abrahams" bilden sollen,
V.10). Die politischen Implikationen hat deutlich herausgestellt A. Caquot, Le Psaume 47
et la Royauté de Yahwé, RHPhR 39 (1959) 311–37, bes. 315 f.

[26a] Mit dem Begriff „Großkönig" (V.3b) werden wiederum deutlich politische Assoziationen geweckt; vgl. ausführlich dazu Lipiński, a. a. O. 415 ff.

der Völker in der erwähnten singulären, textlich aber trotz des Mißverständnisses der LXX gesicherten Wendung „Volk des Gottes Abrahams" heißen. Zunächst ist die im Umstandssatz nachholend erzählte „Versammlung der Edlen der Völker" in ihrem Primärsinn wohl so zu verstehen, daß am Hauptfest Jerusalems Abgesandte der Völker teilnahmen, die mit dem Begriff נדיב, „edel", nicht hinsichtlich der beruflichen Funktion, sondern in ihrer beispielhaften Gesinnung charakterisiert werden. Daß die Teilnahme der Repräsentanten der Nachbarvölker am Fest vorwiegend politischen Charakter hatte, verdeutlicht der abschließende Halbvers 10 b, der nochmals zum Lobpreis Jahwes zurückkehrt: „... denn Jahwe gehören die Schilde der Erde, hoch erhaben ist er". Hier sind nun nicht mehr die Repräsentanten selber im Blick, sondern die Herrscher der Völker; sie werden allerdings bewußt nicht „Könige" genannt, weil dieser Titel dem „Großkönig über die ganze Erde" (V. 3) vorbehalten bleiben soll, sondern in ihrer Schutzfunktion für ihre jeweiligen Völker mit einem Begriff („Schilde"), der auch für den israelitischen König in Ps 84, 10 und 89, 19 gebraucht wird. Noch einmal wird der Anspruch Jahwes auf (politische) Anerkennung eines universal-geschichtlichen Königtums über die Völker laut wie schon im Aufruf zum Händeklatschen in V. 2 a, ein Anspruch, der sich in der Anerkennung Israels als Jahwes Erwählter (V. 4 f.) zu realisieren hat.

Allerdings geht der singuläre Begriff „Volk des Gottes Abrahams" in dieser Deutung keineswegs auf. Er gewinnt seine spezifische Aussagekraft im Psalm aus der bewußten typologischen Gegenüberstellung der Erzväter Jakob und Abraham. Wo der Psalm auf Israels Erwählung zu sprechen kommt, fällt der Name Jakob (V. 5), wo er auf Jahwes universale Anerkennung zu sprechen kommt, der Name Abraham (V. 10)[27]. Freilich steht der Begriff „Volk Jahwes" wohl bewußt nicht; der Kontext des Psalms und schon die genannte Begründung in V. 10 b schließen die Deutung aus, daß V. 10 die Grenzen zwischen erwähltem Volk und Völkerwelt aufheben wolle, und sei es auch nur im hoffnungsvollen Blick auf die ferne Zukunft. Eher könnte man Gen 12, 3 als Sachparallele heranziehen[28], wonach sich das Geschick der Völkerwelt an ihrem Verhalten zu Israel, wie es in Abraham verkörpert ist, entscheidet; dann wären die „Edlen der Völker" diejenigen, die vorbildhaft diesen Weg gehen. Näher liegt es m. E., im Blick auf den Begriff „Gott Ab-

---

[27] J. Muilenburg, Psalm 47, JBL 63 (1944) 235–56; 244 hat dazu mit Recht festgestellt, daß die Erwähnungen Jakobs und Abrahams innerhalb der 1. bzw. 2. Strophe des Psalms an analoger Stelle stehen.

[28] So die Mehrzahl der Kommentare und H. W. Wolff, Das Kerygma des Jahwisten, EvTh 24 (1964) 73–98 = Ges. St. (1964)) 345–73; 370 f. Ich selber halte es nicht für undenkbar, daß der Jahwist in Gen 12, 3 Aussagen wie die in Ps 47, 10 schon vorfand und variierte.

rahams" in einem Jerusalemer Kultpsalm an Gen 14,18 ff. zu denken[29], wo das in Abraham verkörperte Israel sich dem Gott Jerusalems, (אל) עליון, dem „Höchsten", und Melchisedek, dem Vorläufer Davids (Ps 110,4), verpflichtet und vom „Höchsten" gesegnet wird. Seit jener Zeit ist der „Höchste" (Ps 47,3) zum „Gott Abrahams" (V. 10) geworden, ein Begriff, in dem nun sozusagen der Jakob erwählende Jahwe und der „Schöpfer des Himmels und der Erde", עליון, zusammenfließen. Die Völker sind dann Volk dieses Gottes, wenn sie am Jerusalemer Festgottesdienst teilnehmen, seine Herrschaft über sich anerkennen (V. 2) – auch seine grenzenlose „Erhabenheit" über ihre eigenen Herrscher (V. 10b) – und so seines Segens teilhaftig werden.

Daß sich mit diesem Abschluß des Psalms, insbesondere für Spätere, Hoffnungen auf universale Anerkenntnis der Herrschaft Jahwes über die Welt und der Erwählung Israels durch die Völker verbanden, sei wenigstens erwähnt. So gewiß der Psalm von Haus aus auf reales Festgeschehen zielt, sind doch auf diese Weise „eschatologische" Töne in ihn eingedrungen. Das liegt am gewandelten Herrschaftsbereich Jahwes. Seit er vom „König der ganzen Erde" (V. 8) zum „Herrscher über die Völker" (V. 9) wurde, mußte die Frage nach der Beziehung Jahwes zu den Völkern immer dringlicher werden.

5.

In letzter Zeit ist zunehmend deutlich erkannt, daß Ps 47 in die vorexilische Zeit gehört[30]. Wie völlig anders eine Verbindung von Mythos und Gechichte in der Exilszeit oder in der Spätzeit aussah, ist an Ps 96 und 97 unschwer zu erkennen. Umgekehrt gehören die engsten Sachparallelen zu Ps 47 – Ex 15 und Ps 68 – auch in die staatliche Zeit; gelegentlich werden sie sogar höher angesetzt, wie noch zu zeigen ist. Der in V. 3 und V. 4 f. noch im Vollzug beobachtbare Prozeß der gegenseitigen Durchdringung von Mythos und Geschichte spricht m. E. eher für die frühe Staatenzeit, und das gleiche gilt für die Ladeterminologie und

---

[29] Vgl. Beaucamp, a. a. O. 460.

[30] Unter den schon zitierten Autoren gilt das für Muilenburg, Caquot, Lipiński, Steck, Otto, weiter etwa für O. Eißfeldt, Kl. Schriften V 219–21 (salomonisch); Johnson, Sacral Kingship 74–77; H.-J. Kraus z. St.; L. G. Perdue, „Yahwe is King over all the Earth". An Exegesis of Ps 47, RestQ 17 (1974) 85–98; J. J. M. Roberts, The Religious-Political Setting of Psalm 47, BASOR 221 (1976) 129–32; F. Stolz, Erfahrungsdimensionen im Reden von der Herrschaft Gottes, WuD 15 (1979) 9 ff., bes. 12 ff.; M. D. Goulder, The Psalms of the Sons of Korah, JSOT.S 20 (1982) 151–59 u. a. Einschränkend stimmen zu Coppens, Royauté de Dieu 122 ff., bes. 127 (für V. 1–6); I. L. Seeligmann, a. a. O. (für V. 1–9).

-symbolik in V. 6 und 9 sowie für die politischen Untertöne in den Rahmenversen 2 und 10. Beaucamp hat für V. 10 auch terminologische Gründe zur Frühdatierung angeführt[31] und möchte selber bis in die Davidszeit hinaufgehen; aber eine Handhabe für so exakte Angaben haben wir hier nicht und auch sonst nur selten (vgl. zu Dtn 33).

2. Ps 68 – die engste Sachparallele

Für ein genaueres Verständnis von Ps 47 ist Ps 68 nicht nur darum eine große Hilfe, weil er als einziger Psalm neben Ps 47 vom „Aufstieg" Jahwes (V. 19) und gleichzeitig von Jahwe als König spricht (V. 25), ihn wie Ps 47,3 „furchtgebietend" nennt (V. 36), das Land Israels wie Ps 47,5 als נחלה (Israels bzw. Jahwes „Erbland") bezeichnet (V. 10), wie Ps 47,2.7 zum „Jubeln" und „Aufspielen" dieses Königs aufruft (V. 5.33), und zwar wiederum „die Königreiche der Erde" (V. 33), „Hoheit und Macht" Jahwes preist wie Ps 93,1 (V. 35) und was dergleichen Einzelparallelen mehr sind, sondern vor allem, weil er in der gleichen Weise wie Ps 47 Mythos und Geschichte, universale Herrschaft Gottes und partikulare Hilfe für Israel miteinander verbindet und außerdem mehr noch als Ps 47 voller Anspielungen auf die Lade- und die Ziontradition ist. Schon mit dem allerersten Vers werden die berühmten Ladesprüche aus Num 10,35 f. aufgegriffen, und das Heiligtum Gottes spielt von Anbeginn (V. 6) über den zentralen Mittelteil (V. 18.19) bis zu den Schlußstrophen (V. 25.30.35) eine entscheidende Rolle.

Nun ist die Interpretation dieses Psalms freilich mit ganz ungewöhnlichen Schwierigkeiten belastet. Man hat ihn im Blick auf Einzelwendungen nicht zu Unrecht den problemreichsten Text des gesamten AT, den „Mont Blanc de l'exégèse"[1], genannt. Kein anderer Psalm in der Bibel greift so viel unterschiedliches mythologisches Gut der Kanaanäer auf[2] und prägt es gleichzeitig so einschneidend um; viele dieser Wendungen, im AT selber hapax legomena oder doch sehr selten begegnend[3], werden sich erst dann erschließen, wenn wir über genügend religionsgeschichtliches Vergleichsmaterial verfügen, um über die exakte Herkunft der Begriffe auch ihre Neuverwendung im Psalm erkennen zu

---

[31] Gewichtig ist sein Hinweis auf die Verwendung von *nādîb* im politischen Sinn; sonst nennt er besonders *'am* mit Gottesnamen als Indiz. Hinzuweisen ist auch auf das Verb *dbr* II hif. (V. 4), das nur noch in Ps 18,48 (= 2 Sam 22,48) eine Parallele findet, und zwar mit der gleichen Präposition (*taḥat*) und wiederum Jahwe als Subjekt.

[1] A. Caquot, Le Psaume 68, RHR 177 (1970) 147–82; 147.

[2] Das Material haben W. F. Albright, A Catalogue of Early Hebrew Lyric Poems (Ps 68), HUCA 23 (1950/51) 1–39 und M. Dahood z. St. gesammelt.

[3] Die wichtigsten sind bei S. Mowinckel, Der achtundsechzigste Psalm (1953) 70, zusammengestellt.

können. Und selbst dann werden Verständnisschwierigkeiten bleiben[4]. Gelegentliche Textverderbnisse (z.B. V.31) sind bei dieser Lage der Dinge besonders fatal. Zum zweiten ist der Aufbau des Psalms ungewöhnlich kompliziert, offensichtlich, wie noch zu zeigen ist, aufgrund seines Wachstums. Freilich hat sich die These H. Schmidts, es handle sich um „lauter selbständige kleine Lieder" zur gleichen Gelegenheit, mit Recht nicht durchgesetzt, auch wenn W.F. Albright noch über Schmidt hinausging und in Ps 68 einen Katalog von 30 bzw. 33 Liedanfängen sehen wollte[5]. Vielmehr ist in einigen bedeutsamen Analysen der jüngsten Vergangenheit die gedankliche Einheit des Psalms überzeugend aufgewiesen worden[6] – freilich unter Vernachlässigung formaler Gesichtspunkte –, und insbesondere die Abgrenzung der Strophen ist in der Mehrzahl der Fälle unumstritten.

> 2 Erhebt sich Jahwe[7], zerstieben seine Feinde,
>   fliehen seine Hasser vor ihm.
> 3 Wie Rauch verweht, verwehen sie[8];
>   wie Wachs vor dem Feuer schmilzt,
>   vergehen die Bösen vor Jahwe.
> 4 Aber die Gerechten jauchzen voll Freude
>   vor Jahwe und jubeln vor Glück.

---

[4] Ein beliebiges Beispiel. In V.7 wird Gottes Fürsorge für Schwache u.a. durch die Wendung ausgedrückt: „Er führt Gebundene heraus *bakkôšārôt*". Dieses biblische hapax legomenon, mit dem schon die alten Versionen Mühe hatten, ist kaum von den ugaritischen *ktrt* zu trennen. Sie werden aufgrund des Nikkal-Textes und des Aqhat-Epos häufig als professionelle Sängerinnen bei glücklichen Anlässen gedeutet (Albright, a.a.O.; Pope, Wörterbuch der Mythol. I 296 f.), sind aber eher (inzwischen auch außerhalb Ugarits belegte) Göttinnen, die sich in der Geburtshilfe hervortaten und für glückliches Leben sorgten (Albright, BASOR 173, 1964, 52 f.; W. Herrmann, Yariḫ und Nikkal und der Preis der Kuṭarāt-Göttinnen, 1968, 34 ff.; H. Gese, Die Religionen Altsyriens, 165). Deren männliche Entsprechung *ktr* (im Doppelnamen *ktr-wḫss*, „Geschickt und Gescheit") war der Meister des Kunsthandwerks. Bezeichnet in Ps 68,7 aber *bakkôšārôt* die Weise göttlichen Handelns – dann bleibt immer noch die Frage, welche Assoziation vorherrscht: „skilfully" (A. R. Johnson), „with music" (W. F. Albright) oder aber „par des mains expertes" (Caquot) – oder aber das Ziel: „bliss" (Cassuto), „Glück" (W. Herrmann)? Ich selber rechne damit, daß „(wie) durch Feen" im Sinne von „wunderbar" gemeint ist. Aber sogar die Ableitung als solche ist bestritten worden zugunsten des akkadischen *kušartu, kušaru*; vgl. M. Dietrich – O. Loretz, OLZ 62 (1967) 533 ff., bes. 542; E. Lipiński, AION 31 (1971) 532 ff., bes. 536 f.

[5] H. Schmidt, Die Psalmen, HAT 15 (1934) 127 f.; W. F. Albright, a.a.O.

[6] Vgl. bes. U. Cassuto, Psalm 68, Tarbiz 12/1 (1940) 1–27; engl. Übers. in: ders., Biblical and Oriental Studies I (1973) 241–84; S. Mowinckel, a.a.O.; Johnson, Sacral Kingship, 77–85; J. Vlaardingerbroek, Psalm 68, Diss. Amsterdam (1973); A. Caquot, a.a.O.; J. Gray, A Cantata of the Autumn Festival: Ps 68, JSS 22 (1977) 2–26; J. P. LePeau, Psalm 68: An Exegetical and Theological Study, Diss. Iowa City/Iowa (1981); B. Halpern, The Constitution of the Monarchy in Israel, HSM 25 (1981) 76–85. 307–19; C. Carniti, Il Salmo 68 (Rom 1985).

[7] Vgl. o. S. 50, Anm. 1; im folgenden nicht jeweils notiert.

[8] Lies beide Male Nif.; vgl. die Vrs. MT wohl: „... mögest du sie verwehen". Zur Form des Inf. vgl. Ges.-K. § 51 k.

5 Singt Jahwe zu,
 spielt auf seinem Namen,
 erhebt den, der durch die Wüsten einherfährt,
 mit „Jah sein Name", und jauchzt vor ihm!

6 Vater der Waisen und Anwalt der Witwen
 ist Jahwe in seiner heiligen Wohnstatt.

7 Jahwe gibt Einsamen eine häusliche Bleibe,
 führt Gebundene wunderbar ins Freie[9];
 aber Empörer mußten in dürrer Öde wohnen.

8 Jahwe, als du auszogst vor deinem Volke her,
 als du einherschrittest durch die Wüste,

9 da erbebte die Erde,
 ja, die Himmel troffen
 vor Jahwe, dem vom Sinai[10],
 vor Jahwe, dem Gott Israels.

10 Regen im Überfluß schenkst du, Jahwe,
 deinem Erbland, wenn es erschöpft, da du selbst es gegründet;

11 deine Geschöpfe ließen sich in ihm nieder,
 so daß du, Jahwe, in deiner Güte die Armen versorgtest.

12 Läßt der Herr ein Machtwort erschallen,
 breiten Frauen in großem Heer die Siegesbotschaft aus:

13 „Die Könige der Heerscharen – sie fliehen, sie fliehen!
 Die Bewohnerin des Hauses kann Beute verteilen[11]:

14 Laßt euch nur nicht inmitten des Kriegsgepäcks nieder[12]!
 Die Flügel der Taube sind mit Silber überzogen,
 ihre Schwingen mit gelbgrünem Feingold!"[13]

15 Als der Allmächtige Könige zerstreute,
 fiel dadurch Schnee auf den Schwarzberg[14].

---

[9] Vgl. o. S. 70, Anm. 4, und zur Funktion des Pl. Ges.-K. § 124 e.

[10] Vgl. u. S. 72, Anm. 16.

[11] Wohl ironische Anspielung an die Hoffnungen des Feindes in Ri 5,30 (vielleicht auch an den Preis der Jael „im Zelt" in Ri 5,24). Vgl. etwa R. Tournay, Le Psaume LXVIII et le Livre des Juges, RB 66 (1959, 358 ff.) 360.

[12] Warnung vor Bequemlichkeit, durch die die Teilnahme am Sieg verspielt wird (freie Anspielung an Ri 5,16; vgl. Gen 49,14).

[13] Zumeist als kostbares Beutestück gedeutet; vgl. die von O. Keel genannte vergoldete Taube auf einer Standarte der Atargatis von Hierapolis (Vögel als Boten, 1977, 31, Anm. 2 und das Material von U. Winter, ebd. 41 ff.). An eine Standarte der Astarte denkt dementsprechend J. Gray, a. a. O. 14. Keel selber zieht im Gefolge Eerdmans die Deutung der Taube als Botentaube für die Siegesnachricht (V. 12 b) vor (S. 34 f.); so auch Lipiński, Royauté de Yahwé 445 f.

[14] Die Präposition mit Suffix *bah* nimmt vermutlich die Präposition mit Inf. am Anfang des Verses auf (Keel, a. a. O. 17, Anm. 7). Mit dem „Schwarzberg" ist wohl der vulkanische Ḥauran (ǧebel ed-druz) gemeint, wie unter Verweis auf Claudius Ptolemaeus zuerst J. G. Wetzstein, Das batanäische Giebelgebirge (1884) 17 f. wahrscheinlich gemacht hat. Der Schnee ist am ehesten als göttliches Gerichtszeichen zu deuten (Keel, a. a. O. 17 f.).

16 Du Gottesberg, Basansberg,
      du vielgipfliger Berg, Basansberg:
17 Warum schaut ihr neidisch, ihr vielen Gipfel,
      auf den Berg, den Gott sich zum Thronen wählte,
      ja, auf dem Jahwe für immer wohnen wird?
18 Die Wagen Gottes sind Tausende und Abertausende[15]:
      Der Herr ist unter ihnen, der (vom) Sinai[16] ist im Heiligtum[17]!
19 Du bist aufgestiegen zur Höhe, hast Gefangene mitgeführt,
      hast Tribut empfangen von Menschen – auch von Empörern! –,
      auf daß du (dort) wohnst, Jah, (wahrer) Gott.

20 Gepriesen sei der Herr Tag für Tag,
      der uns Lasten trägt, der Gott, der unsere Hilfe ist,
21 der Gott, der uns ein Rettergott ist:
      ja, Jahwe, der Herr, weiß noch Auswege vom Tod!
22 Gewiß zerschlägt Jahwe das Haupt seiner Feinde,
      den Haarscheitel dessen, der in seiner Schuld beharrt.
23 Der Herr hat gesprochen: „Aus Basan bringe ich zurück[18],
      bringe zurück aus den Tiefen des Meeres,
24 auf daß du deinen Fuß in Blut badest[19],
      daß die Zunge deiner Hunde an den Feinden ihren Anteil[20]
                                                          habe."

25 Ein Schauspiel waren deine Umzüge, Jahwe,
      die Umzüge meines Gottes, meines Königs, im Heiligtum:
26 Voran die Sänger, danach die Saitenspieler,
      dazwischen junge Frauen, die das Tamburin schlugen;
27 sie priesen[21] Gott in Chören,
      ja, Jahwe von Israels Quelle her[22].

---

[15] Vgl. Ges.-K. § 97 h.

[16] Verkürzte Aufnahme des alten Gottestitels *zæ sînaj* „der (Gott) vom Sinai" aus V. 9 (Johnson, Sacral Kingship 82); vgl. zu diesem Titel ausführlich Jeremias, Theophanie 8 f.

[17] V. 18 wird häufig durch Änderung der Worttrennung gelesen: „Der Herr kam vom Sinai ins Heiligtum". Aber der Rhythmus spricht gegen die Konjektur.

[18] Basan steht hier (wie in V. 16) offensichtlich für die höchste Höhe, in die Jahwes und Israels Feinde ebenso vergeblich fliehen wie in die tiefste Tiefe (vgl. Am 9,3). Die von vielen (selbst von Mowinckel!) aufgegriffene künstliche mythologische Deutung durch Albright (*bāšān* entspricht ugaritischem *btn* „Schlange") tut dem Kontext Gewalt an (mit Johnson, a.a.O. 82, Anm. 9). Dagegen hat M.H.Pope mit gewichtigen Gründen auf die kosmischen Assoziationen des Basan-Gebirges hingewiesen (The Cult of the Dead at Ugarit, in: G.D.Young [Hg.], Ugarit in Retrospect, 1981, 159ff., bes. 170ff.).

[19] Offensichtlich ist *rḥṣ* wegen V.22 in *mḥṣ* verlesen worden; vgl. LXX (βάπτειν, sonst für *ṭbl*) und Ps 58,11. Das angeredete „Du" meint wohl Israel bzw. die feiernde Gemeinde, wie sich aus dem „Ich" des Verses 25 nahelegt.

[20] Vgl. F.Delitzsch z.St.

[21] MT und LXX vokalisieren – dem Kontext wenig angemessen – das Verb als Imp.

[22] Vielleicht Hinweis auf die Gihonquelle in Jerusalem als Ausgangspunkt der Prozession; vgl. o. S.59 zu Ps 47,6.

28 Da war Benjamin, (zwar) klein, (doch) ihr Führer,
  die Edlen Judas, ihres Sprechers[23],
    die Edlen Sebulons, die Edlen Naphtalis.

29 Befiehl, mein Gott, wie es deiner Macht entspricht,
  der göttlichen Macht, die du an uns erwiesen[24],
30 von deinem Tempel über Jerusalem aus,
  wohin Könige dir Gaben bringen:
31 Greif an[25] die Tiere im Schilf,
  die Horde der Stiere unter den Kälbern der Völker!
Stoß zu Boden, die an Silber Gefallen haben[26],
  zerstreue[27] die Völker, die Schlachten lieben!
32 So werden aus Ägypten kostbare Stoffe kommen,
  Äthiopiens Hände eilends Gaben für Jahwe bringen[28].

33 Ihr Königreiche der Erde:
Singt Jahwe zu,
  spielt auf dem Herrn,
34 ihm, der über den Himmel, den uralten Himmel einherfährt!
  Seht, er läßt seine Stimme erschallen, eine machtvolle Stimme.
35 Zollt Jahwe Macht,
  dessen Hoheit über Israel,
    dessen Macht (hoch) in den Wolken waltet!
36 Furchtgebietend bist du, Jahwe, von deinem Heiligtum aus.
  Israels Gott – er gibt Macht und Kraftfülle dem Volk.
Gepriesen sei Jahwe!

1.

1. Entscheidend für die Analyse des komplizierten Aufbaus des Psalms ist die Beobachtung, daß er am Anfang und am Ende Elemente

---

[23] Vgl. ugaritisches *rgm* „reden", akkadisches *ragāmu* „rufen, schreien". Zu vokalisieren ist wohl *rōgamtām* (J. Gray).

[24] Das erste Verb in V. 29 ist wohl mit LXX, Pesch und Vg imperativisch zu vokalisieren; im folgenden scheinen zweimal Worte irrtümlich abgetrennt worden zu sein (Johnson, a.a.O. 84, Anm. 4–5: *'ælohaj k*ᵉ und *'oz hā'ᵉlohîm*).

[25] Das Verb *g'r* wird üblicherweise recht unglücklich mit „schelten" übersetzt. Es ist term. techn. für Jahwes schlachtentscheidenden Kriegsruf im Chaoskampf mittels seiner Donnerstimme (V. 34 b); vgl. Jeremias, a.a.O. 33.

[26] Die Übersetzung ist nur ein Versuch der Sinnfindung in einem verderbten Text; sie geht davon aus, daß das Part. Sg. in V. 31 aγ sich auf Gott bezieht und das zweite Wort *b'rosê* zu vokalisieren ist; ähnlich Vlaardingerbroek, a.a.O. 135 ff.

[27] Vokalisiere Imp. mit LXX, Pesch, Vg.

[28] Zur Konstruktion (casus pendens: „seine Hände" ist Subjekt) vgl. etwa Delitzsch z. St.

eines imperativischen Hymnus enthält, die sprachlich bewußt parallel
formuliert und daher auch aufeinander bezogen auszulegen sind:

> Singt Jahwe zu,
>   spielt auf seinem Namen,
>   erhebt den, der durch die Wüsten einherfährt …! (V. 5)

> Ihr Königreiche der Erde:
> Singt Jahwe zu,
>   spielt auf dem Herrn,
>   ihm, der über den Himmel, den uralten Himmel einherfährt …! (V.
> 33 f.).

Wie das Verbpaar „singen" (שיר) – „aufspielen" (זמר) schon in Ugarit
belegt ist, so auch der beiden Strophen zugrundeliegende, in beiden
aber abgewandelte Titel des Wetter-, Fruchtbarkeits- und Himmelsgot-
tes, *rkb ʿrpt* „Wolkenfahrer"[29]. Freilich ist er jeweils charakteristisch unterschiedlich verändert worden: in V. 5 im Blick auf Geschichtserfahrungen Israels seit den frühesten Anfängen[30], in V. 33 f. in seiner univer-
salgeschichtlichen, d. h. alle Völker betreffenden Weite. Die Gedankenfolge des Psalms ist damit genau die umgekehrte wie in Ps 47, wo der
Aufruf zum Lob Jahwes zunächst an die Völker gerichtet ist (V. 2) und
erst in der zweiten Strophe nach Nennung der Heilstaten Gottes an Israel selber (V. 7). Jedoch ist nicht die Reihenfolge entscheidend, sondern das Nebeneinander beider Dimensionen als solches: Lob gebührt
Gott gleicherweise aufgrund partikularer Geschichtserfahrungen als
„unserem König" (Ps 47,7) bzw. „meinem König" (Ps 68,25) wie aufgrund seiner universalen Macht als „Großkönig über die ganze Erde"
(Ps 47,3); man vergleiche zu letzterem das nahezu für alle Jahwe-König-Psalmen geläufige Nebeneinander von „Hoheit" und „Macht" (vgl.
zu Ps 93,1) in V.35 b und als Besonderheit darüber hinaus das sechsma-

---

[29] Durch Textänderung oder unter Hinweis auf die Austauschbarkeit von *b* und *p* hat
man sehr häufig den „Wolkenfahrer" auch in V. 5 gefunden und diesen Vers „ugaritisch"
gedeutet (ein mehrseitiger, noch keineswegs erschöpfender Literaturnachweis dafür bei
A. Cooper in: S. Rummel, Hg., Ras Shamra Parallels III, 1981, 458 ff.). Dieser Trend geht
so weit, daß HAL eigens für Ps 68,5 eine hebräische Wurzel *rbh* II „Wolke" erfindet.
Sehr zu Unrecht, denn der unmittelbare Kontext von V. 5 mit seinen häufigen Anspielungen auf Wüste und Sinai (V. 7. 8. 9. 18) zeigt nur zu deutlich, wie bewußt der kanaanäische Gottestitel, dessen Kenntnis bei den Lesern wohl vorausgesetzt wurde, neu gedeutet
wird. In der Euphorie der Entdeckung ugaritischer Parallelen haben insbesondere Albright und Dahood auch sonst den Psalm vielfältig „remythisiert" (Caquot, a. a. O. 180) –
und seinen Sinn damit entscheidend verfehlt.

[30] Sie beginnen strenggenommen erst in V. 8, da V. 6 f. noch bewußt allgemein nominal formuliert ist. Aber daß die Übergänge fließend sind, zeigt das Perf. in V. 7 b und
mehr noch die Aufnahme von V. 7 a α (Einsame finden eine Bleibe) in V. 11 (Israel findet
eine Bleibe).

lige Vorkommen des Leitwortes עז „Macht" in den Schlußversen 29
und 33–36 von Ps 68!

2. Bilden die Strophen V. 5–7 und V. 33–36 mit ihren pluralischen
Imperativen einen äußeren Rahmen des Psalms, so die Verse 8–11 und
29–32 einen inneren. Während sonst im Psalm nur hin und wieder an
sachlichen Höhepunkten vorübergehend die Anrede an Gott laut wird,
um danach sogleich wieder verlassen zu werden (V. 19. 25 a. 36 a), sind
einzig diese beiden Versgruppen durchgehend von der Gebetssprache
der Anrede an Gott bestimmt. Die Verbindung beider Strophen ist dabei wohl so zu sehen, daß die grundlegenden Erfahrungen von Güte,
Schutz, Versorgung und Fruchtbarkeitsgabe in der Frühzeit der Wü-
stenwanderung und Landnahme (V. 8–11) die Gemeinde zum Gebet um
Rettung (V. 29–32) bewegen, auch wenn die Art der Not der Gegenwart
eine andere ist[31].

3. In der Mitte des Psalms stehen vier Strophen, die einander paar-
weise zugeordnet sind. Zweimal folgt auf die Beschreibung eines Sieges
Gottes über die Feinde Israels bzw. einer Rettung Israels aus Todesnot
(V. 12–15. 20–24) die Darstellung einer Festprozession im Tempelbe-
reich, wobei die erste ganz auf das Handeln Gottes (V. 16–19), die andere auf das Handeln der Festteilnehmer (V. 25–28) konzentriert ist.
Beide Male herrscht beim Thema Sieg das Imperfekt vor, während das
Thema Festprozession vom Perfekt bestimmt ist. Ps 68 gebraucht also
für die Darstellung von Geschichtserfahrungen und von kultischen
Handlungen genau die gleichen jeweils unterschiedlichen Tempora wie
Ps 47. Dieser Sachverhalt bleibt auch dann auffällig, wenn man berücksichtigt, daß die Imperfekte in V. 12–15 zumindest teilweise darauf zurückzuführen sind, daß eine Siegesankündigung von Frauen verbreitet
wird, und die Imperfekte der Verse 20 ff. darauf, daß ständig erfahrene
bzw. noch ausstehende Hilfe Gottes gepriesen wird. Die beiden Sieges-
strophen sind auch darin aufeinander bezogen, daß sie jeweils von einem göttlichen Machtwort geprägt sind (V. 12. 23)[32]. Von den Sachbe-
zügen zwischen den Themen Sieg und Kult muß noch die Rede sein.

4. Allem vorangestellt ist eine Einzelstrophe ohne Entsprechung, die
eine Auslegung der Ladesprüche bietet, und zwar, wie U. Cassuto mit
Recht bemerkte, in der Grundsätzlichkeit eines Weltgesetzes[33]: Dreimal

---

[31] Verbunden sind beide Strophen darüber hinaus antithetisch durch den ungewöhnlichen Gebrauch von ḥajjâ: Heißt das Gottesvolk in V. 11 „dein Getier" (d. h. deine Geschöpfe), so wird mit V. 31 der Feind entsprechend als „das Getier im Schilf" bezeichnet.

[32] Dabei ist die ungewöhnliche Formulierung „ein Machtwort (geben, d. h.) erschallen
lassen" (V. 12) offensichtlich Interpretation der traditionellen Wendung „die (Donner-)
Stimme (geben, d. h.) erschallen lassen" (V. 34). V. 23 zeigt mit der verbalen Formulierung
„der Herr hat gesprochen", daß an verständliches Wort gedacht ist.

[33] „A great principle of history" (a. a. O. 254).

wird betont, wie die „Bösen" „vor Gott" (jeweils Präposition מפני) zu-
grundegehen (V. 1-3), zweimal, wie die „Gerechten" „vor ihm" (jeweils
לפני) jauchzen (Vorblick auf V. 25 ff.). Im Unterschied zu Ps 47 ist eine
positive Funktion der Völker, die offensichtlich im Blick auf den Kontext die „Bösen" sind, nicht zu erkennen. Das hat vermutlich mit der
konkreten Not zu tun, von der V. 29-32 sprechen.

Der komplizierte Aufbau des Psalms ist also im Schema (abgesehen
von dem zuletzt genannten Praeludium in V. 1-4) so zu beschreiben: A
(V. 5-7) – B (V. 8-11) – C (V. 12-15) – D (V. 16-19) – C' (V. 20–24) –
D' (V. 25-28) – B' (V. 29-32) – A' (V. 33-36) oder in Schlagworten:
Imp. Hymnus – Anredeteil (Fürsorge Gottes) – Sieg Gottes (Imperf.) –
Festprozession (Perf.) – Sieg Gottes (Imperf.) – Festprozession (Perf.)
– Anredeteil (Gebet) – imp. Hymnus.

2.

Von wesentlicher Bedeutung für die Fragestellung ist, wie (verglichen
mit Ps 47) *Geschichtserfahrung, Lobpreis der universalen Herrschaft Gottes*
und kultische Vergegenwärtigung des Königtums Jahwes in Ps 68 miteinander zusammenhängen.

1. Zunächst ist noch einmal darauf zurückzukommen, daß die rück-
blickende Geschichtserinnerung Israels und die Beschreibung der universalen Macht seines Gottes in zwei analog gestalteten Strophen des
imperativischen Hymnus miteinander in Beziehung gebracht werden,
und zwar jeweils über Abwandlungen des kanaanäischen Gottestitels
„Wolkenfahrer": Jahwe ist „Wüstenfahrer" (V. 5) und „Himmelsfahrer"
(V. 33 f.) zugleich. Deutlicher noch als in Ps 47 wird mit dieser Reihenfolge die Erfahrung göttlicher Fürsorge in der Geschichte als Grund
des Anspruchs Jahwes auf Huldigung durch alle Völker herausgestellt.

Auffällig ist freilich, daß in beiden Rahmenstrophen das Heiligtum
Gottes betont eingeführt ist, obwohl von ihm ohnehin im Zusammen-
hang des Festgeschehens im Mittelteil ausführlich die Rede ist. Der
„Wüstenfahrer" hat seine Güte den Hilfsbedürftigen so gezeigt:

> Vater der Waisen und Anwalt der Witwen
>   ist Jahwe in seiner heiligen Wohnstatt. (V. 6)

Vom „Himmelsfahrer" heißt es:

> dessen Hoheit über Israel,
>   dessen Macht (hoch) in den Wolken waltet:
>   Furchtgebietend bist du, Jahwe, von deinem Heiligtum aus. (V. 35 f.)

Offensichtlich läßt sich – wie in Ps 47 – der Zusammenhang zwischen
partikularer Geschichtserfahrung und universaler Herrschaft Gottes

nicht ohne die kultische Dimension ausdrücken. Dabei ist die Frage
müßig, ob hier und dort primär das himmlische oder das irdische Heiligtum im Blick ist. Erinnert sei nur an Ps 93, wo Jahwe „in der Höhe"
die chaotischen Mächte kontrolliert (V. 4) und darum seinem Tempel in
Jerusalem Heiligkeit zugesprochen wird (V. 5)[34].

2. Die Rolle des Heiligtums wird noch deutlicher, wo im Psalm ein
drittes Mal vom „Fahren" Jahwes (Wurzel רכב) die Rede ist, jetzt allerdings unter Verwendung des Substantives רֶכֶב, „Wagen", und nicht an
den Rändern des Psalms, sondern genau in seinem Zentrum (V. 18),
und nicht in geschichtlichem Kontext oder im Zusammenhang der universalen Macht Gottes, sondern bei der Beschreibung des zentralen
Kultaktes im Psalm:

> 18 Die Wagen Gottes sind Tausende und Abertausende:
>   Der Herr ist unter ihnen, der (vom) Sinai ist im Heiligtum!
> 19 Du bist aufgestiegen zur Höhe, hast Gefangene mitgeführt,
>   hast Tribut empfangen von Menschen – auch von Empörern! –,
>   auf daß du (dort) wohnst, Jah, (wahrer) Gott!

In diesen Versen brechen alle räumlichen Schranken zusammen. Der
Zion, in seiner äußeren Größe wenig eindrucksvoll (V. 16) und zu be-
stimmter geschichtlicher Stunde mit der Ladeüberführung von Jahwe
als Wohnsitz gewählt, freilich nun „für immer" (V. 17) – dieser Zion
wird zum himmlischen Heiligtum[35]. Der in ihn einziehende, von seinen
unzähligen himmlischen Heerscharen begleitete Himmelsgott aber ist
kein anderer als der unter der Erschütterung von Himmel und Erde als
Helfer in der Wüste und in den Kämpfen der Frühzeit erfahrene „Der
vom Sinai" (V. 9; Ri 5, 5). Sinai, Zion und Himmel fließen im Heiligtum
ineinander. Wie immer man den Einzug Gottes kultsymbolisch vergegenwärtigt hat – am ehesten wie in Ps 47 durch den Einzug der Lade –:
daß das Kultgeschehen wesentlich Handlung Gottes ist, zeigt auch die
zweite Prozessionsstrophe in V. 25–28, die zwar Aktionen der Festteilnehmer beim Festzug beschreibt, dennoch aber diese menschlichen Ak-
tivitäten zuvor als „deine (d. h. Jahwes) Umzüge" einführt. Wer unter
den Auserwählten der Süd- und Nordstämme an der Prozession unter
Saitenspiel, Paukenschlag und Chorgesang teilnimmt, steht gleicherweise am Fuß des Sinai und vor dem Thron des Himmelskönigs, macht
Sinai- und Himmelserfahrungen. Was heißt das konkret?

3. Der in V. 18 einziehende Gott kommt mit Kriegswagen. Es ist insbesondere U. Cassuto gewesen, der darauf hingewiesen hat, daß die
Parallelbelege zu Ps 68 das Fahren Gottes auf Wagen auffällig kon-

---

[34] Vgl. o. S. 25.

[35] *mārôm* „Höhe" (V. 19) bezeichnet in Ps 93, 4 und auch sonst gemeinhin im AT den
Himmel und nur in Ausnahmefällen (etwa Ez 20, 40; vgl. Jes 33, 5) den Zion.

stant mit seiner kriegerischen Hilfe (meist Wurzel ישע) für Israel verbinden (Dtn 33,26.29; Ps 18,11 = 2 Sam 22,11; Hab 3,8.13.15)[36]. In
Ps 68 ist dieser Sachzusammenhang auf doppelte Weise evident: Zum
einen wird in V.20f. gleich zweimal das Thema der Hilfe Gottes mit
der gleichen Wurzel ausgedrückt, zum anderen zuvor in V.19 das
„Fahren" Gottes durch seinen „Aufstieg" ausgelegt, und bei diesem
Aufstieg führt Jahwe Gefangene und Tributgaben mit sich, vollzieht
ihn also als Sieger. Das Thema des göttlichen Sieges und der göttlichen
Hilfe für Israel ist nun in der Tat von zentralem Gewicht für den
Psalm, geht doch beiden Prozessionsstrophen eine Strophe mit Beschreibung des göttlichen Sieges voraus (V.12-15.20-24) und folgt der
zweiten die Bitte um neuerlichen Machterweis Gottes im Kampf (V.
29-32). Offensichtlich wird mit der kultsymbolischen Vergegenwärtigung des Einzugs Jahwes in den Tempel – der eben als Gott der Lade
Jahwe Zebaoth ist, der „Starke und Held, der Held in der Schlacht"
(Ps 24,8)[37] – den Kultteilnehmern neue Siegesgewißheit vermittelt, und
zugleich werden die Güte-, Schutz- und Siegeserfahrungen der Frühzeit (V.6-15) für sie neu erfahrbar. Wie im Tempel Sinai, Zion und
Himmel räumlich ineinanderfließen, so zeitlich Vergangenheit, Gegenwart und Zukunft. Vielfältige Sprachbezüge belegen dies:

a) Wie schon gesehen, ist Gottes Heiligtum der Ausgangsort sowohl
für die Fürsorgeerfahrungen der Vergangenheit (V.6; vgl. V.36) als
auch für die kultischen Erfahrungen der Gegenwart (V.17-19.25) als
auch schließlich für die erst erbetenen Machterfahrungen der Zukunft
(V.30; vgl. V.36). Weil der im Heiligtum präsente Gott die Kontinuität
zwischen den geschichtlichen Erfahrungen bildet, lassen sich im Heiligtum gleicherweise Vergangenheits- wie Gegenwarts- und Zukunftserfahrungen machen.

b) Im einzelnen: Da Jahwe beim Gottesdienst Tributgaben von Gegnern empfängt (V.19), ist die Bitte um Befreiung von Feinden und um
die Herbeiführung ihrer Huldigungsgaben nach Jerusalem (V.30-32)
letztlich schon im voraus erfüllt. Anders ausgedrückt: Erbeten wird,
was schon vorgängig im Kult erlebt wird, wobei der Kult seinerseits
Verdichtung geschichtlicher Erfahrung ist (vgl. das Verteilen von Beute
in V.13f.).

c) „Die Königreiche der Erde", die Gott huldigen sollen (V.33), sind
nicht zu trennen von den „Königen der Heerscharen" – einem klägli-
chen Abbild des „Jahwe der Heerscharen" –, die flohen (V.13) und von
Gott zerstreut wurden (V.15). Vermittelt sind Zukunft und Vergangenheit wiederum im Kult (V.19).

---

[36] A.a.O. 244f. 252f.
[37] Vgl. o. S.61f.

d) Mit dem Gottestitel „Der vom Sinai" werden im Kult die Erfahrungen der Frühzeit gegenwärtig (vgl. V.9 mit V.18). Entsprechend werden die aktuell erbetenen Machttaten Gottes explizit in Beziehung gesetzt zu denen, „die du an uns erwiesen hast" (V.29).

e) In der Frühzeit „zog Gott aus" (יצא) vor seinem Volk in der Wüste (V.8); Gebundene „führte er ins Freie" (יצא hif., V.7). Er weiß auch künftig dann noch „Auswege" (תוצאות), wenn der Tod droht (V.21).

f) Da Gott selber auf dem Zion „wohnt" (ישב und שכן V.17 und 19), bewährt sich seine königliche Gerechtigkeit und Fürsorge für die ihm anvertrauten Schwachen besonders darin, daß er sie „im Hause wohnen" läßt (ישב hif. V.7a). Dieser göttliche Grundsatz zeigte sich insbesondere bei der Landnahme: Israel durfte in Gottes Erbland „wohnen" (ישב), als „arm, gebeugt" von ihm versorgt (V.10f.). Dagegen müssen alle „Empörer" (in V.6 am ehesten allgemeiner Ausdruck für Hochmütige, die Jahwes nicht bedürfen, später V.19 Ausdruck für die hartnäckigsten Feinde Jahwes und Israels) jetzt wie künftig „in dürrer Öde wohnen" (V.7b), und wiederum ist es der Kult, der diese Gewißheit vermittelt (vgl. die „Empörer" in V.19).

g) Kurz: Die „Macht" Gottes, die Israel in seiner Geschichte erfuhr (V.29b) und für sein Heute erbittet (V.29a), ist die gleiche „Macht", die es ständig – besonders im Kult – erfährt (V.34b. 35b), die es deshalb im Lob Gott darbringt (V.35a), ja, an der Gott es partizipieren läßt und von der es lebt (V.36b).

3.

Bei der *Datierung* des Psalms ist grundsätzlich A.Caquots Hinweis zu beherzigen, daß man zwischen dem Alter der Motive der Einzelaussagen und dem Alter des Psalms insgesamt unterscheiden muß[38]. Insofern sind in der Tat die häufig beobachteten Berührungen des Psalms mit dem Deboralied (am deutlichsten in V.8–10 und 14) ebensowenig ein untrügliches Indiz für hohes Alter wie die Hervorhebung Benjamins und der nordisraelitischen Stämme Sebulon und Naphtali bei der Prozession V.28, die im Falle letzterer vermutlich wiederum auf die führende Rolle dieser Stämme bei der Deboraschlacht zurückzuführen ist, im Falle Benjamins möglicherweise auf die Lage Jerusalems in seinem Stammesgebiet, wobei jeweils zu berücksichtigen ist, daß die namentlich genannten Stämme als pars pro toto für Norden und Süden stehen. Zu wenig beachtet worden ist in der jüngeren Diskussion, daß keines-

---

[38] A.a.O. 148; ähnlich Mowinckel, a.a.O. 69, in seiner Auseinandersetzung mit Albright.

wegs nur Ri 5 und die Ladesprüche (V. 2) vom Psalm als Vorlage benutzt werden, sondern gleicherweise Ps 29 in V. 34–36[39] und vor allem
der Rahmenpsalm von Dtn 33 in V. 18 und 34 f.[40], möglicherweise auch
Ps 47,6.9 in V. 18 f.[41] Bei diesen Bezügen ist ein Dreifaches zu beachten:

1. Mit Ausnahme des relativ unsicheren letzten Belegs sind die Be-
zugstexte allesamt alt und stammen aus dem Nordreich, was vermutlich
auch für den im Psalm so vielfältig ausgelegten kanaanäischen Gottestitel „Wolkenfahrer" (V. 5. 18. 34) gilt sowie für eine Vielzahl der Motive
speziell in V. 8–19; auch ist in diesem Zusammenhang erneut zu berücksichtigen, daß – abgesehen von dem oben behandelten Ps 29 – kein
anderer Psalm im Alten Testament eine solche Fülle an terminologischen Berührungen mit den ugaritischen Texten aufweist wie Ps 68.
Damit hängt sehr wahrscheinlich wiederum zusammen, daß der Psalm
auffällig häufig eine polemische Sprache gebraucht (vgl. V. 5 b: „Jah
sein Name"; V. 19 b: „Jah, (wahrer) Gott"; V. 21 a: „Jahwe, der Herr" u.
ö.). Insbesondere die polemischen Töne gegen das Basan-Gebirge in
V. 15. 16 f. und 23 ließen sich aus dem nordisraelitischen Milieu ungleich leichter verstehen (am leichtesten wohl aus dem Zeitalter der
Aramäerkriege). Es gibt darüber hinaus eine Reihe von Gründen, die
die Vermutung nahelegen, V. 16 f. zielten von Haus aus auf das Heiligtum auf dem Tabor (Mowinckel, Kraus, Keel)[42]. Diese Beobachtungen
finden am ehesten durch die Annahme einer nordisraelitischen Herkunft des Psalms in der frühen Königzeit ihre Erklärung.

2. Die Aufnahmen des älteren Gutes geschehen mit teilweise sehr
freien und kühnen Abwandlungen. Für den Titel „Wolkenfahrer"
wurde das schon oben erwähnt. Längst gesehen ist auch, wie etwa die
berühmte Theophanieschilderung aus Ri 5,4 f. in Ps 68,8 f. historisie-
rend auf den Wüstenzug Israels bezogen und die Schreckensreaktion
des Himmels (Ri 5,4) als Segensstat Jahwes interpretiert wird[43]. Entsprechend wird die Wurzel כון „(schaffen, zeugen) festigen, gründen", de-

---

[39] Vgl. V. 34 b mit 29,3 ff. und vor allem den doppelten Aspekt: Israel gibt Jahwe (im
Lob) ʿoz („Macht") 68,35 a; 29,1 b – Jahwe gibt Israel (im Kampf) ʿoz (68,36 b; 29,11 a).

[40] Vgl. Jahwes Kommen vom Sinai, und zwar mit himmlischem Gefolge (68,9.18; vgl.
Dtn 33,2 b–3), Jahwe als „Himmelsfahrer" (68,34; vgl. Dtn 33,26) und das Nebeneinan-
der von „Hoheit" und „Wolken" (68,35 b; vgl. Dtn 33,26 b; ähnlich V.29), und zwar in
Verbindung mit „Hilfe" für Israel (68,20 f.; vgl. Dtn 33,29). Auch die ungewöhnliche
Gottesbezeichnung hāʾēl „der Gott" (Ps 68,20 f.; Dtn 33,26) verbindet die beiden Texte.
Weitere Bezüge bei Jeremias, a. a. O. 185–88.

[41] Vgl. weiter die eingangs genannten Berührungen zwischen beiden Psalmen (o.
S.69).

[42] Sie sind zusammengestellt und kritisch diskutiert bei O. Keel, a. a. O. 19 f., Anm. 1.
Hinzu kommt jetzt J. Gray, a. a. O. 2–6. 20.

[43] Vgl. Jeremias, a. a. O. 10 f. 165 f.; E. Lipiński, Bib. 48 (1967) 200 ff.

ren mythologischen Konnotationen wir im Zusammenhang von Ps 93 nachgegangen sind (o. S. 23 f.), in V. 10 b und 11 b auf geschichtliche Themen übertragen: auf die „Gründung" und entsprechende Förderung des Landes (Polal V. 10 b) und auf die gütige Versorgung der auf Gott angewiesenen Menschen mit Speise (Hif'il V. 11 b). Die Reihe ließe sich fortsetzen. Sie zeigt, daß hier ein sehr eigenständiger Textgebrauch vorliegt, den man nicht allzu früh ansetzen sollte.

3. In seiner gegenwärtigen Gestalt ist der Psalm allerdings ohne jeden Zweifel ein Jerusalemer Psalm. Das zeigt neben der Nennung Judas in V. 28[44] vor allem die Gebetsstrophe V. 29–32, die Jerusalem explizit erwähnt (V. 30) und für die aufgrund der Nennung von Kusch (Äthiopien) eine Herkunft aus dem Zeitalter Hiskias (Caquot, vgl. zuvor F. Delitzsch) sehr erwägenswert ist. Die hypothetische ältere Vorstufe läßt sich nicht mehr mit Sicherheit rekonstruieren; man kann nur komparativisch formulieren, daß sie die erste Hälfte des vorliegenden Psalms stärker geprägt hat als die zweite, wenngleich auch hier Strophen begegnen (V. 20–24. 33–36), die kaum Spuren spezifisch Jerusalemer Theologie aufweisen und mehr oder weniger als ganze der Vorstufe angehört haben mögen[45]. In der ersten Hälfte des Psalms erscheinen mir überhaupt nur die Rede vom „Aufstieg" Jahwes am Anfang von V. 19, die, wie wir sahen, kaum von der spezifisch Jerusalemer Ladetradition zu trennen ist, und die recht massiven Wohnvorstellungen in V. 17 b und 19 b nicht von der Vorstufe herleitbar zu sein.

So gewiß man mit solchen Überlegungen den Boden der Spekulation betritt, da wir von der religiösen Dichtung des Nordreichs nur wenig wissen, sind sie doch nicht ohne sachliches Gewicht. Sie zeigen, daß der Psalm offensichtlich zwei verschiedene Funktionen ausübte. Als Jerusalemer Psalm muß Ps 68 wesentlich von dem Gebet um Rettung aus Not (V. 29–32) her gedeutet werden, um dessentwillen die Machterweise Gottes in Geschichte und Gottesdienst vergegenwärtigt werden. Freilich ist der Psalm um dieser zugefügten Gebetsstrophe nicht zu einer Bitte für eine einzelne geschichtliche Stunde geworden. Sein Thema bleibt von der Schlußstrophe her das im Gottesdienst gefeierte, in der Geschichte bewährte universale Königtum Jahwes. Aber er verbindet kultische und aktuell-geschichtliche Wirklichkeit, besteht sozusagen auf der Erfahrbarkeit des gottesdienstlichen Geschehens im Raum des geschichtlichen Alltags. Die Funktion der älteren Vorstufe des Psalms

---

[44] Wobei Juda, wenn der schwierige Text oben richtig gedeutet ist, als Wortführer (LXX: „Anführer") erscheint. Vgl. auch die Erwähnung der „Quelle Israels" in V. 27, wenn damit die Gihonquelle gemeint ist.

[45] M. E. mit Ausnahme des Vokativs in V. 33: „Ihr Königreiche der Erde" (vgl. zur Begründung das folgende Kapitel) und vielleicht von V. 36 a (im Blick auf Ps 76, 5. 8).

war allgemeinerer Art, stand – abgesehen von den Unterschieden beim
Völkerthema – Ps 47 näher, noch weit näher freilich derjenigen des
Rahmenpsalms in Dtn 33, von dem im folgenden die Rede sein muß.

3. Dtn 33,2–5. 26–29 – eine mögliche Vorstufe

Mit dem Rahmenpsalm in Dtn 33, dessen ursprüngliche Selbständig-
keit gegenüber den Stammessprüchen seit Beginn unseres Jh.s weitgehend anerkannt ist, berühren wir den ältesten Text im Alten Testament,
der vom Königtum Jahwes spricht. Wenn man der glänzenden Analyse
I. L. Seeligmanns folgt, gehört er (ohne V. 4) zu den ganz wenigen biblischen Texten, die in die Richterzeit zurückreichen[1]. Mancherlei Einzelheiten bleiben in diesem textlich aufgrund vieler hapax legomena überaus schwierigen und teilweise verderbten Psalm dunkel; Aufbau und
Gedankengang im ganzen liegen dennoch offen zutage. Er ist darin mit
Ps 47 und 68 vergleichbar, daß er über weite Partien hinweg vom Königtum Jahwes „erzählt" und gleichzeitig mythische und geschichtliche
Themen verbindet; die schon genannten Berührungen mit Ps 68 sind so
weitgehend, daß die Annahme unabweisbar erscheint, Ps 68 setze die
Kenntnis von Dtn 33 schon voraus. Auch für Ps 47 ist das theoretisch
denkbar, obwohl nicht mehr mit auch nur einiger Sicherheit aufweis-
bar[2]. Dtn 33 geht darin über Ps 47 und 68 hinaus, daß ausdrücklich von
der Entstehung des Königtums Jahwes gesprochen wird (V. 5).

Umstritten und nicht mehr eindeutig zu klären ist, ob im ursprünglich selb-
ständigen Rahmenpsalm V. 26 unmittelbar auf V. 5 folgte. Insbesondere in V.
21 b, der nur in lockerem Kontakt mit dem Spruch über Gad steht und anfangs
offensichtlich V. 5 bα abwandelt, könnte sich eine Spur einer Brücke zwischen
beiden Psalmteilen erhalten haben (Seeligmann)[3]. In jüngster Zeit hat Z. Weis-

---

[1] I. L. Seeligmann, A Psalm from Pre-Regal Times, VT 14 (1964) 75–92; ähnlich urteilen vor ihm u. a. U. Cassuto, Deuteronomy Chapter 33 and the New Year in Ancient Israel (RSO 11, 1928, 233–53), in: ders., Biblical and Oriental Studies I (1973) 47–70; H.
Greßmann, Der Messias (1929) 229 f.; Buber, Königtum Gottes 128 f.; Th. H. Gaster, An
Ancient Eulogy on Israel, JBL 67 (1948) 53–62; F. M. Cross – D. N. Freedman, The Bles-
sing of Moses, JBL 67 (1948) 191 –210 (= Studies 95–122). Auch die meisten neueren
Spezialuntersuchungen schließen sich der Frühdatierung an, ohne jedoch neue Gesichtspunkte zu nennen; vgl. P. D. Miller, HThR 57 (1964) 241–43; ders., The Divine Warrior
in Early Israel (1973) 75–87. 214–220; D. N. Freedman, FS C. H. Gordon (1980) 25–46;
D. L. Christensen, Bib. 65 (1984) 382–89. – Auf V. 4 ist u. S. 92 zurückzukommen.
[2] Die sprachlichen Berührungen betreffen einerseits die Rede von der „Hoheit" Jakobs bzw. Israels (Ps 47,5; Dtn 33,29), andererseits den Gebrauch des Verbs 'sp für die
„Versammlung" der Völkerrepräsentanten mit Israel bzw. der Stämme Israels beim Fest
(Ps 47,10; Dtn 33,5). Weitere Parallelen im Aussageduktus sind bei der Exegese genannt.
[3] Ähnlich zuvor schon etwa H. Burkitt, JThS 35 (1934) 68; Cross-Freedman, a. a. O.
202 f. Ich nehme im folgenden V. 21 b unter Vorbehalt auf.

man die Vermutung geäußert, daß Entsprechendes auch für V.19a gelten könnte[4].

2 Jahwe – vom Sinai kam er
und strahlte ihnen[5] auf von Seir;
er glänzte auf vom Gebirge Pharan:
mit ihm Tausende Heiliger[6],
deren Lichtströme[7] aus seiner Rechten hervorgingen.

3 Ja, du ... der [Völker][8],
alle Heiligen[9] sind an deiner Seite;
sie ducken sich[10] zu deinen Füßen,
erheben ihr Angesicht[11] auf deine Befehle hin.

4 [Ein Gesetz hat uns Mose entboten
als Erbe für[12] die Versammlung Jakobs.]

5 So wurde er[13] König in Jeschurun,
als sich die Häupter des Volkes versammelten,
die Stämme Israels insgesamt,

(21b (um zu preisen) die Heilstaten[14], die Jahwe vollbracht,
seine Entscheide zugunsten Israels:)

---

[4] A Connecting Link in an Old Hymn, VT 28 (1978) 365–68.

[5] Vielleicht ist das beziehungslose *lmw* (*lāmô* „ihnen") aus *l'mw* („seinem Volk") verschrieben; gewichtige Gründe für diese Annahme nennt Seeligmann, a.a.O. 76.

[6] Vermutlich ist im Gefolge von LXX, Tg, Vg *w'ittô rib'bot qodæš* zu lesen; vgl. Cross–Freedman, a.a.O. 198f. Zu *qodæš* als Kollektivnomen vgl. H.S. Nyberg, ZDMG 92 (1938) 335f. und J.T.Milik, Bib. 38 (1957) 253 mit Anm.2. Als Alternative bietet sich die von Bertholet; K.Budde (Der Segen Mose's, 1922, 7); Cassuto u.a. bevorzugte Konjektur (*w'ātâ*) *mē'arbôt* (*qādēš*) „(Er kam) aus den Wüsten (von Kadesch)" (vgl. Ps 68,5; 29,8) an.

[7] C.J.Balls Vokalisation *'šēdôt* (PSBA 18, 1896, 119) und Ableitung von der syrischen Wurzel *šd* hat viele Nachfolger gefunden, insbesondere weil Hab 3,4 eine enge Sachparallele bietet. – A.F.L.Beeston, JThS N.S.2 (1951) 30f., und ihm folgend P.D.Miller, HThR 57 (1964) 241f., schlagen die Ableitung des Substantivs aus dem südarabischen *'sd* „Krieger" vor, was aber bei Miller zu weiteren Texteingriffen führt.

[8] Eine befriedigende Deutung des hap. leg. *ḥbb* ist noch nicht geglückt. Daß sich hinter den „Völkern" ursprünglich Götter verbergen, hat Seelmann (a.a.O. 80f.) mit guten Gründen vermutet; vgl. die Exegese.

[9] LXX liest das Subjekt ohne Suffix.

[10] Nach Milik, a.a.O. 252, und O.Komlós, VT 6 (1956) 435f., heißt das hap. leg. *tkk* „sich drängen, sich aneinanderreihen". Näher liegt sachlich Nybergs Hinweis auf arab. *tkk* mit der Grundbedeutung „unter die Füße treten"; er übersetzt: „... zu Füßen niedergeworfen daliegen". Cross-Freedman, a.a.O. 193. 200f., vokalisieren *himtakkû* und denken an eine Wurzel *mkk* „sich beugen" mit *t*-Infix.

[11] Offensichtlich ist beim Verb 3.Pers.Pl. zu vokalisieren (Sam, Vg). Nicht ganz klar ist, welches der geläufigen Objekte von *nś'* „erheben" sachlich zu ergänzen ist; ich rechne mit *pānîm* („Angesicht").

[12] Die Präp. *l'* regiert von V.4a her die Konstruktion.

[13] Buddes Einwand gegen diese Übersetzung (a.a.O. 13f.) ist schon von Cassuto widerlegt worden. Die Beziehung des Satzes auf den irdischen König (Budde) ist vom Kontext her so gut wie ausgeschlossen.

[14] Vokalisation: *ṣidqot*; zum st.cstr. beim Relativsatz vgl. die Belege bei Seeligmann, a.a.O. 85, Anm.4.

26 Kein (Gott) ist wie dieser Gott, Jeschurun,
        der am Himmel einherfährt zu deiner Hilfe
        und in seiner Hoheit über die Wolken.
27 Ein schützendes Lager ist der Gott der Urzeit,
        indem die Arme des Ewigen sich ausbreiten[15].
            [Alternative: Der die Götter der Vorzeit demütigte,
                    die uralten Arme erschütterte.]
        Er vertrieb den Feind vor dir
        und befahl: „Vernichte!"
28 So wohnte Israel in Sicherheit,
        für sich allein lagerte[16] Jakob
    in einem Land voll Getreide und Most,
        wo auch der Himmel ihm Tau träufelt.
29 Wohl dir, Israel, wer ist dir gleich,
        ein Volk, gerettet durch Jahwe,
    der dir Schild deiner Hilfe ist
        und ...[17] Schwert deiner Hoheit,
    auf daß sich deine Feinde dir ergeben,
        du selber aber auf ihren Rücken trittst.

1.

Die beiden Teile des Psalms, die gegenwärtig die Stammessprüche
rahmen, bilden von Haus aus zwei zusammengehörige Strophen. In der
ersten (V. 2–3. 5. 21 b β. γ) ist von Jahwe ohne häufigen grammatischen
Bezug zu Israel die Rede – vielmehr gilt solcher Bezug den Himmelswesen, Israel kommt erst im Temporalsatz V. 5 b in den Blick –; in der

---

[15] HAL schlägt im Gefolge von K. H. Graf, Der Segen Moses', 1857, z. St. sowie von
R. Gordis (JThS 34, 1933, 390–92; JBL 67, 1948, 68–72; JBL 68, 1949, 407 f.) ein Substantiv der Wurzel *mth* vor: *mithâ*, „das Ausbreiten". Die Bilder sind freilich so ungewöhnlich, daß berechtigte Zweifel an ihrer Ursprünglichkeit laut wurden. Mit der Umstellung
eines Konsonantenpaares im zweiten Stichos (*mᵉhattēt*) und der Umvokalisation des ersten Wortes (*mᵉʿannê*) gelangen Gaster (a. a. O. 60 f.) und Seeligmann (a. a. O. 87) zur
Übersetzung „der die Götter der Vorzeit demütigte, die uralten Arme (= Mächte) er-
schütterte". Auch wenn mit 2 Sam 7,23 nur eine (deutlich spätere) Sachparallele zum
Thema der Götterunterwerfung begegnet und die Bezeichnung der Götter als *ʿôlām* „uralt" parallellos im AT wäre – Seeligmann deutet ansprechend: „It finally serves to en-
hance the Glory of the God of Israel" –, halte ich diese Rekonstruktion vom Gedankengang des Psalms in seiner Anfangsfassung her für sehr wahrscheinlich. Die New English
Bible hat sich für sie entschieden.
[16] L. *ʿān* (Cassuto) im Blick auf den par. membr. und auf *mᵉʿonâ* in V. 27 a.
[17] Ob die prosaische Relativpartikel aus einem anderen Wort verschrieben worden ist?
Oft denkt man seit Budde an den Gottesnamen *Šaddaj*; man müßte die Worte dann anders beziehen: „... ein Volk, das Hilfe erfuhr; in Jahwe ist dir der Schild deiner Hilfe, in
Schaddaj das Schwert deiner Hoheit" (Seeligmann).

zweiten dagegen (V.26-29) ist jede Handlung Jahwes auf Israel als Nutznießer bezogen. In beiden Strophen begegnet Anrede; in der ersten gilt sie Gott als Herrn der Himmelswesen (V.3), in der zweiten dagegen Israel als von Gottes Wohltaten Betroffenem (V.26f. 29). Die erste Strophe bringt erzählerisch Jahwe und Israel zusammen, damit Jahwe König Israels werden kann; die zweite stellt dar, was es für Israel heißt, daß Jahwe sein König ist.

Entscheidend für die Deutung des Psalms ist die Beobachtung, daß beide Strophen in ihrer syntaktischen Fügung gegenläufig gestaltet sind. Die erste ist am Anfang und Ende vom Erzählstil geprägt (Perfecta in V.2, Imperf. consec. V.5) und geht nur im Mittelteil in Beschreibung von ständigem Geschehen über (Nominalsätze V.2b-3a, invertierte Verbalsätze mit Imperfekt V.3). Genau umgekehrt sind in der zweiten Strophe die erzählenden Verbalsätze (Imperf. consec. V.27b-28) gerahmt von Nominalsätzen, die bleibend Gültiges ausdrücken wollen. In der ersten Strophe sind die beschreibenden Zustandssätze, die die Himmelswesen betreffen, umklammert vom Handeln Gottes; in der zweiten Strophe sind umgekehrt die Sätze über Gottes Handeln an Israel umklammert von Aussagen über bleibend Gültiges: Gottes schützende Zugewandtheit zu Israel. Sachlich besagt diese Gegenläufigkeit, daß Jahwe ein völlig anderes Verhältnis zu den Himmelswesen als zu Israel hat. Darauf ist sogleich zurückzukommen.

Insgesamt ist die zweite Strophe kunstvoller gestaltet als die erste. Die erzählenden Mittelverse (V.27b-28) werden von zwei hymnischen Unvergleichlichkeitsaussagen gerahmt, die zwei verschiedenen Subjekten gelten: eingangs Jahwe, am Ende Israel. Und doch sind die Sachaussagen jeweils ganz ähnliche, weil Jahwes Unvergleichlichkeit als aktives Handeln an Israel (V.26-27a), Israels Unvergleichlichkeit als passives Widerfahrnis durch Jahwe ausgedrückt wird („... ein Volk, gerettet durch Jahwe", V.29). An einer Stelle freilich werden die Aussagen bewußt abgewandelt: Weil Gottes Einherfahren am Himmel „zu deiner Hilfe" geschieht (V.26) und Gott damit „Schild deiner Hilfe" ist (V. 29), wird *„seine* Hoheit" als Himmelsfahrer (V.26) durch Hilfe im Kampf zu *„deiner* Hoheit", wie sie sich künftig im Sieg über Feinde erweisen wird (V.29). Voraussetzung für diesen Wandel ist, was die erzählenden Verse im Zentrum darlegen: Jahwe hat schon die Feinde vor Israel vertrieben (V.27), so daß Israel in Ruhe geschützt „wohnen" kann, und zwar in einem Land, dessen üppige Fruchtbarkeit neben Getreide und Most der Tau vom Himmel symbolisiert (V.28).

2.

Das Königtum Jahwes wird in den Eingangsversen von Dtn 33 zunächst grundsätzlich traditionell eingeführt, d. h. in jener Gestalt, in der zuvor in Kanaan vom Königtum Els und vom Königtum Baals die Rede war: als Königtum über die Götter. Allerdings sind die Abwandlungen mit Händen zu greifen. Sie betreffen den Inhalt ebenso wie die Form.

1. Die prägende Kraft des Ausschließlichkeitsanspruchs Jahwes ist von allem Anfang an zu spüren. Nicht nur wird der Gottesname Jahwe betont als erstes Wort dem Psalm vorangestellt (und begegnet wieder betont im letzten Vers) und heißt Jahwe in V. 26 הָאֵל „dieser Gott" (wie auch Ps 68, 20 f. und dreimal in Ps 18), sondern vor allem wird die Vorstellung vom Götterrat und Hofstaat, die den Götterkönig umgeben, dahingehend verändert, daß die „Heiligen" (V. 2 f.) – eine auch in Ugarit geläufige Bezeichnung der niederen Götter[18] – in einer höchst ungewöhnlichen Weise Jahwe untergeordnet und zu dienstbaren Wesen degradiert werden. Wenn der schwierige V. 2 b oben richtig übersetzt ist, besagt er, daß sie über kein Licht verfügen, sondern Lichtstrahlen von Jahwe empfangen; nach V. 3 stehen sie Jahwe auf Abruf zur Verfügung, demütigen sich, wie es Diener tun[19], blicken auf und bewegen sich frei nur, wenn er es befiehlt. Von einer Funktion des Lobes und der Ehrerbietung wie in Ps 29 (aber auch schon in der hinter Ps 29 stehenden kanaanäischen Tradition) ist um dieser Subordination willen nicht die Rede.

Der Sinn der Unterordnung der Himmelswesen erschließt sich erst voll, wenn sie mit der ebenso ungewöhnlichen Hoheitsstellung Israels in V. 26–29 konfrontiert wird. Auch hier steht eingangs mythische Sprache Kanaans im Hintergrund und wird charakteristisch abgewandelt. Die (Ps 68 so stark prägende) Prädikation Baals, des Fruchtbarkeitsspenders, als „Wolkenfahrer"[20] wird dahingehend vergeschichtlicht, daß in V. 26 die Aussage gewagt wird, Jahwe fahre nur dazu in seiner königlichen Hoheit ständig (Nominalsatz) am Himmel auf den Wolken einher, daß er Israel rettend zu Hilfe komme und ihm den Sieg verleihe[21], wie es Israel grundlegend und ein für allemal in den Ereignissen der

---

[18] Belege bei Schmidt, Königtum Gottes 28 f.

[19] Auch wenn die Deutung des Verbes nicht gesichert ist, ergibt sich dieser Sinn aus der Ortsbestimmung: „zu deinen Füßen" (wörtlich: Sg.).

[20] Vgl. o. S. 74.

[21] Das Ungewöhnliche der Aussage zeigt sich daran, daß sie von Cross-Freedman ohne Not und ohne Anhalt an den Versionen durch Textänderung wieder remythisiert wurde (erstmals BASOR 108, 1947, 6 f.) und diese Änderung bei einer großen Zahl von Forschern (z. B. Ginsberg, Gaster) Zustimmung fand, obwohl die Begrifflichkeit des MT in V. 29 betont wieder aufgegriffen wird.

Landnahme real erfahren hat (V. 27 b). Der ferne Himmelsfahrer ist Israel im Kampfe denkbar nah. Um dieser göttlichen Hilfe willen wird Israel im letzten Vers glücklich gepriesen, in ihr liegt begründet, daß es
an Jahwes königlicher Hoheit so unmittelbar partizipieren darf, daß es
aus ihr seine eigene „Hoheit" empfängt, d. h. konkret: voller sieghafter
Zuversicht in die Zukunft blicken darf (V. 29 b), weil kein Feind seine
gegenwärtige, von Jahwe geschenkte Sicherheit im fruchtbaren Land
(V. 28) stören kann. Der beabsichtigte Kontrast zwischen der Dienst-
barkeit und Niedrigkeit der „Heiligen" und der Siegesgewißheit und
Hoheit Israels ist wohl nur verständlich, wenn sich hinter den Himmelswesen vornehmlich das kanaanäische Pantheon verbirgt. Israel tritt
mit seiner Erhöhung gewissermaßen an die Stelle der kanaanäischen
Götter, die zuvor das Geschick des Landes bestimmen durften. Wenn
Gaster und Seeligmann in ihrer schon genannten Deutung von V. 27 a
für die älteste Fassung des Psalms im Recht sind, würde die Unterwerfung des kanaanäischen Pantheons in diesem Vers explizit thematisiert
und zur „Vertreibung" der Kanaanäer bei der Landnahme (V. 27 b) in
Beziehung gesetzt. Aber der Sachzusammenhang zwischen der Unterordnung der Himmlischen und der Erhöhung Israels durch Jahwes
Hilfe bei der Landnahme hängt nicht an dieser kühnen und sehr gut in
den Kontext passenden Textrekonstruktion; sie ist, wie wir oben sahen,
schon in der syntaktischen Gestaltung der Strophen zum Ausdruck gebracht.

2. Nicht weniger einschneidend sind die Veränderungen im Formalen. Dem kanaanäischen Pantheon der Tradition wird zunächst schon
dadurch jegliche Eigeninitiative entzogen, daß es zur Begleitung Jahwes
herabgewürdigt wird, die syntaktisch nominal mit ihm verbunden wird
(„mit ihm ..." V. 2 aγ) und sachlich jede Ortsveränderung mitvollzieht;
das „Sich Ducken" und „Sich Erheben" der invertierten Verbalsätze
von V. 3 b ist als Dauergeschehen (Imperfekt) gemeint[22].

Aber damit nicht genug: Dem derart statisch beschriebenen Königs-
tum Gottes über die Himmlischen wird der Begriff des Königtums vor-
enthalten. Er fällt erst in V. 5, wo Israel in den Blick kommt, und wird
nun überraschend verbal-inchoativ eingeführt, als ob geradezu ausgeschlossen werden sollte, daß Jahwes Herrschaft und Verfügung über
die „Heiligen" den Begriff schon verdient hätte. Die in Ps 47 beobachtbare Unterscheidung von nominal formuliertem mythischem Königtum
Jahwes und verbal formuliertem geschichtlichem Königtum wird in

---

[22] Bemerkenswert ist, daß auch bei Gasters und Seeligmanns Textrekonstruktion von
V. 27 a die Unterwerfung der Götter nominal (wie V. 2 aγ–3 und V. 26.29), die Vertreibung der Kanaanäer aber verbal ausgedrückt wäre; eine Auseinandersetzung zwischen
Jahwe und den Göttern jenseits und unabhängig von der Vertreibung der Kanaanäer
fände also auch bei dieser Textauffassung nicht statt.

Dtn 33 geradezu antithetisch ausgedrückt, wobei allerdings die zwingend identische Reihenfolge in beiden Texten zu beachten bleibt: Jeweils wird Jahwes Königtum nominal *ein*geführt und sodann verbal *durch*geführt. Im Unterschied zu Ps 47 will Dtn 33,5 aber sprachlich einen Anfang ausdrücken. Damit *markiert Dtn 33 explizit den Übergang von Jahwes mythischem* (und ewigem) *Königtum zu seinem geschichtlichen* (mit zeitlichem Anfang). Analog zu Ps 47 gilt wiederum, daß sein mythisches Königtum nicht vom geschichtlichen abgelöst wird – eine solche Annahme verbietet die nominale Formulierung in V. 2 a γ–3. Angemessener müßte man formulieren, daß von Jahwes Königtum nach Dtn 33 erst dort die Rede sein kann, wo sein mythisches Königtum durch Hinzutreten des geschichtlichen Königtums zur Fülle gelangt ist. Überspitzt ausgedrückt: *Noch nicht als Herr der Welt ist Jahwe König, sondern erst durch die Erwählung Israels.* Behutsamer formuliert: Erst in der Erwählung Israels kommt Jahwes universales Königtum zu seiner Vollendung und zu seinem Ziel.

3.

Wie sah dieser Anfang konkret aus? Zunächst ist via negationis deutlich, daß nicht schon Jahwes Großtaten in der Geschichte als solche sein Königtum konstituieren. Die Erfahrungen der Landnahme liegen nach V. 27 b–28 bereits im Rücken des Ereignisses von V. 5; sie begründen Jahwes Königtum über Israel, sind sein wichtigstes Merkmal, führen es aber nicht schon selber herauf. Vielmehr hängt seine Entstehung mit einer einzelnen (möglicherweise regelmäßig wiederholten) Stunde zusammen, in der die Stämme Israels und ihre Repräsentanten versammelt waren. Auffälligerweise ist aber nun nicht der Einzug Jahwes bzw. seiner Lade in den Tempel als zentrales Ereignis dieser Stunde genannt wie in den Jerusalemer Psalmen, die mythisches und geschichtliches Königtum Jahwes miteinander verbinden (Ps 47,6; 68,16ff.; vgl. die „Einpflanzung" Israels am Zion im Sonderfall Ex 15,17). Von einem Tempel ist im Rahmenpsalm von Dtn 33 nirgends die Rede, geschweige denn von einem „Wohnen" Jahwes in ihm (wohl aber von einem „Wohnen" Israels im Lande, V. 28). Das bleibt auffällig, obwohl alle Wahrscheinlichkeit dafür spricht, daß der Versammlungsort Israels ein (im weitesten Sinne) kultischer war[23]; auf ihm liegt für den Gedankengang aber deutlich kein Ton. Dann aber ist das Königtum Jahwes in Dtn 33,5 kaum anders als deklarativ zu deuten: Israel erklärt zu be-

---

[23] Man vergleiche nur die schon erwähnte Parallele Ps 47,10, wo sich „die Edlen der Völker" mit Israel beim Jerusalemer Festgottesdienst versammeln (jeweils Wurzel 'sp).

stimmter Stunde, in der es des Kommens Gottes gewiß ist, daß es Jahwe
fortan aufgrund seiner Erfahrungen bei der Landnahme (V. 27 f.) als
seinen König verehren wolle, proklamiert seinen Gott zu seinem König[24]. Was damit impliziert ist, zeigen die folgenden Verse: Jahwe ist
König in bzw. über Israel, das mit seinem Ehrennamen Jeschurun, „der
Redliche", bezeichnet wird – und wird vielleicht daraufhin „der Gott
Jeschuruns" (V. 26 a in der Deutung von LXX und Tg) genannt –; sein
Königtum erweist sich primär im Schutz des Israel geschenkten fruchtbaren Landes durch Hilfe vor allen Feinden. Es ist insofern zugleich
universales Königtum (vgl. neben V. 2 f. die Titel Himmel- und Wolkenfahrer in V. 26), als es Kontrolle über alle Israel feindlich gesonne-
nen Mächte ausübt, die stereotyp „der Feind" (V. 27 b) bzw. „deine
Feinde" (V. 29 b) heißen und bewußt nicht wie in Ps 47 „Völker" genannt werden[25].

Hat Dtn 33 damit ein Königtum Jahwes ohne Tempel im Blick?
Diese Frage ist darum kaum unbesehen und ohne Einschränkung zu
bejahen, weil weder in Israels Umwelt – man denke an Baals ausführlich dargestelltes Ringen um seinen „Palast", ohne den er nicht König
ist[26] – noch im Alten Testament selber außerhalb von Dtn 33 eine solche Vorstellung belegt ist. Freilich spielt auch in Dtn 33 Jahwes Wohnung eine große Rolle; doch sie liegt fern im Süden auf dem Sinai. Sie
trennt ihn zwar nicht letztlich von Israel, weil sie ihn nicht halten kann.
Aber er muß zu der Versammlung der Stämme „kommen", und vermutlich ist impliziert, daß er ganz entsprechend zu allen folgenden Ver-
sammlungen kam und kommt. Mit Jahwes „Kommen" verbindet sich in
Dtn 33 primär die Vorstellung, daß Israel wieder die gleiche Macht und
Kraft erfährt, die es bei der Landnahme erfuhr (V. 27) und künftig zu
erfahren hofft (vgl. „Schild" und „Schwert" in V. 29); dafür steht Jahwes „Fahren" in seinen Kriegswagen am Himmel (V. 26), dafür eingangs sein himmlisches Gefolge, dafür seine „Rechte" (V. 2 b; vgl. nur

---

[24] Mit Seeligman, a. a. O. 82 f., der in A. B. Ehrlich (Randglossen zur hebräischen Bibel
2, 1909 = Neudruck 1968, 347) einen Vorläufer dieser Deutung hatte. Lipiński, Royauté
de Yahwé 251–54, denkt an eine Versammlung von Stämmen anläßlich eines bevorstehenden Jahwekrieges und erinnert daran, daß nach 1 Sam 12,2 (vgl. 8,20 b und 9,16) als primäre Funktion auch des irdischen Königs die Kriegsführung genannt ist. Aber ob mit dieser Vermutung die Grundsätzlichkeit der Aussage von V. 5 zureichend erklärt ist? Recht
hat Lipiński jedenfalls darin, daß sich das Königtum Jahwes nach Dtn 33 wesentlich in
kriegerischem Eingreifen zugunsten Israels erweist. Die Proklamation Israels beinhaltet
damit vor allem Vertrauen auf Jahwes Hilfe. – F. Crüsemann, Der Widerstand gegen das
Königtum, WMANT 49 (1978) 81 f., deutet Dtn 33,5 recht gezwungen als „Antikonzep-
tion" zum irdischen Königtum.
[25] Auf die Ausnahme V. 3 aα ist noch zurückzukommen.
[26] Auch Marduk erhält nach seinem Sieg über Tiamat ein Heiligtum mit Thron (En.
el. VI 49 ff.); vgl. zum Ganzen Schmidt, Königtum Gottes 68–70 (mit Lit.).

Ex 15,6.12), dafür auch sein „Aufstrahlen" (הוֹפִיעַ), dessen kriegerische
Konnotationen in jüngerer Zeit deutlich herausgestellt wurden[27]. Es ist
also, schlagwortartig formuliert, eine *Erscheinungstheologie,* die *an der
Stelle der Wohntheologie* von Ps 47 steht. Es ist dagegen nicht der (etwa
als Gottesberg gedeutete; vgl. Ex 24,9–11) Sinai als Wohnort, der dem
erwarteten, aber fehlenden Tempel als Wohnort gegenübergestellt wird
– die Parallelbelege Ri 5,4f.; Hab 3,3, die vom Kommen Jahwes vom
Süden reden, nennen wohl Seir und Gebirge Pharan wie Dtn 33,2, nicht
aber den Sinai selber, betonen also wie Dtn 33 die südliche Wüste als
Herkunftsgebiet Jahwes, nicht aber den Sinai als Einzelberg.

Werfen wir einen kurzen Seitenblick auf den schon behandelten
Ps 68, der so eng mit Dtn 33 verwandt ist, so stoßen wir auf eine verwandte Aussage. Ob man in V.18 mit der häufig vertretenen Konjektur
liest: „Der Herr kam vom Sinai ins Heiligtum" oder aber mit MT: „Der
Herr ist unter ihnen (scil. den himmlischen Kriegswagen), der (vom) Sinai ist im Heiligtum", in jedem Fall ist auch dort von einem Kommen
Jahwes vom Sinai die Rede, und zwar wieder als siegreicher Krieger
(V.19), allerdings mit dem gewichtigen Unterschied, daß dieses Kommen Jahwes zu seinem Wohnen führt, ja zu seinem „Wohnen für immer" (V.17). Ps 68 steht offensichtlich traditionsgeschichtlich zwischen
Dtn 33 und Ps 47, der den Sinai nicht mehr nennt. Er weiß *noch* von
Jahwes Verbindung mit dem Sinai (vgl. auch V.9) und *schon* vom Wohnen Jahwes auf dem Zion. Er markiert den Übergang von Jahwes
Wohnort in der südlichen Wüste zu seinem Wohnort auf dem Zion
bzw. – um es anders auszudrücken – den Übergang von einer Erscheinungstheologie zu einer Wohntheologie. Wenn der Rahmenpsalm in
Dtn 33 nicht erhalten wäre, müßte man allein aus Ps 68 eine traditionsgeschichtliche Vorstufe ähnlicher Art erschließen[28].

Welcher Ort käme als Stelle der Begegnung zwischen Jahwe und Israel in Frage? Hier sind nur sehr hypothetische Überlegungen möglich.
Sollte Z.Weisman in seinem eingangs genannten Aufsatz Recht haben
und nicht nur V.21b, sondern auch V.19a zum ursprünglichen Rahmenpsalm gehören, wäre vermutlich der Tabor gemeint[29]; freilich ist
diese Hypothese mit dem Problem belastet, daß V.19a in seiner üblichen Auffassung („Völker laden sie auf den Berg, um dort Heilsopfer
darzubringen") unvermittelt eine völlig neue Thematik in den Psalm

---

[27] Vgl. etwa F.Schnutenhaus, Das Kommen und Erscheinen Gottes im AT, ZAW 76
(1964) 1–21; 8f.; Miller, Divine Warrior 76–78.

[28] Freilich ist in der Endgestalt von Ps 68 so häufig vom Tempel als Wohnort Jahwes
die Rede (vgl. o. S.76f.), daß sich schon deshalb seine Urform nicht mehr rekonstruieren
läßt.

[29] Vgl. O.Eißfeldt, Der Gott Tabor und seine Verbreitung (1934), Kl. Schr. 2 (1963)
29ff.; H.-J.Zobel, Stammesspruch und Geschichte (1965) 39 u.ö.

einführen würde; man müßte im Kontext den Begriff עמים schon statt auf Völker einschränkend auf die Stämme Israels beschränken, wofür eindeutige sprachliche Belege fehlen. Dennoch bleibt die Hypothese aus drei Gründen attraktiv. Zum einen träfe sie sich mit den traditionsgeschichtlichen Überlegungen zu Ps 68, d.h. den Bemühungen um Rekonstruktion seiner ursprünglichen Nordreichsfassung. Zum zweiten könnte sie zugleich die Entstehung der höchst ungewöhnlichen Wortbildung in Ps 47,10a noch besser verstehen lehren, deren Zusammenhang mit Dtn 33,5 wir schon berührten. Zum dritten bereitet ein versuchsweises Durchspielen möglicher anderer Kandidaten noch größere Schwierigkeiten: Im Falle Silos wäre unverständlich, warum Tempel und Lade unerwähnt blieben, im Falle Sichems stünde das himmlische Gefolge Jahwes in Spannung mit jeder – ohnehin methodisch kaum kontrolliert durchführbaren – traditionsgeschichtlichen Rekonstruktion von Jos 24. Wesentlicher als die Frage nach dem Ort ist allerdings für unseren Zusammenhang das Faktum, daß man im Nordreich vom Königtum Jahwes sprechen konnte, ohne von seinem Tempel zu reden.

4.

Die Annahme, daß der Rahmenpsalm von Dtn 33 noch in die vorstaatliche Zeit gehört, hat Seeligmann mit einer Fülle von Argumenten gestützt, die hier nicht ausführlich wiederholt werden müssen. Von staatlichen Lebensbedingungen ist nichts zu erkennen, die Auseinandersetzung mit den kanaanäischen Göttern geschieht noch hautnah, Jahwe hat noch keinen Wohnsitz im Land, und – vielleicht das Auffälligste – die Exodustradition wird mit keinem Wort erwähnt[30]: das sind alles Indizien für hohes Alter. Meinem eigenen Urteil nach ist der Rahmenpsalm nach Ri 5 (und vielleicht Ex 15,21) der älteste Text im Alten Testament[31].

Nur in einer Hinsicht möchte ich Seeligmanns Argumente für den hiesigen Zusammenhang ergänzen. Es sind erkennbar durchgehend typische Themen des Nordreichs, die den Psalm beherrschen. Das gilt für Jahwes Aufbruch aus der Wüste um den Sinai (V.2; vgl. Ri 5,4) ebenso wie für Israels Würdetitel Jeschurun, „der Redliche" (V.5.26; vgl. Dtn 32,15), für die Rede von den „Heilstaten Jahwes" (V.21b; vgl.

---

[30] Sämtliche Targume führen bei ihrer Deutung von V.3 die Exodus- und Wüstentradition ein, die sie hier wie viele Spätere stark vermißten.

[31] Eine sehr sorgsame Überprüfung, ob Jahwe schon im vorstaatlichen Israel als König prädiziert wurde (mit dem Ergebnis: allenfalls in Dtn 33), wird in Kürze N. Lohfink vorlegen (Der Begriff des Gottesreiches vom AT her gesehen, in: Quaestiones Disputatae). Vgl. zuvor bes. A. Alt, Gedanken über das Königtum Jahwes (1945), Kl. Schr. I (1959) 345–57, bes. 353f.

Ri 5,11), für den schon zu Ps 68 behandelten, von Baal übernommenen Titel des „Wolkenfahrers", für Jahwes „Vertreibung" der Feinde Israels bei der Landnahme (V.27; vgl. Ex 23,28-31; Hos 9,15), für Israels sicheres „Wohnen für sich allein" (V.28a; vgl. Num 23,19; Dtn 32,12), insbesondere für die Fruchtbarkeit des Landes, wie sie durch „Getreide und Most" (V.28b; vgl. Hos 2,10f. 24; 7,14 u.ö.) sowie durch den „Tau vom Himmel" (V.28b; vgl. Dtn 33,13; Hos 6,4; 13,3 u.ö.) symbolisiert wird[32]. Zur Königsprädikation Jahwes wäre entsprechend Num 23,21 zu zitieren. Für einen Psalm des Nordreichs ist außerdem das Fehlen der Völkerthematik charakteristisch, wie etwa ein Vergleich der Bileamsprüche bei E und J verdeutlicht. Die Völker kommen nur als „Feinde" in den Blick, die Israels Sicherheit und seinen Abstand von ihnen gefährden, die doch göttlich garantiert sind (V.28): in der Vergangenheit durch Vertreibung der Feinde (V.27b: Erzähltempus), in der Gegenwart durch Jahwes Schutz (V.26-27a: Nominalsätze). Dagegen fehlt die Huldigung Jahwes durch Tributgaben der Völker (Ps 68,19.30.32), von ihrer Gottesdienstteilnahme (Ps 47,10) ganz zu schweigen.

Freilich gelten diese Charakteristiken nur für die vermutete Urform des Psalms. In seiner gegenwärtigen Gestalt ist er zweifellos ein um viele Jahrhunderte jüngerer Text. In ihm wird die Völkerthematik ganz unmotiviert in V.3aα eingeführt; Seeligmann erinnert zu diesem Satz mit Recht an die Weise, wie die Götterthematik von Ps 29,1f. in Ps 96,7-9 zur Völkerthematik umgeprägt wird[33]. Durch geringfügigen Eingriff wird in V.27a die für Spätere anstößige Aussage von Jahwes Unterwerfung der „alten Götter" zur Bekräftigung seines Schutzes für Israel abgewandelt (wobei die schöne Assoziation entsteht, Israel „lagere" sicher im Land, V.28, sein eigentliches „Lager" sei aber Jahwe; jeweils Wurzel עון). Noch später ist durch die Verwendung des Psalms als Rahmen für Moses Abschiedssegen (V.1) mit V.4 die Gesetzesthematik – als zentrales Merkmal des Königtums Jahwes – in den Psalm eingeführt worden[34], und die Targume sowie die Massoreten sind diesen Weg konsequent weitergegangen, indem sie in V.2b das hapax legomenon אשדת als אש דת „Feuer des Gesetzes", d.h. Feuer, aus dem heraus das Gesetz gegeben wurde, interpretierten.

---

[32] Bei diesem Thema klingt immer Polemik mit, weil Jahwe hier unmittelbar das Wirkungsgebiet Baals (vgl. nur etwa den „Öl und Honig regnenden Himmel" bei Baals Rückkehr zum Leben in UT 49: III: 6f. 12f.) okkupiert.

[33] A.a.O. 80f. Vgl. Genaueres u. S.124. Zu verweisen ist auch auf das Schwanken der Textüberlieferung zwischen Göttern und Völkern in Ps 47,3 und 99,2.

[34] V.4 fällt schon durch den Gebrauch des Wir-Stils auf sowie durch die ezechielisch-priesterschriftliche Terminologie in V.4b (môrāšâ nur noch Ex 6,8 und 7x bei Ezechiel, qᵉhillâ nur noch Neh 5,7). Veranlaßt war die Einfügung vermutlich durch das Stichwort „Reden, Befehlen" am Ende von V.3 und natürlich durch die Nennung des Sinai in V.2.

4. Ex 15,1b–18 – exemplarische Wirkungsgeschichte

Deutlich verwandt sowohl mit Dtn 33 als auch mit Ps 47 und 68 erweist sich das sog. „Meerlied" des Mose Ex 15,1b–18, da es Mythos und Geschichte ebenso wie jene Texte miteinander verbindet und in einem Lobpreis des zeitlich grenzenlosen Königtums Jahwes endet. Allerdings werden Mythos und Geschichte in Ex 15 auf eine derart ungewöhnliche und souveräne Weise verquickt, daß der Text schwerlich mit Ps 47 auf einer Stufe gedeutet werden kann. Ex 15 ist auch darin von Ps 47 und 68 geschieden, daß nicht mehr kultische Vollzüge unmittelbar im Text erkennbar sind und von ihm begleitet und gedeutet werden. Damit stellt sich die Alternative, ob Ex 15 zur Vor- oder aber zur Nachgeschichte der Thematik von Ps 47 gehört. Die erstgenannte Möglichkeit wird vornehmlich in den USA vertreten, wo einige Forscher Ex 15 für den ältesten poetischen Text im AT überhaupt ansehen[1], die letztgenannte Möglichkeit ist die im deutschen Sprachraum vorherrschende Deutung[2]. Die Diskussion wird dabei auf zwei unterschiedlichen Ebenen geführt. Während man für das Alter des Textes im Gefolge von F.M.Cross und D.N.Freedman vornehmlich orthographische und stilistische Argumente vorbringt, werden für seine (relative) Jugend vor allem form- und traditionskritische Gesichtspunkte ins Feld

---

[1] (Zumeist allerdings unter Ausscheidung von V. 2:) F.M.Cross–D.N.Freedman, The Song of Miriam, JNES 14 (1955) 237–50 (wieder abgedruckt in: dies., Studies 45–65); vgl. einzeln: Cross, Canaanite Myth 121ff.; Freedman, Strophe and Meter in Exodus 15, in: A Light Unto My Path, FS J.M.Myers, 1974, 163–203; N.Lohfink, De Moysis epinicio (Ex 15,1–18), VD 41 (1963) 277–89; D.Rafel, BetM 12 (1966/67) 3–26; P.C.Craigie, Earliest Israelite Religion. A Study of the Song of the Sea (Ex 15: 1–18), Diss. McMaster Univ. (Hamilton/Ontario 1970); D.A.Robertson, Linguistic Evidence in Dating Early Hebrew Poetry, SBL Diss. Series 3 (1972); St.I.L.Norin, Er spaltete das Meer (1977) 77ff. (für die Urform).

[2] Am häufigsten denkt man an die späte Königszeit bzw. präziser an die josianische Epoche als Entstehungszeit; vgl. etwa B.Baentsch, Exodus (1903) 128f.; G.Beer, Exodus (1939) 83f.; R.Tournay, Recherches sur la chronologie des Psaumes, RB 65 (1958, 321–57) 335ff.; J.D.W.Watts, The Song of the Sea – Ex. XV, VT 7 (1957, 371–80) 379 (für die Endgestalt); J.Schreiner, Sion-Jerusalem. Jahwes Königssitz (1963) 208–10; T.C.Butler, The Song of the Sea: Ex 15,1–18. A Study in the Exegesis of Hebrew Poetry, Diss. Vanderbilt Univ. (Nashville/Tenn. 1971) 77. 150; St.I.L.Norin, a.a.O. (für die Endgestalt). Die frühe Königszeit schlagen vor: S.Mowinckel, Der achtundsechzigste Psalm (1953) 73f.; B.S.Childs, A Traditio-historical Study of the Reed Sea Tradition, VT 20 (1970, 406–18) 411; J.Scharbert, Das „Schilfmeerwunder" in den Texten des AT, FS Cazelles (AOAT 212, 1981, 395–417) 403. An exilische Zeit denken zuletzt E.Zenger, Tradition und Interpretation in Ex XV 1–21, VT.S 22 (1981, 452–83) 473f. (für die produktivste Phase des Wachstums); F.Foresti, Composizione e redazione deuteronomistica in Ex 15,1–18, Lateranum 48 (1982) 41–69; an die nachexilische Zeit: G.Fohrer, Überlieferung und Geschichte des Exodus (1964, 110–116) 115; F.Stolz, Jahwes und Israels Kriege (1972, 90–94) 93.

geführt. Stellt sich auf der ersten Ebene die (für sich kaum sicher ent-
scheidbare) Frage, ob der Text archaisch oder aber archaisierend formuliert ist[3], so auf der zweiten, wie seine komplexe Form und wie sein
Umgang mit der Tradition, genauer: mit Mythos und Geschichte, zu
beurteilen ist. Für unser Thema ist der zuletzt genannte Fragehorizont
entscheidend.

1b Ich will Jahwe singen,
    denn hoch erhaben erwies er sich:
    Roß und seinen Streitwagenkämpfer
    warf er ins Meer.

2   Meine Stärke und mein Loblied[4] ist Jah:
    Er ist mir zur Hilfe geworden;
    ja, er ist mein Gott, ich will ihn preisen,
    ist der Gott meines Vaters, ich will ihn erheben.

3   Jahwe ist ein Krieger,
    Jahwe sein Name!

4   Die Wagen Pharaos und seine Streitmacht
    schleuderte er ins Meer;
    seine erlesensten Wagenkämpfer
    versanken im Schilfmeer.

5   Fluten bedeckten sie,
    sie sanken in die Tiefen wie Steine.

6   Deine Rechte, Jahwe,
    gewaltig an Kraft,
    deine Rechte, Jahwe,
    zerschmettert den Feind.

---

[3] Eine sorgfältige Überprüfung der Möglichkeit, die – zweifellos auffälligen – Stilei-
gentümlichkeiten des Textes (z. B. Suffix der 3. P. pl. auf -ēmô, allerdings nur bei Verben
[vgl. Ges.-K. § 91 l], das Relativpronomen zû etc.) für eine Datierung des Textes zu nut-
zen, haben ausführlich zwei amerikanische Dissertationen vorgenommen: D. Goodwin,
Text-Restoration Methods of the Baltimore School, Diss. Brown Univ. 1965; T. C. Butler,
a. a. O. 213 ff., beide mit negativem Ergebnis. – Die wiederholt von eingangs (Anm. 1) genannten Autoren geäußerte Behauptung, Ex 15 gebrauche das Imperfekt wie das Ugaritische für Handlungen in der Vergangenheit, trifft jedenfalls nicht zu: Wo es nicht Zukunft bezeichnet (V. 17 f.), steht das Imperfekt entweder für generelle Sachverhalte (V.
6 f.) oder aber zum Ausdruck der Dauer (V. 16). Wo erzählt wird, steht stets das Perfekt
(V. 4 f. 8–10. 12 f. 14 f.), und hier folgt ein Imperfekt einem jeweils vorausgehenden Perfekt zur Bezeichnung einer Folge (V. 5 a. 12 b. 14 a) oder aber aus Gründen poetischer
Variation (V. 15 a), was auch sonst im Psalter geläufig ist. Wohin man mit der genannten
These kommt, zeigt insbesondere D. N. Freedman, der selbst V. 18 präterital übersetzt
(„Yahweh has reigned from everlasting to eternity", FS Myers, a. a. O. 173)! Hier sind der
Deutungswillkür keine Grenzen mehr gesetzt.
[4] Zur altertümlichen Form ... āt, die auch Ps 118,14 und Jes 12,2 wiederkehrt, vgl.
Ges.-K. § 80 g; Joüon, Gramm. § 89 u. Zur Übersetzung des Begriffs vgl. zuletzt
S. E. Loewenstamm, VT 29 (1969) 464 ff.; E. M. Good, VT 20 (1970) 358 f. Anders
(„Schutz") HAL s. v. und S. B. Parker, VT 21 (1971) 373–79; vgl. schon Th. H. Gaster,
ExpT 48 (1936) 45.

7   In der Fülle deiner Hoheit
        wirfst du deine Gegner nieder;
      sendest du deine Zornesglut aus,
        verzehrt sie sie wie Stoppeln.
8   Ja, durch den Sturm deines Schnaubens
        staute sich das Wasser;
      Wogen standen da wie ein Wall,
        Fluten gerannen mitten im Meer.
9   Es dachte der Feind:
        „Ich jage nach, hole ein,
      verteile die Beute,
        daß meine Gier sich an ihnen stillt,
      zücke mein Schwert,
        daß meine Hand sie austilgt."
10 Du bliesest mit deinem Sturm,
        da bedeckte sie das Meer;
      sie versanken wie Blei
        in gewaltigen Wassern.
11 Wer ist wie du
        unter den Göttern, Jahwe?
      Wer ist wie du
        gewaltig im Heiligtum[5],
      furchtbar an Ruhmestaten,
        Wunder wirkend?
12 Du strecktest deine Rechte aus,
        da verschlang sie die Erde.

13 In deiner Güte führtest du
        das Volk, das du erlöst hast;
      in deiner Macht geleitetest du es
        zu deiner heiligen Wohnstatt.
14 Kaum hörten es die Völker, erzitterten sie,
        Wehen ergriffen die Bewohner des Philisterlands;
15 damals erschraken
        die Stammeshäupter Edoms,
      die Anführer Moabs
        packte das Grausen,
          alle Einwohner Kanaans verzagten.
16 Es überfielen sie
        Furcht und Schrecken;
      durch deinen machtvollen Arm
        erstarrten sie wie Steine,

---

[5] Der Begriff schillert und könnte auch „in Heiligkeit" übersetzt werden. Viele neuere Ausleger seit G. Beer (1939) rechnen mit Haplographie eines *m* und lesen um des Parallelismus willen mit LXX „unter den Heiligen" (*bqdšm*). Die oben gewählte Übersetzung ist mir nicht nur im Blick auf V. 13 und 17 wahrscheinlich, sondern vor allem aus traditionsgeschichtlichen Erwägungen (vgl. u. S. 102 f.).

> solange hindurchzog dein Volk, Jahwe,
> solange hindurchzog das Volk, das du erworben hast.
>
> 17 Du wirst sie hineinbringen und einpflanzen[6]
> auf den Berg, der dein Erbbesitz ist:
> an die Stätte, die du, Jahwe,
> dir zum Thronen geschaffen,
> an das Heiligtum, Herr,
> das deine Hände gegründet.
>
> 18 Jahwe wird König bleiben
> immer und ewig.

1.

Ex 15 ist formal sehr ungewöhnlich und kompliziert gestaltet; das hat zu einer Fülle von unterschiedlichen Gliederungsversuchen geführt[7]. Drei Beobachtungen müssen die Ausgangsbasis bilden:

1. Der Text bietet einen Wechsel von berichtendem Er-Stil und anredendem Du-Stil, wie er uns grundsätzlich vergleichbar schon in Ps 93 und 104 begegnete. Nur verteilen sich beide Redeweisen in Ex 15 auffällig auf Liedrahmen und -korpus. Das Korpus des Hymnus (V.6–17) ist in der Anrede gestaltet, der Rahmen (V.1–5 und 18) im Er-Stil.

2. Schon im Rahmenteil V.3–5, vor allem aber im Korpus wechseln, wie G.Beer es genannt hat, „hymnische Klänge" mit „balladenartigen", wie N.Lohfink es präziser nennt, „narrationes hymnicae" mit je einem kurzen „cantus interiecticius", oder um mit J.Muilenburg zu reden, „narrative concerning the enemy" und „confessional speech of praise"[8]. Die „erzählenden" Teile sind durchgehend perfektisch formuliert und blicken auf Vergangenes zurück (V.4f. 8–10. 12. 13ff.), die allgemein „hymnischen" Teile, die generelle Aussagen über Gott machen wollen[9], sind entweder imperfektisch (V.6f.) oder aber nominal (V.3.11) gestaltet.

3. Die allgemeingültigen Sätze über Gott im Korpus sind sowohl stilistisch als auch terminologisch bewußt aufeinander bezogen. Stilistisch, insofern sie jeweils parallel gebaute Sätze enthalten, deren Anfang identisch formuliert ist und die beide Male mit dem Aufmerksamkeit heischenden Vokativ „Jahwe" verbunden sind („deine Rechte,

---

[6] Das Imperf. in zukünftiger Bedeutung steht, weil das Lied nach V.1a aus der Lebensperspektive Moses formuliert sein will. Es wird vermutlich ein älteres Perfekt ersetzt haben.

[7] Vgl. die graphische Darstellung bei Zenger, a.a.O. 455.

[8] Beer, a.a.O.; Lohfink, VD 41 (1963) 285; J.Muilenburg, A Liturgy on the Triumphs of Yahweh, FS Th.C.Vriezen (1966, 233–51) 237.

[9] Vgl. etwa das Bild von der „verzehrenden Zornesglut" in V.7, das die Wasserkatastrophe des Schilfmeerereignisses verallgemeinert.

Jahwe ..., deine Rechte, Jahwe" V. 6; „wer ist wie du unter den Göttern, Jahwe? Wer ist wie du ..." V. 11)[10]. Terminologisch, insofern der theologisch zentrale Begriff aus V. 6 נאדר („[herrlich-]gewaltig") in V. 11 aufgegriffen und expliziert wird: „(herrlich-) gewaltig im Heiligtum".

Aus diesen Basisbeobachtungen ergibt sich der Eindruck eines zweistrophigen Lied-Korpus in der Anrede (V. 6–10. 11–17 oder aber – besser – V. 6–12. 13–17) mit einem stilistisch andersartigen Rahmen in V. 1–5 und 18.

Dieser Eindruck läßt sich erhärten:

4. In das zuletzt besprochene Begriffsgefüge von V. 6f. und V. 11 ist auch V. 12 einbezogen, insofern „deine Rechte" aus V. 6 in V. 12 in einem perfektischen Satz wiederholt wird, während die folgenden Verse in einem anderen Traditionszusammenhang stehen und daher „dein Arm" (V. 16) bzw. „deine Hände" (V. 17) gebrauchen (s. u.)[11].

5. Aber nicht nur die Rahmenaussagen der ersten Strophe V. 6f. und V. 11 f. bilden eine Inklusion, sondern auch die beiden eingeschlossenen Sätze in V. 8 und V. 10, die beide perfektisch formuliert sind und jeweils vom Einsatz des göttlichen Sturmes (רוח) handeln – zuerst führt er zum Stau der Wasser (V. 8), sodann zu ihrem Zusammenschlagen über den Feinden (V. 10). Diese beiden „erzählenden" Aussagen sind unterbrochen von einem langen Zitat des „Feindes", der im Zentrum der Strophe in seinem bösen Planen typisiert singularisch erscheint (V. 9; vgl. V. 6). V. 6–12 entpuppen sich somit als kunstvolle Ringkomposition bzw. konzentrische Figur. Der Plan des „Feindes" (V. 9) ist von aktuellem (V. 8. 10) und generellem (V. 6f. 11f.) Gotteshandeln eingekreist, im Schema: A(6f.) – B(8) – C(9) – B′(10) – A′(11f.).

6. Ganz Entsprechendes gilt aber auch, wenngleich mit geringerer künstlerischer Gestaltung, für die zweite Strophe V. 13–17, nur daß in

---

[10] Vgl. die Variation dieser Stilform in V. 16b: „solange hindurchzog dein Volk, Jahwe, solange hindurchzog das Volk ...".

[11] Baentsch, M. Rozelaar (VT 2, 1952, 220ff.), Lohfink und Crüsemann (Studien 193f.) gliedern 6–10 und 11–17 und verweisen darauf, daß dann jeweils am Beginn der Strophen mit V. 6f. und 11 allgemeinere hymnische Prädikationen vor konkreteren Erzählversen stünden. Aber V. 11 ist, wie die Terminologie zeigt, primär Folgerung aus V. 6–10, und vor allem ist V. 12 deutender Abschluß von V. 6ff. Das zeigt besonders die Form des Verses; mit zwei asyndetischen Verbalsätzen, die sich wie Voraussetzung und Folge verhalten, ist er genau wie V. 7b und 10a gestaltet und führt dabei den generellen Satz in V. 7b („sendest du deine Zornesglut aus, verzehrt sie sie wie Stoppeln") nach der Erfahrung von V. 10a („du bliesest mit deinem Sturm, da bedeckte sie das Meer") zu seiner Konsequenz: „Du strecktest deine Rechte aus, da verschlang sie die Erde [= Unterwelt]". Jahwes Eingreifen ist für den Feind grundsätzlich tödlich. Allerdings sind die Übergänge fließend: V. 11 schlägt mit dem Stichwort Heiligtum/Heiligkeit das Thema der letzten Strophe schon an (V. 13. 17), und das gleiche gilt für das Stichwort „furchtgebietend" (vgl. V. 14–16); V. 12 ist perfektisch formuliert wie V. (8–10 und) 13.

ihr das Verhalten der – nun namentlich genannten – Völker viel breiteren Raum einnimmt (V. 14–16). Es bildet aber wiederum den Mittelteil, gerahmt von aktuellem Handeln Jahwes in V. 13 und 17.

7. Der erste Rahmenteil ist ganz auf die erste Strophe hin gestaltet, insofern das ältere Mirjamlied aus 15,21[12], in die 1.Pers. umgeformt, V.6–12 sachlich vorwegnimmt, bevor es in V.3 thesenhaft hymnisch aufgegriffen („Jahwe ist ein Krieger"), in V.4 penibel exegesiert und in V.5 mit Begriffen aus V.6ff. expliziert wird. Der Schlußvers 18 dagegen sagt, was gilt, wenn Jahwe den Inhalt der zweiten Strophe durchgeführt hat.

In den letzten Jahren haben Stig I.L.Norin, Erich Zenger und F.Foresti beobachtet, daß Ex 15 sehr wahrscheinlich nicht in einem Zuge entstanden ist, so kunstvoll auch sein gegenwärtiger Aufbau ist. Schon lange zuvor war verschiedenen Auslegern aufgefallen, daß V.2 die Formensprache eines individuellen Dankliedes verwendet, wie sie im folgenden sonst nirgends aufgegriffen wird[13]; auch nennt einzig V.2 den Gottesnamen in seiner Kurzform „Jah" und gebraucht geläufige Psalmensprache, wie die wörtlich gleichen Wendungen in Jes 12,2 und Ps 118,14 zeigen. Offensichlich ist mit V.2 das überlieferte Meerlied als Danklied für individuelle Hilfeerfahrungen genutzt worden, vergleichbar etwa dem Gebrauch von Schöpfungstexten im Zweistromland vor Geburten oder gar beim Ritual gegen Zahnschmerz[14]. Denkbar ist, daß erst mit der Einführung von V.2 das Mirjamlied V.1b in die 1.Pers. umgestaltet wurde. – Aber auch der sehr viel prosaischer als seine Umgebung wirkende V.4 wird mit seiner Exegese von V.1b Zusatz sein; nur er bietet – ähnlich wie der redaktionell an das Meerlied angeschlossene V.19 – Konkreta wie „Pharao", „Streitwagen", „Streitwagenkämpfer"[15] und „Schilfmeer", die mit Ausnahme des letzten allesamt im Prosabericht Ex 14 wiederbegegnen[16], während der Hymnus sonst immer nur von „dem Feind" bzw. „den Gegnern" spricht. Da aber V.5 kaum an V.3 angeschlossen haben kann, wird (schwerlich V.3 mit seiner doxologischen Sprache[17]: Zenger) auch V.5 (Norin, Foresti) Zuwachs sein, zumal er ausnahmslos Begriffe des folgenden Kontextes nutzt: „Fluten" aus V.8, „bedecken" aus V.10, „Tiefen" aus V.10 (wo die verwandte Verbalwurzel „in die Tiefe versinken", צלל, gebraucht ist), schließlich den Vergleich „wie Steine" aus V.16, und das alles in einer noch stärker archaisierenden Sprache als in der Vorlage (Schluß- י beim Verbum כסה, Vergleichspartikel כמו statt einfachem כ

---

[12] Vgl. die Argumente und Lit. bei Crüsemann, a.a.O. 19ff.; andere Deutungen nennt Zenger, a.a.O. 453f.

[13] Vgl. etwa Cross–Freedman, JNES 14 (1955) 243, und Rozelaar, a.a.O. 220f., in Auseinandersetzung mit H.Schmidt, ZAW 49 (1931) 59–66.

[14] Belege etwa bei A.Heidel, The Babylonian Genesis (³1963).

[15] Wörtlich: Dreierbesatzung (H.Donner, ZAW 73, 1961, 275–77)? B.A.Mastin, Was the šālīš the third man in the chariot? VT.S 30 (1979) 125–54, möchte den Begriff lieber als „man of the third rank", d.h. den nach König und Heeresoberst kommenden Dritten, deuten.

[16] Vgl. Norin, a.a.O. 93f.; Zenger, a.a.O. 462f. mit Anm.19.

[17] Belege und Erwägungen zur Herkunft bei Crüsemann, a.a.O. 95ff.

in V.10 und 16). Offensichtlich soll er die Todessymbolik aus V.12 schon vor-wegnehmen und die beiden Strophen noch enger verbinden. Schließlich wirken innerhalb von V.14–16 die Stichen nachgetragen, die schon durch ihren länge-ren Dreierrhythmus auffallen (V.14. 15b): stilistisch, weil V.14 vor אז „damals" (V.15) ungewöhnlich ist und V.15b prosaisch wirkt; terminologisch, weil die Verben – im Unterschied zum Kontext – traditionelle Sprache von Theophanie-schilderungen sprechen[18] und vom Erschrecken nicht die Führer (V.15a), son-dern beide Male „die Bewohner" ergriffen sind; sachlich, weil die Philister vor Edom und Moab genannt sind und weder V.14 noch V.15b zur Zeitangabe in V.16b („solange hindurchzog …") recht passen; literarisch, weil V.14 doch wohl eher von Dtn 2,25b abhängt als umgekehrt, wie V.15b Sprache von Jos 2,9.24 aufgreift. Nicht nur die Völker auf dem Weg, sondern gerade auch diejenigen im Land müssen sich Jahwe beugen[19].

2.

Damit bildet *das Verhältnis der beiden Strophen V.6–12 und 13–17* das Hauptproblem des Textes. In der ersten Strophe findet durchgehend ein Kampfgeschehen statt, die zweite handelt von einer zurückzulegen-den Wegstrecke. In der ersten kommt Israel nicht vor (genauer: nur in den Suffixen der Feindesrede V.9), Jahwe allein kämpft gegen nirgends näher bezeichnete „Feinde"; die zweite erzählt dagegen von einem Weg Israels, wie er allerdings von Jahwe veranlaßt ist, der das syntaktische Subjekt der Rahmenaussagen V.13 und 17 bleibt. In der ersten werden „Feinde" vernichtet, in der zweiten namentlich genannte Völker von Entsetzen gepackt. Die erste gipfelt im Sieg Jahwes, die zweite in der Ankunft Israels am von Jahwe gegründeten Heiligtum (V.13.17).

Das Nebeneinander von göttlichem Sieg und (Zug zum) göttlichen Heiligtum ist nun aber gar nicht denkbar ohne die im Hintergrund ste-hende Tradition des kanaanäischen Baal-Mythos. Zu ihm gehören zen-tral der Sieg Baals über den Gott Jamm, der das Chaos verkörpert, und die auf den Sieg folgende Errichtung eines himmlischen Palastes für den König Baal, und zwar als untrennbare Aspekte ein und desselben Geschehens der Sicherung der erfahrbaren Welt. Aus welchem Grund das so ist, zeigt vor allem der Ausspruch des Künstler- und Handwer-kergottes Kôṯar, der Baals kampfentscheidende Waffen ebenso wie Baals Palast baut und Baal (in UT 68,7–10) nicht nur seinen Sieg über Jamm, sondern auch die – an Ex 15,18 erinnernde – ewige Königsherr-schaft ankündigt:

---

[18] Vgl. die ausführliche Statistik bei Butler, a.a.O. 162ff. Unter den Jahwe-König-Psalmen bietet Ps 99,1 die engste Parallele.
[19] Zenger, a.a.O. 475f.; vgl. J.D.W.Watts, VT 7 (1957) 377.

> Reden will ich zu dir, Herrscher Baal,
> berichten will ich dir, du Wolkenfahrer:
> Ja, deinen Feind, o Baal,
> ja, deinen Feind wirst du erschlagen,
> ja, deinen Widersacher vernichten!
> Du wirst ergreifen dein ewiges Königtum,
> deine Herrschaft für alle Zukunft.

Der Sieg Baals wird zu seinem „ewigen Königtum" führen; dieses Königtum seinerseits ist nun aber für den Mythos schlechterdings undenkbar ohne „Palast", den Baal zuvor – im Unterschied zu den Kindern der Aschera – nicht besaß und um den Aschera bzw. Anat den Weltenlenker El bitten müssen (51: IV: 1 ff.; ꜥnt: V: 7 ff.). Wie immer sich die beiden Bitten der erfahrenen Göttermutter einerseits und der jugendlich-kämpferischen Schwester-Geliebten Baals andererseits um Baals himmlischen Palast zueinander verhalten – ob sie Varianten des gleichen Mythos sind oder aber die eine Bitte vor, die andere nach Baals Sieg gesprochen zu denken ist –: Sicher ist, daß der kämpferischen Erringung kosmischer Stabilität notwendig ihre göttliche Garantie, und zwar vom himmlischen Heiligtum aus, entspricht. Daß dieser traditionsgeschichtliche Hintergrund des Baalmythos auch noch die Neuinterpretation von Ex 15 bestimmt, tritt am deutlichsten in V. 17 zutage, wo der Tempel durchgängig in kanaanäischer Terminologie beschrieben wird: Wie Jahwes Heiligtum so liegt auch Baals Tempel auf „dem Berg, der mein Erbbesitz ist" (qdš. ǵr. nḥltj) und der zugleich der „Hügel der Machtentfaltung" (gbꜥ.tlijt, ꜥnt: III: 27; vgl. IV: 64) heißt; über ein „Land, das sein Erbbesitz ist" (arṣ.nḥlth) und auf dem er seinen „königlichen Thronsitz" (ksu.ṯbth) hat, verfügen auch Kôṯar (ꜥnt: VI: 15 f.; vgl. ꜥnt pl. IX: III: 1) und Mot (51: VIII: 12–14; 67: II: 15 f.).

Mit Hilfe des neugedeuteten Baal-Mythos zeichnet Ex 15 Israels gesamte Geschichte in nur zwei Akten, die ebenso wie Sieg und Weltherrschaft Baals untrennbar zusammengehören: die Rettung Israels aus Lebensgefahr und die Zuführung Israels zu Gott an seinem Heiligtum auf dem Zion. Neues kann die Geschichte seitdem eigentlich nicht mehr bringen; Israel ist in Gottes Nähe für alle Zeiten geschützt[20]. Der Schlußvers erläutert diese Kontinuität: „Jahwe wird König bleiben immer und ewig." Er macht zugleich deutlich, inwiefern von einem Anfang des göttlichen Königtums im Sinne von Ex 15 geredet werden kann und inwiefern nicht: nicht im absoluten Sinne des kanaanäischen Mythos, insofern Jahwe sein Königtum nicht erringt, sondern erweist, und auch sein Heiligtum keinen benennbaren Anfang hat; wohl aber in

---

[20] Ähnlich jüngst H. Strauß, Das Meerlied des Mose – ein „Siegeslied" Israels? ZAW 97 (1985) 103–09; 107.

dem geschichtlichen Sinne, daß erst nach den Ereignissen, die Ex 15 berichtet, das Königtum Jahwes in seiner alle zukünftige Geschichte prä-
genden Gestalt existiert: als Königtum vom Zion aus über ein Gottesvolk, das um den Gottesberg Zion herum wohnt. Die ewige Zukunft
dieses geschichtlich gewordenen Königtums meint V.18, und darum
spricht er nicht (wie Ps 93) von Jahwes Königtum *seit* ewigen Zeiten.
Mit dieser Definition des Königtums Jahwes steht der Text Ps 47 denkbar nahe.

3.

Aber nicht nur im Gesamtaufriß, auch in den Einzelaussagen von
Ex 15 zeigt sich der freie Umgang mit kanaanäischer – und alttestamentlicher! – Tradition. Es ist natürlich nicht Zufall, daß sich traditionelle *Sprache der Jahwe-König-Psalmen* außer im Abschlußvers vorwiegend in denjenigen Versen findet, die das Schilfmeerereignis verallgemeinern, d.h. in den imperfektisch und nominal formulierten Rahmenversen der 1. Strophe (V.6 f. 11) und in V.3. Das Lob Jahwes als „Krieger" (V.3 a) erinnert stark an Ps 24,7–10, die Hervorhebung seines Namens mit polemischem Unterton (V.3 b) an Ps 29,2; 68,5; 96,8; 99,3.6.
Jahwes „Rechte" (V.6.12), die sachlich unausgeglichen neben der verzehrenden Zornes-„Glut" seiner „Hoheit" (V.7) und dem Sturm aus
seinem Zornes-Atem (V.8) steht, ist traditionelles Merkmal seiner siegreichen Kraft, wie allein schon aus dem Zitat eines Siegesliedes in
Ps 118,15 hervorgeht:

> Die Rechte Jahwes vollbringt Machttaten,
> die Rechte Jahwes ist hoch erhoben,
> die Rechte Jahwes vollbringt Machttaten.

Im Unterschied dazu ist der später genannte „Arm" Jahwes (V.16)
Symbol seiner Hilfe; seine „Hände" (V.17) sind Symbol seiner Schöp-
fermacht.

Kennzeichnender für Ex 15 als diese Begriffe ist aber die Charakterisierung dieser „Rechten" bzw. Jahwes selber als „(herrlich-)gewaltig"
(V.6.11) mit ebenjener Wurzel (אדר), die in Ps 93 die Überlegenheit
Jahwes über das Chaos bezeichnet. Werden aber in Ps 93 mit der Wurzel אדר auch die chaotischen Wasser als „gewaltig" charakterisiert und
Jahwe ihnen nur komparativisch entgegengestellt, so gelten zwar auch
in Ex 15 die Wasser als „gewaltig", aber Jahwes „Rechte" wird terminologisch bewußt von den Wassern abgehoben, indem ihr das Part. nif.
vorbehalten bleibt (V.6.11), während für die Wasser das traditionelle
Adjektiv wie in Ps 93 gewählt ist; vor allem aber sind diese „gewaltigen

Wasser" gar nicht mehr Gegner des „gewaltigen Jahwe", sondern bezeichnen nur den Ort, in den hinein die Feinde versinken. Darum können die Wasser auch in V. 5 und 8 mit dem (immer artikellosen) Begriff
der "(Ur)fluten" תהמת bezeichnet werden, den das AT geflissentlich
stets dann vermeidet, wenn vom Chaoskampf Jahwes die Rede ist (obwohl doch im Akkadischen *ti'amtum* „Meer" den Namen für die
Chaos-Gottheit Tiamat im Weltschöpfungsepos abgegeben hat); dagegen tritt im AT bei diesem Begriff die Todessymbolik hervor, wie sie
explizit in V. 5 („sie sanken in die Tiefen") und in V. 12 („da verschlang
sie die Erde [d. h. die Unterwelt]") zum Ausdruck kommt [21].

Wie sehr aber dennoch die – freilich immer schon israelitisch umge-
prägte – mythische Tradition die gewichtigen Rahmenaussagen der ersten Strophe bestimmt, wird an zwei weiteren Beobachtungen deutlich.
Zum einen sind die Anfangsverse 6 f. (ebenso wie die zuvor besprochenen Wortbezüge) geprägt von dem Begriffspaar „Macht – Herrlichkeit", wie es für alle Jahwe-König-Psalmen generell charakteristisch ist;
dessen traditionsgeschichtlichem Hintergrund sind wir bei der Exegese
von Ps 93 nachgegangen (o. S. 20 f.). Dabei ist die Wortwahl in V. 6 f. so
getroffen, daß der Begriff „Hoheit" גאון die Termini des Anfangsverses
„hoch erhaben" גאה גאה hörbar aufgreift, während aus Gründen der
Variation „Kraft" כח als Charakterisierung der „Rechten" Jahwes das
traditionelle „Macht" עז ersetzt; dieser geläufige Begriff bleibt der
zweiten Strophe vorbehalten (s. u.). Erneut zeigt sich, daß die beiden
Begriffe „Hoheit" und „Kraft (Macht)" sachlich engstens zusammengehören: Wie der Glanz der mesopotamischen Götter Schrecken verbreitet, so kann Jahwes „Hoheit", in Aktion gesetzt, jederzeit zur verzehrenden Zornesglut werden (V. 7). – Zum anderen – und noch gewichtiger – bleibt die Chaoskampfthematik in ihrer israelitischen Gestalt in
V. 11 erkennbar erhalten: zunächst dadurch, daß Jahwes Unvergleichlichkeit ihm als „(herrlich-)gewaltigem" Chaoskämpfer gilt[22]; dann dadurch, daß auch Jahwes Prädikation als „furchtgebietend" נורא ihm
von Haus aus als Chaoskämpfer zukommt[23], auch wenn sie in V. 11 b
durch den Parallelbegriff des „Wundertäters" mit geschichtlichem Inhalt in Verbindung gebracht ist; vor allem aber dadurch, daß er „(herr-
lich-) gewaltig im Heiligtum" oder – wie man die Präposition auch
übersetzen könnte – „vom Heiligtum aus" ist. Diese Aussage entspricht

---

[21] Vgl. zur Parallele „Fluten" – „Tiefen" Jon 2, 4. 6; Ps 107, 24. 26; Hi 41, 23 f. u. ö. und
zur Todessymbolik des Begriffes *t'hôm* sonst N. C. Tromp, Primitive Conceptions of Death
and Nether World in the OT (1969) 59–61, sowie zu den sonstigen Assoziationen
C. Westermann, THAT II 1026–31.

[22] Vgl. etwa Ps 77, 14 und 89, 7. 9, je im Kontext. Dieser Aspekt kommt bei C. J. Labu-
schagne, The Incomparability of Yahweh in the OT (1966), zu kurz.

[23] Vgl. o. S. 54 f.

genau Ps 93,4, wo die überragende „(Herrlichkeit-)Gewalt" Jahwes über alle chaotischen Mächte in deren „(Herrlichkeit-)Gewalt" mit derselben Präposition כ als „in der Höhe" bzw. „von der Höhe aus" gepriesen wird. Im Blick ist sowohl in Ps 93 als auch in Ex 15 als Stätte der Chaosbezwingung bzw. -eingrenzung das himmlische Heiligtum Jahwes, das jedoch von seiner irdischen Entsprechung, von der sogleich dann Ps 93,5 und Ex 15,13.17 reden, nicht zu trennen ist.

Aber wie kühn und singulär ist der kanaanäische Mythos nun in Ex 15 neu gedeutet worden! Jahwe kämpft keineswegs wie Baal mit einem Konkurrenten um die Weltherrschaft, sondern er bekämpft einen „Feind", dessen einziges Charakteristikum es ist, das Volk Israel mit dem Untergang zu bedrohen (V. 9). Sagt der Feind: „*Meine Hand* soll sie austilgen!", so ist diese Aussage poetisch gerahmt von zwei Versen, in denen Jahwe seinen Zornesatem als Waffe einsetzt, der zum vernichtenden Sturm wird (V. 8. 10), und diese Aussagen wiederum sind gehalten vom generellen Lob „*deiner Rechten*" (V. 6. 12), die den Feind restlos überwindet. Ein Feind, der Jahwe bedrohen könnte, ist in diesen Versen nirgends im Blick; das hebt die polemisch formulierte Unvergleichlichkeitsaussage („Wer ist wie du unter den Göttern, Jahwe?" V. 11; vgl. V. 3: „Jahwe sein Name!") grundsätzlich hervor. Bedroht wird auch nicht die Welt, sondern nur Israel. Jahwe führt einen „Chaoskampf", in dem es einzig um die Rettung Israels geht. Der hymnische Ausruf: „Jahwe ist ein Krieger!" gilt allein um Israels willen; Jahwes Kampf bringt Israel Rettung aus Lebensgefahr und ist nur insofern auch Einsatz für die Weltordnung. Das Schilfmeerereignis ist die eigentliche Geburtsstunde Israels, das jetzt künftig „dein Volk", „Volk, das du erlöst hast", „Volk, das du erworben hast", ist (V. 13. 16).

Das Resultat eines solchen Sieges kann dann natürlich nicht sein, daß Jahwe ein Heiligtum erhält – er hat sein Heiligtum längst vor diesem Sieg mit eigenen Händen gegründet (V. 17; vgl. V. 11. 13) –; das Resultat ist vielmehr, daß Israel, um dessentwillen Jahwe den Kampf ausfocht, dorthin gebracht wird, wo es nach Gottes Willen hingehört und wo es für alle Zeiten bewahrt und geschützt sein wird: an das von Gott gegründete Heiligtum als den Weltenmittelpunkt. Nicht der Sieger erhält als Trophäe seinen Tempel, sondern das von Gott gerrettete Volk wird Gott für alle Zeiten zugeführt. Es wohnt künftig dort, wo Gott schon zuvor wohnte.

An diesem Punkt scheitert die Deutung des Textes durch jene Autoren, die ihn in die vorstaatliche Zeit datieren wollen. Immer wieder ist von ihnen, insbesondere von Cross, Freedman, Robertson und Norin, darauf hingewiesen worden, daß die in V. 17 gebrauchte Begrifflichkeit in Ugarit (und auch gelegentlich im AT, etwa in den dtr Versen von 1 Kön 8) das himmlische Heiligtum meint und daher der Tempel in Jerusalem noch nicht vorauszusetzen sei. Aber

nicht nur fehlen jegliche Belege im Alten Orient dafür, daß ein Volk je vom
himmlischen Heiligtum gesprochen hätte, ohne daß dessen irdisches Gegenstück existiert hätte – eine m. E. im Ansatz unmögliche Vorstellung –, sondern
vor allem geht es in V. 13 und 17 ja um Israel, das auf Jahwes Berg „einge-
pflanzt" wird, um bei Jahwe zu wohnen. Für diesen *so* bezeichneten Berg kommen auch der Sinai (Freedman) und Gilgal (Cross) nicht in Frage, und die früher häufig geführte exegetische Diskussion, ob V. 13 und 17 Kanaan oder Zion
meine, ist m. E. gegenstandslos: Jahwe wohnt auf dem Zion – und nur von Jahwes Wohnung ist begrifflich die Rede –, Israel wohnt bei ihm: darum allein
geht es dem Text[24].

Die Völker aber, denen Israel auf dem Durchzug[25] begegnet und die
im Zentrum der zweiten Strophe die Rolle der vernichteten Ägypter
übernehmen, zeigen, welches die Funktion der Völkerwelt seit Jahwes
Sieg am Schilfmeer ist, wenn sie dem Geschick der Ägypter entgehen
wollen: sich allen Aufbegehrens zu enthalten und in Ehrfurcht zu ver-
stummen – freilich nicht in Ehrfurcht vor Israel, sondern in Ehrfurcht
vor Jahwe. Genau dieses wird den Völkern in den Rahmenstrophen des
berühmten Psalms 2 (V. 1–3. 10–12) dann auch geraten, nur daß dort
im Unterschied zu Ex 15 die Person des irdischen Königs den Gedankengang bestimmt.

Wie stark Ex 15 die zugrundeliegende kanaanäische Tradition verändert hat, wird vielleicht am deutlichsten an dem neuen Wortpaar, das
die zweite Strophe in V. 13 prägt; an die Stelle der traditionellen Königsepitheta „Hoheit" und „Macht" (Ps 93, 1; vgl. Ex 15, 6 f.) treten
„Güte" חסד und „Macht". Die wesentliche sachliche Veränderung, die
damit angezeigt ist, betrifft die Richtung, in der sich die göttlichen
Machttaten erweisen: nicht mehr vernichtend gegen die Feinde nach
außen wie etwa in der ersten Strophe, wo die „Hoheit" Gottes sich als
„Zornesglut" auswirkt (V. 7), sondern jetzt nach innen zugunsten Israels als Schutz und Bewahrung. Darum auch ist Israels treffende Charakteristik „Volk, das du erlöst hast" (V. 13) bzw. „Volk, das du erworben hast" und darum „dein Volk" (V. 16). Der traditionsgeschichtliche
Hintergrund des Begriffes „Erlösung" im AT ist bekanntlich das Fami-
lienrecht, dem entsprechend in Not veräußerter Besitz oder in Not in
Schuldsklaverei verkaufte Menschen vom Nächstverwandten zurück-

---

[24] Vgl. schon Crüsemann, a. a. O. 194, Anm. 1. – Nur am Rande sei darauf verwiesen,
daß Butler, a. a. O. 62 ff., in einer sorgfältigen Überprüfung der atl. Parallelbelege zeigt,
daß alle Parallelen zu V. 13 (Jahwes „Wohnstatt") auf Jerusalem weisen und für V. 17 Belege, die nicht das himmlische Heiligtum bezeichnen, wiederum nur für Jerusalem existie-
ren.

[25] Die Aussage schillert; sie meint im Kontext primär den Durchzug durch die Völker,
aber das Verb *ʿābar* wurde wohl immer mit der Erinnerung an den Durchzug durch den
Jordan (Jos 4, 21–23 u. ö.) gehört; vgl. Lohfink, a. a. O. 287 f.

erworben, eben „gelöst" werden müssen. Wo dieser Sprachgebrauch auf Jahwe übertragen wird, ist immer der Aspekt der Selbstbindung und -verpflichtung Gottes mit im Blick, weil „lösen" alttestamentlich grundsätzlich nichts ist, was man beliebig vollzieht, d. h. ohne allernächster Verwandter zu sein. Wann immer im AT im Zusammenhang des Begriffes „Erlösung" der geschichtliche Ort genannt wird, an dem Jahwe Israels „nächster Verwandter" bzw. Israel sein „Besitz" wurde, sind Exodus bzw. Schilfmeerwunder genannt. Das meint auch das Kap. Ex 15, das mit der Errettung am Schilfmeer die Geschichte der „machtvollen Güte" Gottes beginnen läßt, in der sich „Erlösung" und „Erwerbung" Israels künftig bewähren werden.

4.

Stellt man abschließend noch einmal die Frage nach der Entstehungszeit von Ex 15, so erscheint mir die insbesondere von Cross und Freedman vorgeschlagene vorstaatliche Zeit schon wegen des geschilderten souveränen Umgangs des Textes mit dem kanaanäischen Mythos als völlig ausgeschlossen. Ein solcher Umgang setzt m. E. voraus, daß der Mythos für Israel theologisch längst „bewältigt" war und von ihm nicht mehr jene Gefährdung ausging, die etwa in Ps 93 noch deutlich spürbar ist. Sprachliche Anzeichen deuten in die gleiche Richtung. Jedoch ist ihre Auswertung insofern nicht unproblematisch, als sich zwar in Einzelfällen Wachstumsringe im Text erkennen lassen (s. o.), ihre literarkritische Aussonderung aber nicht abschließend gelingen will. Selbst wenn man aber V. 4, der wohl Ex 14 in seiner Endgestalt voraussetzt, sowie V. 14 und 15 b, die vermutlich Dtn 2, 25 b bzw. Jos 2, 9. 24 voraussetzen, wie oben geschehen, als Zuwachs deutet, so bleibt noch immer eine Anzahl Indizien für einen fortgeschrittenen Zeitpunkt in Israels Geschichte.

So begegnet das Verb רעץ „zerschmettern" (V. 6) nur noch in einem dtr Summarium (Ri 10, 8), sind das Verb קפא „gerinnen" (V. 8) (Zeph 1, 12 als früheste Parallele) sowie der Begriff עופרת „Blei" (V. 10) erst ab der jeremianischen Epoche belegt. Vom „Verschlingen der Erde" (V. 12) kann kaum ohne Bezug auf die Dathan-Abiram-Erzählung die Rede sein (sonst nur Num 16; Dtn 11, 16; Ps 106, 17). Von Gottes „Erlösen" in bzw. aus Ägypten sprechen sonst erst Texte, die frühestens spätvorexilisch, zumeist jünger sind (Ps 74, 2; 77, 16; 78, 35; 106, 10; Jes 63, 9), und Entsprechendes gilt für Gottes „Erwerben" (bzw. - was קנה auch heißen kann - „Erschaffen") Israels (Dtn 32, 6; Ps 74, 2; 78, 54); im Parallelismus begegnen beide Begriffe nur im (frühestens) exilischen Ps 74 (V. 2). - Eine Kleinigkeit sei abschließend erwähnt, mit der sich Cross, Freedman und ihre Schüler verzweifelt und vergeblich abmühen: Der Text von Ex 15 ist - im Unterschied zu alten Texten wie Dtn 33 - in hervorragendem Zustand überliefert.

Keine dieser Beobachtungen ist in sich schlüssig oder beweiskräftig, aber zusammengenommen unterstützen sie das oben genannte Ergebnis der Traditionsgeschichte. Wenn in der jüngeren Forschungsgeschichte gern die josianische Epoche als Entstehungszeit von Ex 15 genannt wurde (Schreiner, Tournay, Butler, Norin – für die Endgestalt –; früher schon z. B. Beer) [26], so ist diese Angabe vielleicht etwas zu präzise, kaum aber unzutreffend. Dagegen führt die Endgestalt des Textes (also mit V. 2. 4 f. 14. 15 b) in die nachexilische Zeit.

---

[26] Vgl. o. Anm. 2; zuletzt Mettinger, Dethronement 75.

Teil II. Spätzeit:
Die Entfaltung des Königstitels

Die im folgenden behandelten und – vielleicht mit Ausnahme von Ps 95 – durchgängig exilisch-nachexilischen Psalmen unterscheiden sich in vielerlei Hinsicht von den älteren. Sie setzen zum einen das Gespräch Israels mit den kanaanäischen (Baal-)Mythen als abgeschlossen voraus und damit auch das Thema des Königtums Gottes in der Gestalt der Psalmen 93 und 47. Sie verbinden zum zweiten dieses Thema mit theologischen Strömungen ihrer eigenen Zeit und verändern es dadurch einschneidend. Vor allem aber – und das erscheint mir am wichtigsten – konfrontieren sie drittens das Bekenntnis zur Weltherrschaft Jahwes mit Gegenerfahrungen, die ihr scheinbar widersprechen. Die Gestalt dieser Erfahrungen ist sehr unterschiedlich; sie gehen teilweise auf die Botschaft der Propheten zurück, spiegeln teilweise die Ereignisse um die Zerstörung Jerusalems und die Exilierung wider, teilweise aber auch die Unterdrückung durch Fremdmächte in nachpersischer Zeit. Schließlich werden viertens die formalen Eigenarten der beiden Psalmgruppen durchlässiger. Um nur zwei beliebige Beispiele zu nennen: In einem Psalm der Imperativ-Gruppe (Ps 96,10) wird ein zentraler Vers eines „Themapsalms" (Ps 93,1) zitiert; ein „Themapsalm" (Ps 99) wird durch einen Refrain im Imperativ Plural gegliedert.

A. Der Umkreis der dtn/dtr Theologie

1. Ps 95

Das Ungewöhnliche an Ps 95 ist, daß sich in ihm mit dem Lob des Königtums Jahwes eine eindringliche Warnrede verbindet.

1 Auf, laßt uns Jahwe zujubeln,
   zujauchzen dem Felsen unseres Heils!
2 Laßt uns seinem Angesicht nahen mit Lobgesang,
   unter Musikbegleitung ihm zujauchzen!
3 Denn ein großer Gott ist Jahwe
   und ein großer König über alle Götter:

4 In seiner Hand sind die Tiefen der Erde,
    und die Gipfel der Berge sind sein;
5 sein ist das Meer – er selber hat es geschaffen –,
    und das Trockene – seine Hände haben es gebildet.

6 Zieht ein, laßt uns anbetend niederfallen,
    niederknien vor Jahwe, unserem Schöpfer!
7 Denn er ist unser Gott,
    wir aber Volk seiner Weide
    und Schafe seiner Hand[1].
    Heute – ach daß ihr doch auf seine Stimme hören wolltet!
8 Verhärtet nur nicht euer Herz wie in Meriba,
    wie am Tage von Massa in der Wüste,
9 wo mich eure Väter versuchten,
    mich prüften, obwohl sie sahen, was ich getan!
10 Vierzig Jahre empfand ich Widerwillen gegen das Geschlecht
                                               und dachte:
    Ein Volk irrenden Herzens sind sie,
    dazu kennen sie meine Wege nicht.
11 So schwur ich denn in meinem Zorn:
    Nie sollen sie zu meiner Ruhestatt kommen!

1.

Ps 95 ist wie die Mehrzahl der Jahwe-König-Psalmen zweistrophig.
Die erste Strophe (V. 1–5) und der Anfang der zweiten (V. 6–7 a) laufen
deutlich parallel zueinander, bis mit der Warnrede V. 7 b etwas innerhalb dieser Psalmengruppe Singuläres beginnt, das aber in Ps 81 (und
50) eine enge Entsprechung findet[2]. Ps 95 wandelt einen imperativischen Hymnus ab in die Form der Selbstaufforderung. Die sachliche
Nähe zum imperativischen Hymnus wird in beiden Strophen daran
sichtbar, daß ein Imp. pl. am Anfang vor den Kohortativen steht (V.
1.6). Ist der erste (wörtlich: „Kommt!") in solchen Konstruktionen üblich und kaum mehr als erstarrte Verstärkung („auf!"), so doch nicht
der zweite, da בוא zwar in wenigen Fällen auch einmal Hilfsverb
(„kommt") sein kann, weit häufiger aber und im hiesigen Kontext eindeutig term. techn. der Kultsprache ist („zieht ein"), sei es für Wallfahr-

---

[1] Die Ausdrücke sind ungewöhnlich und die Wortfolge ist metrisch schwierig; sind
hier Worte vertauscht worden („... sein Volk und Schafe seiner Weide ..."; vgl. Ps 79,13;
100,3)?
[2] Vgl. die genauen, weithin aber künstlich überscharfen und methodisch wenig kontrollierten Aufbauanalysen von M. Girard, ScEs 33 (1981) 179–89, und P. Auffret, BN 22
(1983) 47–67. Zur üblichen Aufteilung der älteren Exegese V. 1–7 a. 7 b–11 vgl. u. S. 111,
Anm. 6.

ten, sei es für Prozessionen oder im weitesten Sinne für das Betreten des Heiligtumsbereiches[3]. Bei den Kohortativen selber zeigt sich sogleich trotz aller formalen Parallelität die sachliche Differenz zwischen beiden Strophen. Während die erste Strophe mit dem hervorgehobenen doppelten Gebrauch der Wurzel רוע hif. („zujauchzen", V. 1 f.) verdeutlicht, daß nicht an einen beliebigen Heiligtumsbesuch gedacht ist, sondern an den besonderen Jubel des Festgottesdienstes, dem wir schon in Ps 47 an zentraler Stelle begegneten[4], fällt in der zweiten Strophe die Häufung der Begriffe für die kultische Demütigung vor Gott auf. Zusammen mit der terminologischen Nähe von Ps 95 zu Ps 100 verdeutlicht diese Begrifflichkeit, daß sich die angeredete Gemeinde schon im unmittelbaren Gebiet des Heiligtums befindet; die übliche Charakterisierung als „Prozessionshymnus" für Ps 95 mag daher sehr wohl das Richtige treffen. Die sachlichen Unterschiede zwischen beiden Strophen klingen nochmals an, wo der Adressat des Gottesdienstes genannt ist; er heißt „Fels unseres Heils", als vom Jubel die Rede ist (V. 1), dagegen „unser Schöpfer" (V. 6), als die kultische Demütigung genannt wird; offensichtlich verbindet sich für die Hörer mit dem zweiten Titel sogleich der Gedanke der eigenen Verantwortung.

Es folgen auf die Kohortative die gattungstypischen כי-(„denn"-) Sätze, die die Selbstaufforderung begründen und zugleich das Lob selber einführen. Sie sind auffälligerweise in beiden Strophen durchgehend nominal formuliert (V. 3–5.7 a). Das ist ungewöhnlich für die imperativischen Hymnen im Ganzen, charakteristisch dagegen für die Untergruppe der Jahwe-König-Psalmen. Nur gilt es, hier genauer zu differenzieren. In Ps 47, 3.8 hing mit der Form der Nominalsätze ein spezifischer Inhalt zusammen; die Universalität der Herrschaft Jahwes wurde hervorgehoben, die Herkunft der Aussagen aus dem kanaanäischen Mythos war noch deutlich zu erkennen; begründet wurden sie mit Verbalsätzen, die von Jahwes geschichtlichem Einsatz für Israel handelten. Solche Verbalsätze fehlen in Ps 95, 1–7 a ganz, weil die geschichtliche Thematik, die Ps 95 durchaus enthält (vgl. die Anspielung in V. 1 „Fels unseres Heils"), in die Warnrede der zweiten Strophe gewandert ist. Aber auch mythische Themen fehlen nahezu ganz; nur im ersten כי-Satz V. 3 klingen sie an, allerdings auffällig verändert. In V. 3 wird zunächst die aus Ps 47, 3 vertraute Wendung „ein großer König" aufgegriffen und zu ihr die Parallelaussage „ein großer Gott" gebildet[5];

---

[3] Belege bei H. D. Preuß, ThWAT I 539 ff.
[4] Vgl. zu den Anlässen der t'rû'â o. S. 57. Auch die Verbindung von rw' hif. mit der Wurzel zmr („mit Musikinstrumenten aufspielen") ist aus Ps 47, 2.7 f. schon vertraut.
[5] Die Parallelen zu dieser Wendung sind nicht älter als Ps 95 (Ps 77, 14; Dtn 7, 21), weit jünger dort, wo der Artikel hinzutritt (Jer 32, 18; Neh 1, 5; 9, 32; Dan 9, 4).

der Herrschaftsbereich dieses Großkönigs ist nun aber nicht wie in
Ps 47 die Erde (V. 3. 8), sondern es sind die Götter! Damit ist eine entscheidende Wende in der Geschichte der Jahwe-König-Psalmen erreicht. Aussagen, wie sie Ps 95, 3 macht, wurden in den älterenPsalmen
um ihres polytheistischen Hintergrundes willen bewußt und nahezu penibel vermieden. In der Spätzeit werden sie gerade ebenso bewußt bevorzugt (vgl. Ps 96, 4 f.; 97, 9), und zwar in ihrem noch weithin mythologischen Sprachgewand, weil mit der Überlegenheit Jahwes über die
Götter nun deren totale Machtlosigkeit zum Ausdruck gebracht wird.
Jahwe ist „großer König über die Götter": das heißt im Kontext von
Ps 95 nichts anderes, als daß diese Götter eine quantité négligeable
sind, auf die im folgenden daher weder direkt noch indirekt angespielt
wird. Der Gedanke, daß von ihnen irgendeine – wie auch immer geartete – Gefahr ausgehen könnte, erscheint abwegig.

Mit dieser wichtigen Akzentverlagerung verbindet sich eine zweite.
Jahwes Überlegenheit über die Götter wird nicht (wie in Ps 47 sein Königtum über die Erde) mit seinen Geschichtaten begründet, sondern
mit seiner alleinigen Verfügungsgewalt über den Kosmos, die wiederum
auf der Schöpfung beruht. Im Unterschied zur gängigen Auffassung
der Exegeten und insbesondere Mowinckels ist das Thema Schöpfung
keineswegs grundlegend für das Königtum Gottes in den Psalmen; es
begegnet in den älteren Psalmen nicht[5a], sondern erstmals in Ps 95, hier
aber verbunden mit einer programmatischen Entmachtung der Götter.
Was soll ihnen denn als Machtbereich bleiben, wenn Jahwe Tiefen und
Höhen, Meer und Festland geschaffen hat? Die von der Tradition vorgegebene Chaoskampfthematik klingt nur noch verborgen insofern an,
als die „Tiefen" und „das Meer" in poetischer Anfangsstellung stehen.
Andererseits will diese Thematik nicht einmal als Hintergrund gehört
werden, denn in dem Augenblick, in dem das Meer genannt wird, wird
ihm sogleich betont Jahwe als sein Schöpfer gegenübergestellt. Das
Meer ist Teil der von Jahwe gehaltenen Schöpfung in gleicher Weise
wie das Festland; undenkbar, daß von ihm eine die Schöpfung bedrohende Kraft ausginge.

2.

Wer die erste Strophe des Psalms für sich lesen würde, müßte ihn als
eine Idylle begreifen. Sie zeichnet eine Welt ohne alle Gefahren, ohne
bedrohende chaotische Potenzen wie Ps 93, ohne erschreckendes
Machthandeln Gottes wie Ps 29, ohne kriegslüsterne Völker wie Dtn 33

[5a] Vgl. ausführlicher u. S. 162 f.

und Ps 68 etc. (Wer von den zuletzt behandelten Texten herkommt,
wird das völlige Fehlen der Völker besonders wahrnehmen; die Völker
sind sozusagen mit den Göttern zugleich als unerheblich abgetan worden.) Aber in solcher Isolation will und darf die erste Strophe nicht gelesen werden; die zweite Strophe läuft der ersten eben als notwendige
sachliche Ergänzung anfangs genau parallel. Wie die Kohortative sachlich mit dem Aufruf zur Demütigung einen neuen Akzent setzen, wie
die mit dem Aufruf verbundene Gottesbezeichnung „unser Schöpfer"
schon auf Israel hinweist, so führen die nominalen כי-Sätze mit der
Bundesformel eine ganz neue Begrifflichkeit in die Jahwe-König-Psalmen ein (vgl. aber Ps 99,4 f.). Freilich wird sie sehr einseitig ausgeführt.
Bei den Heilstaten Gottes, wie sie am Eingang des Psalms („Fels unseres Heils") und auch jetzt anklingen („unser Schöpfer"; „er ist unser
Gott ..."; Gott als Hirte Israels, eine neue Weiterführung des Titels
„König Israels" aus Ps 47,7), hält sich der Psalm nicht auf; er setzt sie
voraus, aber expliziert sie nicht. Die Bundesformel – „er unser Gott, wir
Volk seiner Weide, Schafe seiner Hand" – entläßt aus sich im Kontext
allein die Assoziation der Verantwortung. Sie ist Voraussetzung für die
Warnrede[6]. Geschichte wird nur angeführt, um die Möglichkeit der
Verfehlung aufzuweisen. Die Welt ist zwar frei von Gefahren, die ihr
von Mächten, Göttern und Völkern drohen könnten, aber um so mehr
ist das Gottesvolk in der Gefahr, sein Heil zu verspielen. Die Leugnung
aller Gefahren von außen dient nur dazu, den Blick für die Gefahren
von innen zu schärfen.

Die Einzelheiten der Warnpredigt, die unmerklich von menschlicher
in göttliche Rede (ab V. 8) übergeht, brauchen uns für unser Thema nur
beschränkt zu interessieren, auch nicht die Identität des Sprechers[7].
Wesentlich erscheint mir dreierlei. Zum einen ist die Schilderung des
Versagens der Väter in Massa und Meriba gerahmt von den zentralen
Aussagen der Rede: a) dem so deuteronomisch klingenden „Heute",
das den Hörern die Dringlichkeit der Gehorsamsentscheidung ein-

---

[6] Daran scheitern die Vermutungen vieler älterer Ausleger, Ps 95 sei a) entweder aus
zwei ursprünglich separaten Psalmen (V.1–7 a. 7 b–11) zusammengesetzt (Duhm,
Cheyne, auch noch C.Petersen, Mythos im AT, BZAW 157, 1982, 177 ff. u.a.) oder b) er
gliedere sich in drei Strophen (1–5. 6–7 a. 7 b–11: Kittel, Barnes u.a.) bzw. c) – die geläu-
figste Auskunft der Kommentare – er gliedere sich in zwei Strophen V.1–7 a und 7 b–11
(Gunkel, Oesterley, Nötscher, Kraus u.a.). Vgl. zur Forschungsgeschichte im übrigen G.
H.Davies, Psalm 95, ZAW 85 (1973) 183 ff.

[7] Die im Anschluß insbesondere an Gunkel z.St. übliche Klassifizierung der Rede als
„prophetisch" habe ich andernorts um der hervorstechenden mannigfachen Anklänge an
dtn und dtr Sprache bestritten und statt dessen die levitischen Prediger der dtn Paränesen
als Sprecher der Warnrede vorgeschlagen (Kultprophetie und Gerichtsverkündigung in
der späten Königszeit Israels, 1970, 125–27). Ähnlich schon J.Finkel, Some Problems Re-
lating to Ps 95, AJSL 45 (1933) 32–40, bes. 37 ff.

schärfen will, die unaufschiebbar ist, und b) der drohend vor Augen ge-
stellten Folge für den Ungehorsam, die mit der denkbar schärfsten Kategorie des von Gott zu erwartenden Unheils umschrieben wird: Gegenüber Gottes „Zorn" (V. 11) ist, wo er entflammt, prinzipiell für den
Betroffenen kein Ausweichen möglich; wo Gott wie hier „in seinem
Zorn schwört", ist auch für ihn kein Ausweichen mehr möglich. Zum
zweiten ist der „Schwur im Zorn" für Gott das genaue Gegenteil der im
Deuteronomium (und im von ihm beeinflußten Schrifttum) „zuge-
schworenen" Väterverheißung. Er führt zum Verlust des wesentlichen
Heilsgutes, in deuteronomischen Denkkategorien also des Landes. Dieses aber ist in Ps 95,11b höchst ungewöhnlich ausgedrückt. Die deu-
teronomische Verheißung einer „Ruhe vor allen deinen Feinden"
(Dtn 25,19) ist so umformuliert, daß die gewonnene oder aber ver-
spielte „Ruhe" jetzt „Gottes Ruhe" genannt wird. Es ist nun einerseits
schwer vorstellbar, daß diese Umformulierung die Vorstellung der
„Ruhe" vom Land abgelöst hätte, zumal noch in der Chronik die ver-
heißene „Ruhe" mit der Ruhe vor den Feinden verbunden bleibt[8] und
der Gottesschwur von Ps 95 seine engste und wohl kaum zufällige Parallele im Schwur von Num 14,30 (P) findet: „Nie sollen sie in das Land
eingehen!" Andererseits ist sonst in den Psalmen (Ps 132,8.14; vgl.
Jes 66,1) von „Gottes Ruhe" als von seiner Ruhestatt, d.h. seiner
Wohnstätte im Tempel die Rede, und zwar unter Aufnahme einer
schon in Ugarit belegten Begrifflichkeit[9]. Am wahrscheinlichsten ist
Ps 95,11b dann in Analogie zu Ex 15,17 so zu deuten, daß das Land insofern als Wohnstätte Gottes gilt, als Israel um Gottes Wohnstatt auf
dem Zion herum lagert. Wesentlich ist dann, daß Israel mit dem Verlust
des Landes auch die Gottesnähe verliert. Drittens schließlich ist entscheidend, woran sich denn nach Meinung dieses Predigers Gewinn
oder Verlust des Heils entscheidet. Das „Versuchen" und „Prüfen"
Gottes durch die Wüstengeneration geschah, während sie einerseits „sahen", was Gott getan hatte (V. 9), andererseits aber Gottes Wege „nicht
erkannten" (V. 10b). Israels „Sehen" ist in diesem Kontext als rein äu-
ßerliche Wahrnehmung qualifiziert, die es nicht notwendig verändert.
Verändert wäre es erst, wo ein Verstehen sich dem Sehen zugesellte,
das dann gleichzeitig Wundersucht und Unglaube gar nicht erst aufkommen ließe. Offensichtlich wird hier das Nachsinnen über die Geschichte und den Willen Gottes, wie es etwa Hosea im Begriff der „Erkenntnis Gottes" als erste Pflicht der Priester darstellte, als höchstes
Ziel Israels herausgestellt, wenn es denn „Volk seiner Weide, Schafe
seiner Hand" bleiben will.

---

[8] Vgl. G. von Rad, Es ist noch eine Ruhe vorhanden dem Volke Gottes (1933), Ges.
St. I 101ff.
[9] Vgl. o. S. 100 zu Ex 15,17 und Schmidt, Königtum Gottes 70.

3.

Wann ist Ps 95 zeitlich anzusetzen? Die in V.7b–11 mit Händen zu greifenden Einflüsse einer theologischen Schultradition, deren Diktion im Dtn, DtrG und der C-Schicht des Jeremiabuches ihren Niederschlag fand[10], legen den term. a quo und den term. ad quem zwischen die letzten Jahrzehnte vor dem Exil und die frühnachexilische Zeit fest. Weiter führt ein Vergleich mit der auffällig engen Sachparallele *Ps 81*. Dieser Psalm ist ebenfalls ein Festpsalm, wie das „Zujauchzen" (רוע hif. wie Ps 95,1f.), die genannten Musikinstrumente und hier sogar die konkreten Hinweise auf das Herbstfest (V.4) erweisen; er ist im zweiten Teil von einer sehr ähnlichen Mahnrede im Namen Gottes geprägt, die wiederum von dtn-dtr Sprachgebrauch durchsetzt ist. Die Zusammenstellung von Festjubel und erwecklicher Predigt ist offensichtlich nicht literarische Fiktion, sondern kultische Realität gewesen. Aber die Unterschiede sind auch nicht zu übersehen. Ps 81 ist noch voll von Hinweisen auf das göttliche Heilshandeln an Israel (V.7f.), von der für das Herbstfest charakteristischen Rechtsverkündigung (vgl. etwa Neh 8,18), mit der der Aufruf zum Hören primär verbunden ist (V. 9–11), er lockt zum Gehorsam mit Hinweisen auf Gottes Segen und Hilfe in Feindesnot (V.11b. 15–17) und stellt nur zwischen die lockenden Sätze das Beispiel des Versagens der Väter bei Meriba (V.8b. 12f.), dessen Konsequenzen aber nicht ausgeführt werden. Nichts vom drängenden Heute in Ps 95, nichts von der Stimmung allerletzter Warnung, daß es um das Verspielen des Heils geht, wie in Ps 95,11[11]. Ps 81 mahnt mit wenigen warnenden Untertönen, Ps 95 warnt nur noch. Offensichtlich ist die Gefahr, das Heil zu verspielen, zwischen Ps 81 und Ps 95 dringlicher geworden. Für diese Situation fällt das Exil als mögliche Entstehungszeit des Psalms aus, zumal die Freudentöne des Festes in der ersten Strophe zu ihm nicht passen und L.Vosberg m.E. überzeugend nachgewiesen hat, daß V.11 ein Israel im Land voraussetzt[12]. Vosberg selbst hat mit Gunkel u.a. an frühnachexilische Zeit gedacht, weil keinerlei Gefahr von außen im Psalm sichtbar wird[13]. Auszuschließen ist das nicht, wenngleich mir die letzte Zeit des judäischen Staates, vielleicht sogar genauer das letzte Jahrzehnt zwischen erster und zweiter Deportation, nach wie vor wahrscheinlicher erscheint.

---

[10] Vgl. den Nachweis bei Jeremias, a.a.O. 126f.; dort findet sich auch ein Vergleich mit der Sprache von Ps 81.

[11] Vgl. schon zu diesem Unterschied R.Schmid, FS J.Ziegler I (1972) 94, freilich mit wenig überzeugenden Folgerungen.

[12] Reden vom Schöpfer 102.

[13] Ebd. 103.

Wie dem aber auch sei, entscheidend für Ps 95 ist, daß Israel in einer Zeit der Gefährdung seines Glaubens eingeschärft wird, daß keinerlei Gefahr von außen – Götter, Völker, Chaosmächte – es bedrohen können, sondern einzig und allein sein eigener Ungehorsam. Er freilich kann zur Erfahrung des Gotteszornes führen, und das heißt zum Verlust von Land, Erwählung und letztlich auch Königtum Gottes in einem. Weil Israels höchstes Heilsgut auf dem Spiel steht, spricht Ps 95 im Unterschied zu Ps 81 so gewichtig vom Königtum Gottes.

2. Ps 99

Im Gegensatz zu Ps 95 ist es kein warnender, sondern ein vergewissernder Grundton, der Ps 99 beherrscht, so gewiß auch bei ihm die Schuld Israels in den Schlußversen eine gewichtige Rolle spielt.

1 Jahwe herrscht als König
   – es zittern die Völker –,
  er, der auf den Keruben thront
   – es schwankt[1] die Erde.
2 Jahwe auf dem Zion ist groß,
  erhaben ist er über alle Völker[2].
3 Sie sollen deinen Namen preisen,
  den großen und furchtbaren;
   heilig ist er!

4 Aber die Macht des Königs ist's, daß er das Recht liebt[3]:
  So hast du die Ordnung gegründet.
  Recht und Gerechtigkeit in Jakob
  hast (allein) du geschaffen.
5 Erhebt Jahwe, unseren Gott,
  fallt nieder vor dem Schemel seiner Füße;
   heilig ist er!

6 Mose sowie Aaron als sein Priester[4],
  Samuel als einer derer, die seinen Namen anrufen:
  Wenn sie zu Jahwe riefen, antwortete er ihnen,

---

[1] Zum hapax legomenon *nwṭ* ist ugaritisches *nṭṭ* zu vergleichen; vgl. im einzelnen Jeremias, Theophanie 87, Anm. 2; Lipiński, Royauté de Yahwé 279 f.

[2] Die Wahllesart „Götter" in 3 hebr. Mss, Codex Vaticanus sowie Mss der Lucianischen Rezension ist im Kontext (vgl. V. 1 und 3) kaum ursprünglich, zeigt aber die spontanen Assoziationen späterer Leser; vgl. Ps 95,3; 96,4; 97,9.

[3] Nominalsatz als Prädikat; vgl. Michel, Tempora § 31, 70.

[4] Daß nur Aaron, nicht auch Mose (was analogielos wäre) unter dem Begriff Priester gefaßt ist, hat Johnson, Sacral Kingship 71, Anm. 2, sorgfältig aufgewiesen.

7   in der Wolkensäule sprach er zu ihnen.
     [Sie hatten ja seine Zeugnisse beachtet und die Satzung,
                              die er ihnen gegeben hatte.]
8 Jahwe, unser Gott, du hast ihnen geantwortet,
     bist ihnen ein vergebender Gott geworden,
        [allerdings ein Rächer angesichts ihrer Fehltaten.]
9 Erhebt Jahwe, unseren Gott,
     fallt nieder vor seinem heiligen Berg;
        denn heilig ist Jahwe, unser Gott!

1.

In der Forschung ist umstritten, ob der Psalm zwei- oder dreiteilig
verstanden sein will. Der volltönende, dreigliedrige Kehrvers von V. 5
und 9, identisch im jeweils ersten Glied, bewußt steigernd variiert in
den beiden folgenden Gliedern, teilt den Psalm zunächst in zwei Hälf-
ten. Das metrisch überschüssige und besonders betonte dritte Glied
(„heilig ist er", V. 5; „heilig ist Jahwe, unser Gott", V. 9) tritt in der kür-
zeren Gestalt von V. 5 jedoch schon in V. 3 auf, und die häufig in der
Forschung angestellte Vermutung, die dreimalige Prädikation Jahwes
als heilig bilde „ein irdisches Echo des serafischen Trishagions" (F. Delitzsch), besteht vermutlich zu Recht.
Bei näherem Zusehen gewinnen die für die Dreiteilung sprechenden
Argumente das entscheidende Gewicht, und zwar sowohl in formaler
als auch in sachlicher Hinsicht. Formal muß vor allem auffallen, daß in
allen drei Strophen (V. 1–3. 4–5. 6–9) vom objektivierenden Reden über
Jahwe in 3. Pers. übergegangen wird zur Anrede in der 2. Pers., in Analogie zur strophischen Gestaltung in Ps 93. Mit dieser Beobachtung
trifft sich die Feststellung, daß Wortwiederholungen – abgesehen von
dem schon genannten Kehrvers – nur innerhalb der jeweiligen Strophen begegnen, alle drei Strophen dazu ein je verschiedenes Wortfeld
enthalten und dementsprechend auch ein je verschiedenes Thema. Die
Bestimmung des Verhältnisses der drei Strophen zueinander stellt das
entscheidende Interpretationsproblem des Psalms dar. Der wesentliche
sachliche Einschnitt liegt dabei zwischen der ersten und der zweiten
Strophe, wie aus der Tatsache erhellt, daß die erste Strophe, die die
Völker betrifft, in statischen Nominalsätzen von Jahwe redet, die beiden folgenden aber, die auf Israel als Gottes Gegenüber blicken, in (zumeist perfektischen) Verbalsätzen. Entsprechend ergeht erst in der 2.
und 3. Strophe der direkte Aufruf zum Lob im Imperativ als voller
Kehrvers, zuvor an die Völker nur ein indirekter Aufruf in der Form
des Jussivs. – Bemerkenswert ist, daß sich die Formen der Frühzeit

(Ps 93: „Themapsalm" mit Wechsel von Rede über Jahwe zur Anrede; Ps 47: Imperativischer Hymnus mit Abwandlungen) in Ps 99 vermischen.

2.

Der Psalm beginnt zunächst traditionell. Die erste Strophe (V. 1–3) – rhythmisch als konzentrische Figur gestaltet (A-B-A′: Zweierrhythmen rahmen die Dreierrhythmen in V. 2) – bringt mit ihren statischen Aussagen über Gott wie Ps 93 seine unangefochtene Überlegenheit über alle Mächte zum Ausdruck. Diese Mächte aber sind wie in Ps 47 die Völker, ohne daß doch von ihnen wie von den Fluten in Ps 93 eine drohende Gefahr ausginge. Vielmehr werden sie unter dem gleichen Doppelaspekt wie in Ps 47 gesehen: Sie sind zum einen ein für allemal unter der Kontrolle Jahwes, sie sind zum anderen zur Anerkenntnis der Herrschaft Jahwes im Einstimmen in sein Lob aufgerufen. Allerdings sind auch die Unterschiede zu Ps 47 unverkennbar. Es werden zum einen nicht mehr Erfahrungen der Frühgeschichte zur Begründung der göttlichen Lenkung der Weltgeschichte zugunsten Israels herangezogen, sondern die zeitlos-statischen Aussagen über Jahwe verdanken sich der Lade- (V. 1 b; vgl. 1 Sam 4, 4; 2 Sam 6, 2; Ps 80, 2)[5] und Ziontradition (V. 2 a; vgl. Ps 48, 2; 76, 2), wie denn auch im Kehrvers V. 5. 9 Lade- (V. 5) und Ziontradition (V. 9) einander abwechseln; zum anderen wird das Loben Jahwes durch die Völker in der distanzierenden Form des Lobwunsches („sie sollen preisen ...") ausgedrückt[6], ohne daß länger an eine Teilnahme der Völker an Israels Festgottesdienst gedacht wäre. Im Gegenteil, die Völker sind in den folgenden Strophen aus dem Blickfeld verschwunden; sie sind unter der Macht des Weltenkönigs vom Zion, damit ist letztlich genug über sie gesagt.

Daß Ps 99 in erheblich spätere Zeit gehört, läßt sich in der ersten Strophe an einigen Traditionsumprägungen unschwer erkennen. Die Erschütterung der Erde, in der Tradition Reaktion der Erde auf das aktuelle Kommen Gottes, geschieht angesichts seines Thronens[7] und ist nur noch poetische Verdeutlichung des „Zitterns" der Völker angesichts der Macht Jahwes (vgl. dazu

---

[5] Zum Titel „Kerubenthroner" vgl. jetzt ausführlich Metzger, Königsthron und Gottesthron 309–67; T.N.D.Mettinger, YHWH SABAOTH–the Heavenly King on the Cherubim Throne, in: T.Ishida (Hg.), Studies in the Period of David and Salomon (1982) 109–38. – Den zuletzt wieder von Lipiński, a.a.O., aufgegriffenen Vorschlag, statt des Partizips das Perfekt zu lesen, hat schon O.Eißfeldt, Kl. Schr.I 189 f., in seiner Auseinandersetzung mit Gunkel mit gewichtigen Gründen zurückgewiesen.

[6] Vgl. zur Form Crüsemann, Studien 184 ff.

[7] Vgl. Jeremias, a.a.O. 18 f. 112. 189.

Ex 15,14–16). Weiter ist die „Größe" des Gottes auf dem Zion (V.2), die ihm nach Ps 48 als Sieger im Völkerkampf eignet, nach Ps 95,3; 96,4 in seiner Überlegenheit über die Götter, zur „Größe" seines Namens geworden, und in ganz entsprechender Weise ist auch die Prädikation „furchtbar", die Jahwe ursprünglich als Sieger im Chaoskampf kennzeichnet[8], auf seinen Namen übertragen worden (V.3).

Erst mit der zweiten Strophe (V.4f.) kommt Israel in den Blick, und jetzt wird im Kehrvers (V.5) auch sogleich statt des distanzierenden Lobwunsches der direkte Aufruf zur Huldigung laut, und zwar vor „unserem Gott" (im abschließenden V.9 betont zweimal gebraucht). Und wiederum wird, wie schon in der ersten Strophe, traditionelle Sprache des Chaoskampfmythos auf neue Themen übertragen[9]. Die „Macht" des Königs Israels kommt noch keineswegs wie in der Tradition (Ps 93,1 u.ö.) in der Kontrolle und Abwehr der Gegenkräfte zu seinem Königtum (99,1–3: die Völker) voll zum Ausdruck, sondern positiv in der Aufrichtung einer Rechtsordnung, die exklusives Vorrecht Israels ist. Die Verben, die für diese Aufrichtung verwandt werden, bezeichnen von Haus aus das Feststellen der Erde, so daß sie nicht „schwanken" kann (vgl. zu Ps 93,1f.), bzw. die Schöpfung der Welt. Die Gabe der Rechtsordnung ist also nur angemessen in Analogie zur kosmischen Stabilisierung als schöpferische Festigung – nun freilich nicht der Welt, sondern Israels – beschreibbar. Von Gottes „Liebe" zum Recht in Jakob wird wie in Ps 47,5 von seiner „Liebe" zu Jakob selber gesprochen. Der Begriff des „Rechts" bzw. der „Rechtsordnung" schillert dabei. In erster Linie, aber keineswegs ausschließlich, ist gemeint, daß Israel in die Lage versetzt wird, Recht zu praktizieren; die Rechtsverkündigung spielte am Hauptfest Jerusalems eine große Rolle, wie wir schon zu Ps 95 gesehen haben. Gemeint ist daneben aber auch, daß Israel von Gott „Recht" widerfährt. Jahwes „Liebe zum Recht" bzw. zur Gerechtigkeit ist in den Parallelbelegen teilweise Ermutigung an Israel, sich an das Recht zu halten (Ps 11,7; 37,28), teilweise aber auch Zeichen der Treue Gottes, die nicht zuläßt, daß Israel ungebührliche Schmach empfängt (Jes 61,8), sondern die ihn zum Helfer aller Bedrängten und Gebeugten macht (Ps 146,8). Damit stimmt überein, daß die in V.4a genannte „Ordnung" (מישרים) einerseits terminologisch an Israels Ehrennamen Jeschurun („der Redliche", Dtn 33,5.26) anklingt, andererseits in den Jahwe-König-Psalmen sonst stets von Jahwe ge-

---

[8] Vgl. o. S.54f. Lipiński, a.a.O. 315, hat darauf hingewiesen, daß die beiden Adjektive „groß und furchtbar" häufig (15×) zusammen begegnen, immer in der gleichen Reihenfolge; aber kein Beleg ist vor-dtn.

[9] Dieser traditionsgeschichtliche Vorgang wird von den Autoren verkannt (z.B. F. Delitzsch, E. Lipiński), die V.4a auf den irdischen König beziehen, ein schon vom Kontext her fernliegender Gedanke.

handhabt wird, und zwar in Akten des „Recht-Sprechens" und „-Schaffens" zugunsten Israels (שפט: 96,10; 98,8; vgl. 9,9; 75,3).

In ihrer Aussage völlig singulär und für die Deutung des Psalms entscheidend ist die Abschlußstrophe. Sie verbindet Jahwes Königtum mit einer Tätigkeit Israels, für die Mose, Aaron und Samuel idealtypisch stehen: einem „Rufen" zu Jahwe, auf das hin Jahwe seinerseits „antwortet", wie es zweimal betont heißt[10]. Es unterliegt keinem Zweifel, daß das Rufen der drei großen Männer der Frühzeit, das auf Antwort aus ist, jene Tätigkeit meint, die Jer 15,1, der einzige Parallelbeleg, der Mose und Samuel in gemeinsamer Tätigkeit verbindet, als „Stehen vor Jahwe" bezeichnet: die stellvertretende Fürbitte für Israel. Für Mose ist sie breit belegt (Ex 17,11ff.; 32,7ff. 31f.; Num 12,13; 14,13ff. u.ö.), für Samuel, der in Ps 99 mit dem Begriff „den Namen Jahwes anrufen" vielleicht als Prophet gekennzeichnet ist (Johnson), in 1 Sam 7,5f. 9; 12,16ff.; beide galten offenbar der späteren Tradition als die vorbildlichen Fürbitter, mit denen sich auch ein Jeremia nicht zu vergleichen wagte. Die Hinzunahme Aarons, von dem nur einmal in Verbindung mit Mose (Num 16,22) Fürbitte berichtet wird, dafür häufig aber priesterliches Sühnewirken für Israel (Num 17,11ff.; vgl. Ex 30,10; Num 18,1 u.ö., jeweils P), und der so bewußt als Priester eingeführt wird, zeigt, daß man für Ps 99 die Art und Weise des gemeinten Einsatzes für Israel im strengen Sinne institutionell-gottesdienstlich zu fassen hat[11]. Wesentlich ist dabei, daß die Situation des „Rufens" nicht nur durch Not, sondern auch durch Schuld gekennzeichnet ist, wie in V.8 das Nebeneinander von „Antworten" und „Vergeben" Gottes zeigt. Eine enge Sachparallele bietet das sog. Richterschema des Dtr in Ri 2, demgemäß Jahwe immer dann die von ihm selbst als Strafe für geschehene Schuld gesandten bedrückenden Fremdvölker von Israel nahm, wenn Israel aus der Bedrückung zu ihm schrie (Ri 2,18; vgl. 1 Sam 12,19). Ganz entsprechend faßt das dtr Tempelweihgebet Salomos (1 Kön 8) eine Fülle von Vergehen ins Auge, die zu einem Unheil führen, das nur durch das Bitten und Flehen Israels abgewendet werden

---

[10] Der Unterschied der Tempora ergibt sich aus der Sache: In V.7 wird die Regelmäßigkeit der göttlichen Antwort hervorgehoben, in V.8 die Faktizität.

[11] Lipiński, a.a.O. 288. 295f., hat bedenkenswerte Gründe für die Annahme angeführt, daß „sowie Aaron als sein Priester" spätere Zufügung sei. Dann hätte man nicht mit zwei verschiedenen Bedeutungen für „rufen" (V.6a.b) zu rechnen und das Metrum der dritten Strophe wäre durchgehend das der Vierer (Ausnahme: der Zusatz V.8b; s.u.). So erwägenswert diese nicht strikt beweisbare Vermutung ist, an der Deutung von V.6–8 und an der zeitlichen Ansetzung des Psalms (Lipiński datiert ihn mit der Zeit Salomos um Jahrhunderte zu früh, a.a.O. 334f.) würde sich nichts ändern. – Weit schwächer begründet ist die Annahme von P.Mommer, BN 31 (1986) 27–30, V.6aβ und damit Samuel sei sekundäre Auffüllung; Mommer hat die Arbeit Lipińskis auch gar nicht zur Kenntnis genommen.

kann (V.33. 35. 38f. 44f.; vor allem 46ff.). Es ist besonders H.W.
Wolffs Verdienst, darauf verwiesen zu haben, daß es zu den zentralen
Anliegen des DtrG im Exil gehört, Israel zum Schreien zu Jahwe zu
führen; deswegen erzählt es, wie in Israels Geschichte häufig dieses
Schreien die Wende der Not brachte, deswegen nimmt es im Tempelweihgebet Salomos die Situation des Exils schon aus pädagogischen
Gründen vorweg[12]. Israels Rettungsmöglichkeit im Exil wie in jeder
schuldhaft herbeigeführten Not ist ein Rufen zu Jahwe, das Schuldbekenntnis und Anerkennung der göttlichen Gerechtigkeit einschließt,
aber ebendarin der Erhörung Gottes gewiß sein darf. Dafür steht sym-
bolisch die „Wolkensäule" der Frühzeit, wie sie mit dem Zelt (Ex 33,9;
Num 12,5; Dtn 31,15; vgl. Num 11,25) verbunden war, Jahwes Gegenwart verhüllend verbürgte und jeweils bei ihrem Sichtbarwerden zum
Reden Jahwes zu Mose führte, also in der Sprache von Ps 99 zu seinem
„Antworten" und „Vergeben". Elemente einer Erscheinungstheologie,
in V.1 noch in das Lob des statischen Königtums Jahwes aufgelöst, bestimmen die Schlußstrophe des Psalms.

Die dritte Strophe hat vermutlich mit V.7b und 8b Erweiterungen erfahren.
Nicht nur durchbrechen beide Sätze den Parallelismus membrorum (wie es
sonst nur betont das Trishagion in V.3.5.9 tut)[13], sondern sie fallen auch sonst
im Kontext auf: formal V.7b durch unerwarteten Subjektwechsel (V.8a kehrt
zum Subjekt von V.7a, Jahwe, zurück) sowie durch Tempuswechsel (Perfekt
nach vorausgehenden iterativischen Imperfekten), V.8b durch den Wechsel im
Metrum (Zweier nach zwei parallelen Vierern). Sprachlich ist V.7b durch den
Gebrauch typisch dtr Termini isoliert, während V.8b mit עלילות („Fehltaten")
einen fast ganz auf Ezechiel und anerkannt junge Psalmen beschränkten Begriff aufgreift; V.8b ist dabei wohl als bewußte Abwandlung des Bekenntnisses
von Ex 34,7; Num 14,18 etc. zu werten (Duhm). Gewichtiger sind die inhaltlichen Gründe: V.8b trägt einen warnenden Ton, der dem Kontext sonst fremd
ist, sich aber in V.7b wiederfindet, der als Nachtrag die Bedingungen nennen
will, unter denen die Vergebung Gottes gilt. Beide Halbverse möchten vor einem Automatismus von Gebet und Erhörung warnen; sie wenden dazu das
Thema der zweiten Strophe – Recht und Gerechtigkeit – auf die Situation der
dritten an: Gehorsam gegenüber Jahwes Willen ist unabdingbare Voraussetzung eines Aufschreis um Hilfe aus Not. Die ursprünglichen Aussagen der
Strophe betrafen eine Institution, für die Mose, Aaron und Samuel als Repräsentanten stehen; V.7b. 8b zielen auf den Gehorsam jedes einzelnen.

---

[12] H.W.Wolff, Das Kerygma des Deuteronomistischen Geschichtswerks (1961), Ges.
St. (308–24) 312–17. – 1 Sam 7 mit den Elementen Versammlung am Heiligtum, Fasten
unter Sühneriten, Schuldbekenntnis, Brandopfer, Schrei aus der Not (zāʿaq, V.9) mag als
typisch für das Gemeinte gelten. Gottes „Antwort" (V.9b) besteht dort in der Rettung
vor den Feinden.
[13] Die Druckanordnung der Verszeilen in BHS verkennt aufgrund der Erweiterungen
die Parallelismen (6b par. 7a; 8aα par. 8aβ); im ersten Fall tut das schon die überlieferte
Verseinteilung (vgl. auch Lipiński, a.a.O. 296f.).

3.

Wie aber hängen die drei Strophen angesichts ihrer scheinbar ganz unabhängigen Inhalte miteinander zusammen? Entscheidend für das Gesamtverständnis des Psalms ist die im Verlauf der Strophen beobachtbare räumliche Verengung: Der anfängliche universale Horizont der Aussagen über den „Jahwe auf dem Zion" macht in der zweiten Strophe der Betrachtung der Rechtsordnung „in Jakob" Platz, während das Geschehen der letzten Strophe an einem Ort innerhalb Israels stattfindet, den Aaron als Priester und die „Wolkensäule" als Ort seiner Begegnung mit Gott repräsentieren. Mit dem letztgenannten Geschehen haben die Völker nichts zu tun. Es setzt vielmehr die spezifische Rechtsordnung der Mittelstrophe voraus, ergibt sich freilich auch aus ihr nicht von selber, sonst bedürfte es nicht der Tätigkeit eines Mose, Aaron und Samuel. Sie werden erst tätig im Sinne von V. 6 ff., wenn Israel ungehorsam wird und durch seine Schuld in Not gerät. Israel ist nach Ps 99 also in einer dreifachen Weise gegenüber den Völkern bevorzugt (wie es sich schon in der direkteren Gestalt seines Lobens zeigt): Der Weltenkönig wohnt in seiner Mitte, so daß es nicht wie die Völker vor ihm zu „zittern" braucht; es verfügt über die gültige, von Gott gestiftete Rechtsordnung als Lebensorientierung und Treueerweis, und es verfügt darüber hinaus über die Institution des gottesdienstlichen Notschreis im Falle seiner Schuld, die es in Not führt. Um es hinsichtlich der Gefährdung Israels auszudrücken: Keine Gefahr droht diesem Israel von außen; die Völker sind fest unter Gottes Kontrolle. Eine überschaubare Gefahr droht ihm durch Vergehen gegen die gottgegebene Rechtsordnung; Gott straft zwar die Schuld und führt Israel in Not – aber er bleibt ihm verbunden, und für diesen Fall ist die Institution des gottesdienstlichen Notschreis gegeben, durch die Israel die Wende der Not erbitten kann. Wirkliche und tödliche *Gefahr droht Israel erst, wo es* in seiner schuldbedingten Not *den Notschrei unterläßt*[14]. Die Institution des Notschreis ist Israels höchste Gabe seitens des Weltenkönigs; mit ihr angemessen umzugehen, ist Israels vordringliche Aufgabe.

Es ist deutlich, daß Ps 99 nicht nur traditionsgeschichtlich, sondern auch im weiteren Sinne theologisch das Exil voraussetzt, wie es die genannten dtr Sachparallelen zu V. 6 ff. ihrerseits tun. Der sachliche Gedankenfortschritt innerhalb der drei Strophen entspricht strukturell dem sich analog verengenden Offenbarungsverständnis der Priesterschrift: vom Noahbund zum Abrahambund und weiter zur Stiftung des Gottesdienstes am Sinai. Hier wie dort ist der Gottesdienst Israels letz-

---

[14] Analoges hat Wolff, a. a. O. 315, für das DtrG herausgestellt.

tes Ziel Gottes mit seinem Volk, und zwar in der besonderen Bestimmung zu verhindern, daß die Schuld Israels zur Auslösung des von
Jahwe gestifteten Gottesverhältnisses führen kann. Verborgen spielt auf
diesen Skopus schon die erste Strophe an. Der Satz, daß Jahwe „erhaben" (רם, und zwar über alle Völker) ist (V. 2 b), hat nur drei Parallelen
im AT (Ps 113,4; 138,6; Jes 57,15), die ausnahmslos zu dem Gedanken
führen, daß der Erhabene in die Tiefe „sieht", d.h. die Not der Niedri-
gen ansieht und daraufhin rettend eingreift, um die Not zu beenden[15];
Jes 57,16 f. verbindet damit explizit die Ankündigung der Vergebung
(vgl. Ps 99,8).

B. Der Umkreis der deuterojesajanischen Theologie

Die beiden Psalmen 96 und 98 sind in einem ganz anderen Grundton
gehalten als Ps 95 und 99; der Jubel über Gottes Heilstat bestimmt den
Gedankenduktus. Beide sind miteinander eng verwandt. Es genügt hier
einstweilen, darauf hinzuweisen, daß sie wörtlich gleich beginnen und
mit nahezu wörtlich gleichen Versen enden (96,11–13 par. 98,7–9). Unterschieden sind sie in ihrer Nähe zu Deuterojesaja (DtJes); ist die Terminologie des großen Exilspropheten in Ps 98 mit Händen zu greifen,
so sind die Anklänge in dem weit traditionelleren Ps 96 schwächer, stel-
lenweise aber doch deutlich erkennbar. Ps 96 ist in 1 Chr 16 nochmals
überliefert. Mit welchen textlichen Veränderungen man bei einem
Psalm zwischen früh- und spätnachexilischer Zeit zu rechnen hat, wird
dadurch exemplarisch vor Augen geführt; darauf soll am Anfang kurz
eingegangen werden.

1. Ps 96

1 Singt Jahwe ein neues Lied,
   singt Jahwe, alle (Länder der) Erde,
2 singt Jahwe, preist seinen Namen,
   verkündet Tag um Tag seine Hilfe!
3 Erzählt unter den Völkern von seiner Glorie,
   unter allen Nationen von seinen Wundern!
4 Denn groß ist Jahwe und hoch zu preisen,
   furchterregend über allen Göttern.

---

[15] Diesen Sachzusammenhang hat besonders C. Westermann behandelt (Loben Gottes
87 ff.).

5 [Ja, alle Götter der Völker sind Nichtse,
   Jahwe aber hat den Himmel geschaffen.][1]
6 Hoheit und Erhabenheit sind vor ihm,
   Macht und Pracht in seinem Heiligtum.

7 Bringt Jahwe dar, ihr Sippen der Völker,
   bringt Jahwe dar Glorie und Macht,
8 bringt Jahwe dar die Glorie seines Namens,
   tragt Gaben herbei und zieht ein in seine Vorhöfe!
9 Werft euch nieder vor Jahwe in (seiner) heiligen Majestät[2],
   bebt vor ihm, alle (Länder der) Erde!
10 Sprecht unter den Völkern: „Jahwe herrscht als König,
   so ist die Erde fest gegründet[3], kann nicht wanken!
   [Er richtet die Nationen, wie es ihnen gebührt.]"
11 Es freue sich der Himmel und es jubiliere die Erde,
   es brause das Meer und was es füllt,
12 es jauchze die Flur und was auf ihr wächst,
   dann jubeln[4] alle Bäume des Waldes[5]
   vor Jahwe, denn er ist gekommen,
   [ja ist gekommen] die Erde zu richten;
   er richtet den Erdkreis in Gerechtigkeit
   und die Nationen in seiner Verläßlichkeit.

Der *Paralleltext in 1 Chr 16, 23–33* bezeugt den Gebrauch von Ps 96 in der liturgischen Praxis zur Zeit der Endredaktion des ChrG, etwa zwei bis drei Jahrhunderte nach Abfassung des Psalms. Die „modernere" Sprache erweisen die Veränderungen von Präpositionen (vgl. Ps 96, 2 b. 9 b. 13 a mit 1 Chr 16, 23 b. 30 a. 33 b), die Zufügungen von Copula, Artikel und nota accusativi (1 Chr 16, 24 a. 25 b. 32 b. 33 a. b), Pleneschreibungen (1 Chr 16, 33 b) etc., gelegentlich aber auch der Sprachgebrauch (vgl. den Aramaismus חדוה in 1 Chr 16, 27 und die Ersetzung des poetischen שׂדי Ps 96, 12 durch das profane

---

[1] V.5 ist vermutlich Zusatz (den 1 Chr 16, 26 allerdings schon bezeugt), wie F. Crüsemann, Studien 71, Anm. 2 gesehen hat. Während das *kî* von V. 4 gattungstypisch die Imperative von V. 1–3 erläutert, soll das auffällige zweite *kî* in V. 5 mit seiner im Kontext fehlenden polemischen Zielrichtung offensichtlich V. 4 b explizieren. V. 6 schließt sich stilistisch (reine Nominalsätze wie in V. 4) und inhaltlich (typische Königsepitheta) über V. 5 hinweg nahtlos an V. 4 an. Ähnlich F. Stolz, Erfahrungsdimensionen im Reden von der Herrschaft Gottes, WuD 15 (1979) 9–32; 23; O. Loretz, UF 6 (1974) 220; ders., Psalm 29 (1984) 131.

[2] Vgl. S. 31, Anm. 5 zu Ps 29, 2.

[3] Vgl. S. 15, Anm. 1 zu Ps 93, 1.

[4] *'āz* „dann" will den Sachzusammenhang zwischen Jubel der Natur (V. 11 f.) und Kommen Jahwes (V. 13) sicherstellen; der Begriff bringt mit sich, daß von den Jussiven (V. 11–12 a) zum Indikativ übergegangen wird, der die zeitliche und logische Folge ausdrückt.

[5] C. Houtman, FS N. C. Ridderbos (1975) 151–74, schlägt als Übersetzung „Sträucher der Steppe" vor.

השדה 1 Chr 16,32). Daß 1 Chr 16 daneben in V. 27 b und 29 b α die Begrifflichkeit von Ps 96 bewußt verändert hat, um Ps 96 der Zeit Davids anzupassen, ist
von W. Rudolph gezeigt worden (Chronikbücher, HAT 21, 1955, 122. 124.
127). Ps 96 zeigt im Vergleich mit 1 Chr 16 nur in V. 3 b (Pleneschreibung) und
12 b (Zusatz von כל) jüngeren Sprachgebrauch.

Schwieriger sind die vier Textüberschüsse in Ps 96 gegenüber 1 Chr 16 zu er-
klären. 1) V. 1 a. 2 a allerdings sind in Ps 96 als Überschrift bzw. als gewollte
Analogie zur zweiten Verszeile der zweiten Strophe in V. 8 a unentbehrlich und
müssen in 1 Chr 16 bewußt ausgelassen worden sein. (Weitergehende Auslas-
sungen einzelner Stichen bieten gewichtige Stränge der LXX-Überlieferung zu
Ps 96, 3 a und zu 1 Chr 16,29 a.) 2) V. 13 b ist als notwendige Erläuterung des
„Richtens" Jahwes ebenso unentbehrlich wie auch der Schluß von Ps 98 zeigt.
Nicht so sicher ist die Entscheidung für 3) V. 10 b und 4) das zweite כי בא von
V. 13 a zu treffen. Sie ist dadurch erschwert, daß in 1 Chr 16,30 b–31 Textver-
derbnis vorliegt, insofern V. 30 b (= Ps 96, 10 a β) und V. 31 b (= Ps 96, 10 a α),
eventuell nach irrtümlichem Ausfall, in falsche Position geraten sind. Davon
sind auch die Abschlußverse 32 f. berührt, insofern eines ihrer ursprünglichen
poetischen Glieder (Ps 96, 11 a) in die verderbte Versgruppe geriet und so der
Parallelismus membrorum verändert wurde. Immerhin aber spricht im Falle von
V. 13 a die Analogie in Ps 98,9 für die kürzere Lesart der Chronik, und für V.
10 b gilt Entsprechendes aufgrund der Beobachtung, daß a) formal einzig V.
10 b in Ps 96 ohne Parallelglied steht und b) inhaltlich V. 10 b der Schlußperiode des Psalms in V. 13 a γ. b ohne ersichtliche Gründe vorgreift. Vielleicht
kann man sogar noch weiter gehen und vermuten, daß diese Schlußperiode nur
darum gegenüber Ps 98,9 im letzten Wort verändert ist, weil במישרים (Ps 98,9)
schon im Zusatz Ps 96, 10 b vorweggenommen war. Aber zwingend ist diese
Vermutung nicht; es kann sich bei Ps 98,9 und 96,13 auch um gleichwertige
und gleichursprüngliche Textvarianten handeln.

1.

Ps 96 gehört zur Gruppe der imperativischen Hymnen und ist (wie
auch alle anderen Jahwe-König-Psalmen dieser Gruppe) in zwei etwa
gleichgewichtige Strophen (V. 1–6. 7–13) aufgeteilt. Jeweils stehen plu-
ralische Imperative am Anfang, jeweils folgen begründende כי-
(„denn"-)Sätze. Ein Unterschied besteht allerdings darin, daß das Verhältnis zwischen Imperativen und Begründungssätzen in der 1. und
2. Strophe sehr unterschiedlich ist. Herrscht in der 1. Strophe nahezu
Gleichgewicht, in der Endgestalt des Textes – also mit V. 5 – sogar völ-
liges Gleichgewicht zwischen beiden Formgliedern (V. 1–3. 4–6), so ver-
schiebt sich in der zweiten Strophe der Akzent numerisch ganz auf die
Imperative (V. 7–10), die zudem noch durch Jussive (V. 11 f.) fortgesetzt
werden. Dadurch wird eine Spannung erzeugt, insofern die erste Strophe auch hier analoge frühzeitige Begründungssätze erwarten läßt,
diese aber nur immer weiter hinausgezögert werden, insbesondere

durch die Kette der Jussive, bis der Abschlußvers 13, auf den nun alles Gewicht fällt, mit seiner knappen, paukenschlagartigen Begründung die Lösung bringt – in der Endgestalt des Textes noch einmal formal hervorgehoben durch die Wiederholung: „... denn er ist gekommen, ja ist gekommen". Die Spannung ist noch dadurch gesteigert, daß die Begründungssätze der ersten Strophe zeitlos-nominal formuliert sind (Ausnahme: der sekundäre V. 5), V. 13 dagegen perfektisch-aktuell gestaltet ist[6]. Die ruhigere, ebenmäßige erste Strophe ist somit nur Vorspiel für die bewegtere, sich steigernde zweite; der ganze Psalm eilt im Verlauf immer rascher seinem Höhepunkt am Ende entgegen, eben V. 13.

Die beiden Strophen V. 1–6 und V. 7–13 sind vielfältig aufeinander bezogen. Auffallen muß zunächst, daß sie ganz analog einsetzen mit einem dreigliedrigen repetierenden Parallelismus membrorum, bei dem die jeweils ersten beiden Worte („singt Jahwe" V. 1–2 a; „bringt Jahwe dar" V. 7–8 a) in jedem der drei ersten Stichen wiederholt werden. Allerdings handelt es sich bei V. 7–8 a um die kompliziertere, letzten Endes aus der kanaanäischen Poesie übernommene Struktur des „klimaktischen" Parallelismus, bei der jeder neue Stichos einen größeren Teil der vollen Aussage enthüllt („bringt Jahwe dar" – „bringt Jahwe dar Glorie" – „bringt Jahwe dar die Glorie seines Namens"). Nur knüpfen V. 7–8 a nicht direkt an kanaanäische Tradition an, sondern sind (mit V. 9 a) wörtlich aus Ps 29, 1 f. übernommen, mit dem einen gewichtigen Unterschied, daß die Anrede nicht wie dort an die Himmlischen ergeht, sondern, ins Geschichtliche übersetzt, an die „Sippen der Völker" (die im Unterschied zu den Himmlischen in den Tempelbereich „einziehen" müssen, V. 8 b). V. 1–2 a ist demgegenüber offensichtlich in Analogie zu V. 7 f. gestaltet worden. Darauf weist insbesondere die Beobachtung, daß auch dieses imitierte Trikolon auf den Preis des Namens Gottes abzielt wie Ps 29, 1–2 a und 96, 7–8 a. Aber der Liedbeginn in Ps 96 erreicht das Kunstvolle der alten Poesie nicht, insofern in V. 1–2 a keine Steigerung vorliegt, sondern ein Nebeneinander von verschiedenen Aussagen (neues Lied – ganze Erde – Preis des Namens). Bei näherem Zusehen erweist sich nicht nur der „Preis des Namens Jahwes" als Analogiebildung zum Liedteil, der aus Ps 29 übernommen wurde, sondern auch die Wendung vom „Erzählen der Glorie Gottes" (V. 3) als Ab-

---

[6] Vgl. zur Begründung u. S. 130. Die sich anschließenden Imperfekte bezeichnen Folgen. – L. Jacquet hat aus diesem Aufbau in Aufnahme einer These von R. Tournay (RB 54, 1947, 533 ff.) den irrigen Schluß gezogen, Ps 96 sei aus zwei ursprünglich eigenständigen Psalmen (V. 1. 2 a. 4. 5 a. 7 f. 9 a. 10 a sowie V. 2 b. 3. 5 b. 6. 9 b. 10 b. 11–13) zusammengestellt worden. Nach O. Loretz (Psalmen II 58–60), der im wesentlichen H. Schmidt z. St. folgt, wäre der Psalm sogar aus drei separaten Einheiten (V. 1–6. 7–10. 11–13) zusammengefügt.

wandlung des „Darbringens der Glorie seines Namens" in V. 8 a. Weiter
hat die Formulierung „bringt Jahwe dar Glorie und Macht" aus V. 7 b
ihre Entsprechung am Ende der ersten Strophe in V. 6 b: „Macht und
Pracht sind in seinem Heiligtum", und schließlich stehen im Hebräischen auch die Begriffe הדרה „Majestät" (V. 9 a) und הדר „Erhabenheit" (V. 6 a) in deutlicher Analogie zueinander; sie entstammen beide
Ps 29 (V. 2. 4).

Die stilistischen und terminologischen Bezüge zur 1. Strophe betreffen in der zweiten Strophe also ausschließlich diejenige Begrifflichkeit,
die der Autor des Psalms wörtlich Ps 29, 1 f. entnahm. Daraus ergibt
sich zwingend der Schluß, daß nicht nur die Verse 7–9 mit ihren häufig
beobachteten Zusätzen und Veränderungen gegenüber Ps 29, 1 f., sondern *Ps 96, 1–9 im ganzen eine „moderne" Exegese von Ps 29, 1 f.* sein will.
Allerdings hat sich der Verfasser von Ps 96 keineswegs nur an diese
Vorlage angelehnt, sondern noch mancherlei andere vorgegebene Wendungen aufgegriffen. Evident sind die Zitate von Ps 93, 1 in V. 10 und
von Ps 48, 2 in V. 4 a, möglich eine Bezugnahme von V. 3 a auf Ps 19, 1
(nur an diesen beiden Stellen wird der כבוד Gottes „erzählt"), von V.
4 b auf Ps 89, 8, von V. 8 b auf Ps 100, 4 etc[7]. Auf die Berührungen mit
Deuterojesaja ist noch zurückzukommen.

2.

Nun würde man die Eigenart von Ps 96 zweifellos verkennen, wenn
man ihn nur als Plagiat verstehen wollte. Eine auffällige Besonderheit
des Psalms besteht darin, daß die Imperative beider Strophen nicht nur
zum Lobpreis des Weltenkönigs auffordern, sondern zum „Verkündigen" und „Erzählen" *vor den Völkern* (V. 2 b–3. 10). Offensichtlich sind
dabei der Gegenstand des Lobpreises und des Erzählens identisch, wie
etwa daraus hervorgeht, daß die Aufforderung der zweiten Strophe in
V. 8: „Bringt Jahwe dar die Glorie seines Namens" in der ersten Strophe
in zwei Glieder zerlegt ist: „Singt Jahwe, preist seinen Namen" (V. 2)
und „Erzählt unter den Völkern von seiner Glorie" (V. 3). Das Erzählen ist sozusagen nur eine Sonderform des Lobpreises, eine lobende
Verkündigung, insofern es von Gottes Taten (V. 2 f.) und ebendamit
von seiner Weltherrschaft (V. 10) gegenüber der Weltöffentlichkeit redet.

Dennoch aber bedarf diese Sonderform der Erläuterung, zumal sie in
keinem anderen Jahwe-König-Psalm begegnet. Sie hängt zunächst un-

---

[7] Eine (freilich nicht sachlich differenzierte) Zusammenstellung der (m. E. literari-
schen) Bezüge innerhalb der Psalmen bietet auf einer Tabelle R. C. Culley, Oral Formu-
laic Language in the Biblical Psalms (1967) 105.

löslich zusammen mit der besonderen Gestalt des Anfangs unseres Psalms. Der vorgeprägte Begriff „neues Lied" hat nichts mit der Originalität des Liedes und der Dichtkraft seines Verfassers zu tun, sondern seine älteste Verwendung scheint in individuellen Klage- und Dankliedern gelegen zu haben, wo der Beter zu Zeiten der Not im Vorblick auf seine Rettung ein „neues Lied" gelobt (Ps 144,9) bzw. nach erfolgter Rettung dieses „neue Lied", das ihm „Jahwe in seinen Mund gelegt hat" (Ps 40,4), anstimmt. Analoges gilt nun aber auch für das „Erzählen", das der auf Jahwe Vertrauende in der Not gelobt (Ps 71,15) und das er dann nach der Wendung der Not in der Gemeinde der „Brüder" und „Gottesfürchtigen" beim Dankgottesdienst vollzieht, ja, das das eigentliche Zentrum des Dankgottesdienstes bildet (Ps 22,23; 66,16; 79,13; 107,22; 118,17)[8]. Weil Jahwe seinen bisherigen Wundern ein neues hinzugefügt hat, gebührt ihm ein „neues Lied", und dessen Aufgabe ist es wesenhaft, von der Tat Gottes zu „erzählen".

Von dieser aufgegriffenen Sprache des individuellen Dankliedes unterscheidet sich Ps 96 in dreifacher Hinsicht. Zum einen wird hier – wie nirgends in den Dankliedern – zum Erzählen erst aufgefordert, und zwar in der verkürzten Form dessen, was F. Crüsemann in Fortführung Begrichscher Terminologie „Heroldsinstruktion" genannt hat[9]. Zum andern wird die Erwartung des Lesers auf eine harte Probe gestellt, da zwar substantivisch von „Hilfe" und „Wundern" die Rede ist (V. 2.3), diese aber – in deutlichem Unterschied zu Ps 98 – nicht verbal ausgeführt werden, er also nicht erfährt, worin das Neue des „neuen Liedes" besteht, bis endlich der letzte Vers erreicht ist, der die Erwartung erfüllt. Zum dritten aber wird im zweiten Teil des Psalms der Horizont des Neuen in einer Weise ausgeweitet, daß alle Erfahrungshorizonte überschritten werden. Zu diesem „Dankgottesdienst" sind nicht nur „Brüder" und „Gottesfürchtige" geladen, sondern „alle Sippen der Völker", die durch ihre Teilnahme am Tempelgottesdienst (V. 7 f.) das universale Lob realisieren sollen, zu dem der Anfangsvers aufrief, und schließlich auch der Kosmos und die Natur, die mit der gottesdienstlichen Gemeinde in Jubel ausbrechen (V. 11 f.). Ein solcher Einbezug der Natur in das Lob ist außerhalb von Ps 96 und 98 nur noch bei DtJes belegt (Jes 44,23; 49,13; 55,12), bei dem sich zugleich der Begriff des „neuen Liedes" wiederfindet (42,10); das Jubeln der Wälder ist außerhalb von Ps 96 eine exklusiv dtjes Vorstellung. Nimmt man hinzu, daß die Form der „Heroldsinstruktion" in Ps 96,2 f. 10 ihre engsten, ja letztlich einzigen engen Parallelen (nämlich im Zusammenhang mit

---

[8] Vgl. ausführlich dazu Crüsemann, Studien 210 ff., bes. 265 f. Analoges gilt auch für das selten belegte parallele Verb „verkünden" (bśr pi.); vgl. Ps 40,10.

[9] Studien 53 f.

dem Thema des Königtums Jahwes und mittels der Wurzel בשר pi.
„verkündigen") bei DtJes findet (Jes 40,9f.; 52,7–10), dann können
diese Bezüge nicht mehr zufällig sein. Da andererseits diese Berührungen mit DtJes nur für Ps 96 und 98 beobachtbar sind, Ps 98 außerdem
ohne jeden Zweifel bis in den Wortlaut hinein die Botschaft des Exilspropheten aufgreift, ist die Frage der Priorität mit hoher Wahrscheinlichkeit zugunsten DtJes's zu treffen (so gewiß DtJes seinerseits überkommene Jahwe-König-Psalmen bewußt abwandelt, s. u. S. 134). Die
Traditionen des Dankliedes sind also in Ps 96 durch dtjes Vorstellungen grundlegend verändert worden.

3.

Ist damit schon ausgemacht, daß Ps 96 „deuterojesajanisch" gedeutet
werden muß? Sind also „Hilfe", „Glorie" und „Wunder" Jahwes (V. 2f.)
zukünftige Größen, und ist vor allem das Perfekt von V. 13 im Sinne
des sog. perfectum propheticum des DtJes als proleptisch aufzufassen?
Ich meine, daß man diese Fragen verneinen muß. Als Prophet Ereignisse zu schauen und als schon eingetreten zu beschreiben und als Gemeinde zum Loben und darüber zum „Erzählen" aufgefordert zu werden, sind zwei grundsätzlich zu unterscheidende Situationen. Zumindest haben weder die Chronik noch die LXX derartige eschatologische
Assoziationen mit Ps 96 verbunden, wenn sie als seinen Ort die Überführung der Lade durch David oder aber die Einweihung des zweiten
Tempels nannten. Daneben zeigt der parallele Ps 98, daß es für diese
Gemeinde in der Tat viel zu erzählen gab, und die Schilderung des er-
lebten Heils ist dort syntaktisch nicht anders gefaßt als die Beschreibung des Kommens Gottes. Vielleicht ist es ein Zeichen größeren Ab-
stands von diesen Ereignissen, wenn Ps 96 „Hilfe" und „Wunder" Jahwes nur substantivisch nennt. Vor allem aber verdeutlichen in Ps 96 die
Nominalsätze der ersten Strophe (V. 4.6), daß es beim Loben und Erzählen zumindest zunächst um durchaus gegenwärtig erkennbare Inhalte geht. Daß Jahwe „furchterregend über allen Göttern" ist (V. 4),
d. h. – um die Herkunft des Begriffs aus der Chaoskampfthematik mit
in Anschlag zu bringen[10] –, daß die Götter entmachtete und machtlose
Wesen sind (vgl. Ps 95,3), ist im Sinne des Psalms gegenwärtig wahr-
nehmbar und ebenso evident und zeitlos gültig wie die symbolische
Pracht des Festgottesdienstes im Tempel (V. 6)[11]; erst aufgrund dieser

---

[10] Vgl. o. S. 54f. zu Ps 47,3 sowie S. 102 zu Ex 15,11.

[11] Man beachte, wie die Tradition, daß Jahwe in „Hoheit und Macht gekleidet" ist,
hier neu gedeutet wird: Nicht Jahwe selber eignet die „Hoheit", sondern sie ist „vor ihm",

Voraussetzung kann dann in V.7 ff. die Aufforderung an die Völkerwelt ergehen, an diesem Gottesdienst teilzunehmen (V. 7–9). Alle politischen Untertöne, die die analogen Aussagen in Ps 47, 2. 10 kennzeichnen, fehlen; nicht unterworfene Völker sind im Blick, sondern Völker,
die der Machtlosigkeit ihrer Götter einsichtig werden. Darin entspricht
der Psalm dem Aufruf DtJes's an die „Entronnenen unter den Völkern"
(Jes 45, 20). Aus diesen Überlegungen ergibt sich, daß die eingangs als
Gegenstand der Verkündigung genannten Objekte „Hilfe", „Glorie"
und „Wunder" konkret die Exilswende bezeichnen werden, aufgrund
derer die Völker zur Erkenntnis der Machtlosigkeit der Götter kommen sollen, was sie wiederum zur Teilnahme am Gottesdienst Israels
führen wird.

An dieser Stelle freilich gilt es, zwischen den beiden Strophen des
Psalms genauer zu differenzieren. Die erste Strophe nennt zunächst
nur die Voraussetzungen für Israels Loben und Erzählen. Die Anteil-
nahme der Völker am Gottesdienst ist erst Gegenstand der zweiten
Strophe, und erst wo von ihr die Rede ist, wird Jahwes universale Königsherrschaft Gegenstand von Israels Erzählen (V. 10), das zuvor mit
Jahwes „Hilfe" und „Wunder" spezifische Erfahrungen Israels umfaßte[12]. Das Königtum Jahwes betrifft nun allerdings die Völker unmittelbar, insofern sie selber Objekt des göttlichen „Richtens" (שפט) sind
(V. 10 b. 13 b). Damit berühren wir den Schlüsselbegriff der beiden
Psalmen 96 und 98.

An seinem Verständnis hängt schlechterdings alles. Es ist dieser Begriff gewesen, der Mowinckel – und viele seiner Nachfolger – zu einer
völligen Fehldeutung des Psalms geführt hat. Mowinckel interpretiert
ihn so, als ob er fester Bestandteil der Ideologie des Thronbesteigungsfestes gewesen wäre. Er nimmt einen „Gerichtsmythus" an, der gleichwertig neben „Schöpfungs-", „Götterkampf-", „Auszugs-" und „Völkerkampfmythus" gestanden habe[13] und die jährlich neu vollzogene
Ordnungsstiftung durch Verurteilung feindlicher Mächte (in Gestalt
des Sieges Jahwes) mit anschließender Schicksalsbestimmung für das
neue Jahr beinhaltet habe. Diese Deutung verkennt, daß שפט keineswegs einfach typische Begrifflichkeit der Jahwe-König-Psalmen darstellt, sondern vielmehr innerhalb dieser Psalmengruppe den beiden
„deuterojesajanischen" Psalmen 96 und 98 (vgl. die von ihnen beein-

---

und das heißt, wie der Parallelstichos zeigt, „im Heiligtum" als dem Ort seiner Gegenwart. Darum kann nun mit „Pracht" (*tiph'æræt*) ein Begriff hinzutreten, der keine spezifische Affinität zur Königstradition hat.

[12] An den – wohl durchweg jüngeren – Parallelstellen im Psalter sind immer „Taten"
Jahwes an Israel Objekt des Erzählens gegenüber den Völkern (Ps 9, 12; 105, 1; vgl.
Jes 12, 4).

[13] Ps.-Studien II 65 ff.

flußten Psalmen 9–10 und 67) vorbehalten ist. Um die entscheidende
Erkenntnis thesenhaft vorwegzunehmen: שפט bezeichnet kein regelmä-
ßiges, sondern ein ordnungsstiftendes Eingreifen Jahwes, das dann notwendig wird, wenn die Ordnung der Welt gefährdet oder gar teilweise
zerstört ist. Zunächst kann kein Zweifel daran bestehen und wird auch
von Mowinckel nicht bestritten, daß שפט von Haus aus die Wiederherstellung einer zerstörten Ordnung bedeutet. Findet ein שפט zwischen
zwei streitenden Rechtsparteien statt (שפט בין ובין), so meint es den
(richterlichen) Entscheid, mittels dessen festgestellt wird, welche Partei
den – wie auch immer geartete – Streitfall verursacht und daher auch
wieder zu beseitigen hat. Die Bitte in den individuellen Klagepsalmen
שפטני („schaffe mir Recht") erhofft von Jahwe Ordnungsstiftung durch
Beseitigung unverdienten Leides, durch Rettung aus der Hand gewalt-
tätiger Feinde o. ä.

Für Ps 96 (und 98) erwartet Mowinckel m. E. mit Recht Deutungs-
hilfe primär von den beiden kollektiven Psalmen, in denen der Begriff
mit Gott als Subjekt eine zentrale Rolle spielt: Ps 75 und 82. In beiden
Psalmen geht es bei der Erwartung des שפט Gottes um die Beseitigung
einer Not, in der die Welt erschüttert ist und in ihren Grundfesten
„schwankt" (Ps 75, 4; 82, 5)[14], jeweils weil Unrecht geschehen ist. Ps 75
ist dabei insofern für die Deutung von Ps 96 von hohem Interesse, als
auch hier die Gemeinde anfangs von Gottes „Wundern erzählt" (V. 2),
bevor an sie durch eine prophetische Stimme die Zusage Gottes ergeht,
daß sein richterliches Eingreifen kurz bevorsteht (V. 3 f.), das dem Trei-
ben aller hochmütigen Frevler ein Ende bereiten und damit die Ordnung der Welt wiederherstellen wird[15]. Wie in Ps 96 ist nicht sicher zu
entscheiden, ob die „Wunder" Gottes vergangene Taten oder aber sein
erwartetes „Richten" betreffen; aufgrund der Anfangsstellung spricht
alle Wahrscheinlichkeit dafür, daß beides zugleich gemeint ist, also ein
sicheres Rechnen mit Gottes zugesagtem „Gericht" aufgrund der erfahrenen Taten Gottes. – Umfassender ist noch das „Richten" Gottes in
Ps 82, das anfangs visionär geschaut (V. 1) und am Schluß eindringlich
erbeten wird (V. 8). Es trifft hier die Götter und führt über ihre Entmachtung und Tötung zur Rechtsverwirklichung auf Erden, weil die
Götter als Begünstigende hinter dem Handeln aller Frevler stehen (V.
2). Es bringt damit zugleich die Wiederherstellung der kosmischen
Ordnung mit sich. Beide Psalmen erwarten somit, daß Jahwes „Richten" zum Ende von Frevlern und von Unrecht führen wird; Ps 82 geht

---

[14] Vgl. zur Begrifflichkeit Ps 93, 1 und dazu o. S. 24.
[15] Vgl. ausführlich dazu J. Jeremias, Kultprophetie und Gerichtsverkündigung in der
späten Königszeit Israels 117–19. Zur Funktion der „Richtens" vgl. G. Liedke, Gestalt
und Bezeichnung atl. Rechtssätze, WMANT 39, 1970, bes. 66 f.

darin über Ps 75 hinaus, daß er das Ende der Erfahrung gottwidrigen Handelns überhaupt und für alle Zeiten von Gottes „Gericht" erbittet.

Nun kann kaum ein Zweifel bestehen, daß das in Ps 96 bevorstehende „Gericht" Gottes als ein entsprechend umfassendes und endgültiges verstanden sein will wie in Ps 82. Der schon erwähnte Jubel von Kosmos und Natur, von Himmel, Erde, Meer, Flur und Wald wird weit angemessener verständlich, wenn der Psalm eine unüberbietbare Heilswende wie bei DtJes meint. Außerdem ist Ps 96 darin (Ps 75, 4 und) 82,5 engstens verwandt, daß Gottes „Richten" zur Wiederherstellung der kosmischen Ordnung, der Festigkeit der Erde führt (V. 10). Vor allem aber gewinnt das „Kommen" Gottes (בא, V. 13) erst unter dieser Voraussetzung präzise Bedeutung.

Man hat es in jüngerer Zeit gern einfach als Hilfsverb gedeutet[16]. Aber dagegen spricht doch entschieden die Verdoppelung des Verbs in V. 13, ganz unabhängig davon, ob sie literarisch ursprünglich ist oder nicht. Auch ist das Verb seit ältester Zeit (Dtn 33,2) in Psalmen, die vom Königtum Jahwes handeln, geläufig, und Theophanieschilderungen, denen es entstammt, spielen in diesen Psalmen insgesamt eine bedeutende Rolle [17]. Sie sind verändert auch in Ps 96 erkennbar, insofern statt Bergen, Wassern und Erde beim Sehen der Gotteserscheinung (Hab 3,10; Ps 77,17; 97,4) jetzt die Völker „vor ihm beben" (wörtlich „sich in Wehen winden", Wurzel חיל, V. 9), während das traditionelle Beben der Natur bei Jahwes Kommen in Jubel verwandelt ist (V. 11 f.). Ist Jahwes Kommen aber prägnant zu deuten, ist schlechterdings nicht einzusehen, warum alle mir zugänglichen Kommentare (mit der bemerkenswerten Ausnahme von Kissane[18]) das hebräische Perfekt (anders als etwa in Dtn 33,2) im Gefolge der LXX präsentisch wiedergegeben („... denn er kommt, ja kommt"). In dem oft mit Recht als Sachparallele zitierten Vers Jes 40,10 steht nicht zufällig das Imperfekt יבוא! Allenfalls könnte man in Ps 96,13 בא als Partizip auffassen, müßte dann freilich genauer übersetzen: „... denn er ist dabei, die Erde zu richten ...". Wahrscheinlicher ist mir vom Kontext her – der ganze Psalm läuft auf V. 13 zu – der perfektive Aspekt. Vor allem aber spricht die weit eindeutigere Analogie in Ps 98 dafür; vgl. u. S. 133–36.

Übersetzt man V. 13, üblichen grammatischen Regeln folgend und der beobachteten Sprache des Dankliedes entsprechend, perfektisch: „... denn er ist gekommen, ja ist gekommen, die Erde zu richten", wird sowohl der Jubel der Natur verständlicher als auch die Dringlichkeit

---

[16] Das erwägen E. Jenni, „Kommen" im theologischen Sprachgebrauch des AT, in: Wort-Gebot-Glaube. FS W. Eichrodt (1970) 258; H.-D. Preuß, ThWAT I 567.

[17] Vgl. den Einzelnachweis bei J. Jeremias, Theophanie 182–93 (Anhang I. „Mythos und Geschichte, Königtum und Kult in den Theophanietexten").

[18] „... before Yahweh, for he has come ..."; vgl. zuvor schon H. Schmidt, Die Thronfahrt Jahwes, SGV 122 (1927) 23, allerdings unter Deutung auf eine kultische Prozession („denn eingezogen ist er ...").

der Instruktion an Israel, vor den Völkern zu verkündigen. Gemeint sein kann dann nur, daß mit der „Hilfe" und den „Wundern" (V. 2 f.), die Israel (seit dem Kyrosedikt) erfahren hat, das Kommen Gottes zur Wiederherstellung der Weltordnung eingesetzt hat. Um es mit der Abfolge der beiden Strophen auszudrücken: *Indem Israel von Jahwes „Wundern" vor den Völkern erzählt (V. 2 f.), proklamiert es sein Königtum über die Welt vor ihnen (V. 10),* dessen volle Realisation im Ausschalten allen Unrechts unter der Völkerwelt mit Jahwes Kommen schon begonnen hat (V. 13).

Ps 96 kann also allenfalls in einem sehr bedingten Sinn als „eschatologisch" bezeichnet werden. Er setzt, wie es noch deutlicher Ps 98 tut, die von DtJes angekündigte Heilswende grundsätzlich als schon geschehen voraus. Offensichtlich geht der Psalm davon aus, daß die Religionspolitik der Perser im Auftrag Jahwes die Wiederaufrichtung der Ordnung der Welt eingeleitet hat, mit der alle Völker zu ihrem Recht kommen, nachdem das stolze Babylon zuvor den Völkern „kein Erbarmen erwiesen hatte" (Jes 47, 6). Gewiß ist für den Psalm diese Ordnung noch keineswegs einfach gegenwärtig vorhanden, aber sie ist in der Befreiung Israels angebrochen und betrifft alle Völker gleicherweise, die daher schon jetzt – allerdings in der nötigen Reverenz (V. 9) – zum Lob Jahwes und zum Festgottesdienst geladen werden. Die spezielle Fürsorge Jahwes für Israel kommt in der zweiten Strophe nur im abschließenden Begriff der „Verläßlichkeit" Jahwes zur Sprache. Von ihr ist im parallelen Ps 98 ausführlicher die Rede.

2. Ps 98

Ps 96 und 98 sind so eng miteinander verwandt, daß sie nur zusammen ausgelegt werden können. Das ist zu Ps 96 auch insofern schon oben geschehen, als die dort nur kurz erwähnte „Hilfe" Jahwes in Gestalt seiner „Wunder" (V. 2 f.) im Sinne der breiteren Darlegung von Ps 98, 1–3 gedeutet wurde. Umgekehrt wird im folgenden vorausgesetzt, was zu Ps 96, 1 a und 11–13 gesagt wurde; denn der Anfang beider Psalmen („Singt Jahwe ein neues Lied") ist wörtlich identisch und der ausführliche Schluß (96, 11–13 par. 98, 7–9) nahezu wörtlich. Wie weit die gegenseitigen Berührungen gehen, zeigt eine Einzelheit: Das Verb רעם q. ist im gesamten Alten Testament nur in der Wendung „es brause das Meer und was es füllt" (96, 11 b = 98, 7 a) belegt. Hier ist Zufall ausgeschlossen, ohne daß sich doch Prioritäten und eventuelle Abhängigkeiten zwischen den beiden Psalmen noch klären ließen.

1   Singt Jahwe ein neues Lied,
        denn er hat Wunder vollbracht.
    Es half ihm seine Rechte,
        sein heiliger Arm.
2   Jahwe hat seine Hilfe kundgetan,
        hat enthüllt sein Heil [vor den Augen der Völker].
3   Er gedachte seiner Güte und Verläßlichkeit
        gegenüber dem Haus Israel;
    es haben alle Enden der Erde geschaut
        die Hilfe unseres Gottes.

4   Jauchzt Jahwe zu, alle (Länder der) Erde,
        jubelt, frohlockt und spielt auf!
5   Spielt Jahwe auf mit der Leier,
        mit der Leier unter lautem Gesang!
6   Mit Trompeten und mit Hörnerschall
        jauchzt vor dem König Jahwe!
7   Es brause das Meer und was es füllt,
        die Erde und ihre Bewohner;
8   die Ströme sollen in die Hände klatschen,
        die Berge allesamt jubeln
9   vor Jahwe,
        denn er ist gekommen, die Erde zu richten;
    er richtet den Erdkreis in Gerechtigkeit
        und die Nationen, wie es ihnen gebührt.

1.

Ps 98 gehört wie Ps 96 zur Gruppe der imperativischen Hymnen und ist wie alle Jahwe-König-Psalmen dieser Gruppe zweistrophig aufgebaut. Die Abfolge von pluralischen Imperativen (V. 1 a α. 4–6) und sie begründenden כ-Sätzen, die das Lob entfalten (V. 1 a β–3.9), wird zweimal durchlaufen, und wie in Ps 96 werden in der zweiten Strophe die Imperative noch durch Jussive „verlängert" (V. 7 f.), die das gespannte Warten auf den abschließenden Begründungssatz, der in Ps 98 wie in Ps 96 den Hauptton trägt, nur noch erhöhen. Ja, in Ps 98 ist im Vergleich mit Ps 96 das Ungleichgewicht zwischen Imperativen und Begründungssätzen in beiden Strophen noch gesteigert. Herrschte in Ps 96 in der ersten Strophe nahezu ein Gleichgewicht zwischen beiden Formgliedern, so hat sich in der Anfangsstrophe von Ps 98 die Betonung ganz auf die Begründungssätze verlagert, so daß der Kontrast zur zweiten Strophe, in der die Imperative (und Jussive) wie in Ps 96 ein so deutliches Übergewicht erhalten, noch erheblich verstärkt ist. Anfangs bricht sozusagen der Lobinhalt ungehemmt hervor (V. 1 a β–3), dann ist als Folge vom Jubel von Mensch und Natur die Rede (V. 4–8), zuletzt am Höhepunkt von den Konsequenzen der Gottestat (V. 9).

Jedoch ist mit dieser Feststellung die entscheidende Differenz zu
Ps 96 noch nicht genannt. Sie liegt darin, daß die so deutlich hervortre-
tenden Begründungssätze der ersten Strophe nicht wie in Ps 96 und
traditionell in den Jahwe-König-Psalmen (zumindest anfangs) nomi-
nal-zeitlos gestaltet sind, sondern wie in den üblichen imperativischen
Hymnen des Psalters durchgehend perfektisch-verbal. In Ps 98 erzählt
Israel, und der Form der perfektischen Verbalsätze entsprechend sucht
man inhaltliche Anklänge an den Mythos – im Unterschied zu Ps 96
(V.4. 6. 7–9. 10a) – vergebens. Es herrscht von allem Anfang an Handlung vor, und da V.1–3 genau wie der abschließende V.9 perfektisch
gestaltet sind, kann das nur heißen, daß V.9 in V.1–3 vorweggedeutet
wird, das „Kommen" Jahwes im voraus ausgelegt wird.

2.

Ein weiterer Unterschied zu Ps 96, der mit dem eben genannten zu-
sammenhängt, besteht darin, daß Ps 98 in V.1–3 ungleich direkter die
Verkündigung DtJes's aufgreift. Da die Berührungen sich gerade bei solchen Formulierungen finden, die als unverwechselbar typisch für den
großen Exilspropheten gelten müssen, ist eine grundsätzlich denkbare
Priorität auf Seiten von Ps 98 ausgeschlossen[1]. Ja, mit Jes 52,10 wird ein
ganzer Vers aus Jes 52,7–10, der wichtigsten Äußerung DtJes's zum
Königtum Jahwes, kommentierend dargeboten. Bis auf das anfängliche
Verb dieses dtjes Verses wird jedes einzelne Wort aufgegriffen. Vom
„heiligen Arm" Jahwes (V.1) ist nur noch in Jes 52,10a die Rede, V.3b
zitiert wörtlich Jes 52,10b, und um das Maß voll zu machen, trägt die
überschüssige Erweiterung in V.2b den letzten noch nicht übernommenen Versteil aus Jes 52,10a nach.

Auf die Entsprechung von Ps 98,1aα zu Jes 42,10 ist schon zu Ps 96 eingegangen worden, ebenso auf die Parallelen DtJes's zum Jubel der Natur in V.7f.
Letztere sind in Ps 98 noch viel evidenter, da sie auch schon V.4 betreffen: Die
drei Verben für Jauchzen finden sich nebeneinander nur noch Jes 44,23 im Aufruf an die Natur, ja das eine der Verben (פצח) begegnet (außer Ps 98 und
Jes 14,7) überhaupt nur fünfmal bei DtJes (44,23; 49,13; 52,9 – im Abschnitt
vom Königtum Jahwes –; 54,1; 55,12). Das „Jauchzen der Berge" ist eine außerhalb von Ps 98 exklusiv deuterojesajanische Vorstellung (44,23; 49,13;
55,12) wie auch die Übertragung des Händeklatschens auf die Natur (55,12)[2].

---

[1] Darin stimmen nahezu alle Ausleger überein; anders H.L.Ginsberg, EI 9 (1969)
45ff., bes. 47.

[2] In V.1f. sind auch Einwirkungen Tritojesajas zu beobachten: Von der „Hilfe" des
Armes Jahwes ist nur noch Jes 59,16; 63,5 und im späten Ps 44,4 die Rede, vom „Enthül-
len des Heils" nur noch Jes 56,1. Vgl. dazu das Nebeneinander von „Richten", „Arm Jahwes", seiner „Hilfe" und seinem „Heil" (ṣaedaeq) im „tritojesajanisch" klingenden Vers
Jes 51,5.

Es ist der eindeutige Sachverhalt literarischer Abhängigkeit im Falle von Ps 98 gewesen, der die besonders im deutschen Sprachraum beliebte und bis heute (z. B. von C. Westermann[3]) vertretene Ansicht aufkommen ließ, alle Jahwe-König-Psalmen setzten DtJes, insbesondere Jes 52,7–10, voraus. Diese Annahme ist schon aus der grundsätzlichen Erwägung heraus unwahrscheinlich, daß kein anderer Prophet in Israel so viele Traditionen der Psalmen aufgegriffen hat wie eben DtJes[4]. Daneben aber läßt sich auch im einzelnen zeigen, wie Jes 52,7–10 Jahwe-König-Psalmen bewußt abwandelt. Für die Änderung des Proklamationsrufs „Jahwe herrscht als König" in den Heroldsruf „Dein Gott hat (wieder) die Königsherrschaft angetreten" (Jes 52,7; vgl. V. 8) hat das schon u. a. W. H. Schmidt[5] getan; genauso ließe es sich etwa für den Einbezug der Völker in der speziellen Gestalt ihrer „sehenden" Anteilhabe an Jahwes Heilstat gegenüber Israel tun, wie es schon im Prolog DtJes's analog belegt ist (Jes 40,5). Ich erwähne gerade diese Umprägung nur, weil sie es nun wiederum ist, die in Ps 98 aus DtJes aufgenommen wird.

Daß Ps 98 die Botschaft DtJes's entscheidend neu versteht, wird aus einer äußerlich unscheinbaren Abwandlung des Zitates von Jes 52,10b in Ps 98,3b erkennbar. Das Perf. consec., das DtJes gebraucht, um in Jes 52,10b wie analog in Jes 40,5b das „Schauen aller Enden der Erde" bzw. das „Schauen allen Fleisches zumal" als Folge der Heilstat Jahwes, seiner erneuten königlichen Herrschaft, ja der vollgültigen „Enthüllung seiner Glorie" (Jes 40,5) darzustellen, ist zum reinen konstatierenden Perfekt geworden. Eine Anzahl hebräischer Handschriften, Pesch und Tg haben diese Abwandlung durch Angleichung an Jes 52,10 wieder rückgängig gemacht; ein Schreibfehler ist an dieser entscheidenden Stelle so gut wie auszuschließen. Die Folgerung erscheint mir unabweisbar, daß Ps 98 die Ankündigung DtJes's – speziell in Jes 52,10, aber keineswegs darauf beschränkt, wie die anderen Bezugnahmen zeigen – als eingetretenes Faktum preist und aufgrund dessen zum „neuen Lied" aufruft. Die vollgültige „Enthüllung" des göttlichen Heils (V. 2) ist Wirklichkeit geworden. Damit kann kaum etwas anderes gemeint sein als die mit dem Kyrosedikt einsetzende Beendigung des Exils.

3.

An dieser Stelle kommt eine weitere und noch wesentlichere Differenz zwischen den beiden so ähnlichen Psalmen 96 und 98 in den Blick. Sie hängt mit der unterschiedlichen *Rolle der Völker* zusammen. Darin zwar stimmen beide Psalmen überein, daß die gesamte Völkerwelt zum

---

[3] Loben Gottes 110 ff.
[4] Vgl. bes. J. Begrichs „Studien zu Deuterojesaja" (1938 = ThB 20, 1963).
[5] Königtum Gottes 75.

Einstimmen in das „neue Lied" gerufen ist (96,1; 98,4). Aber während Ps 96 den Völkern ungewöhnlich viele Gedanken widmet, die Notwendigkeit dankbaren „Erzählens" Israels angesichts der Informationsbedürftigkeit der Völker hervorhebt (V.2f. 10) und die Teilnahme der Völker an Israels Festgottesdienst breit bedenkt (V.7-9), spielen die Völker in Ps 98 nur eine Nebenrolle. Diese Tatsache hat nur einen einzigen Grund: Das Rettungsgeschehen, das DtJes verkündet hatte, ist für Ps 98 so selbstevident, daß die Völker „sehend" an ihm Anteil genommen haben und es nun an ihnen ist, die Konsequenzen zu ziehen. Daß die Völker in jenes universale Heil, das mit dem Sieg des Kyros über die Babylonier begonnen hat, insofern einbezogen sind, als Jahwe durch die Perser eine Friedensordnung für alle Welt zu schaffen im Begriffe ist, ist wiederum eine beiden Psalmen gemeinsame Überzeugung (96,13; 98,9). Nur wissen nach Ps 98 die Völker selber, daß Jahwe „gekommen ist" – in Ps 98,9 scheint mir die perfektische Übersetzung des בא noch weit evidenter als in Ps 96, weil die erste Strophe durch und durch perfektisch formuliert ist –, weil sie die Heilswende Israels mit eigenen Sinnen erlebt haben.

Aufgrund dieser Differenz ist es gut möglich und mir persönlich wahrscheinlich, daß Ps 98 DtJes nicht nur sprachlich, sondern auch zeitlich noch etwas näher steht als Ps 96. Jedenfalls könnte diese Annahme erklären, warum beide Psalmen in traditioneller Psalmensprache eingangs von Jahwes „Wundern" und seiner „Hilfe" bzw. „Rettung" sprechen, Ps 96 aber dieses Thema sogleich wieder verläßt, während Jahwes „Hilfe/Rettung" (Wurzel ישע) zum beherrschenden Leitwort der 1.Strophe in Ps 98 geworden ist. Viererlei wird zur Präzisierung gesagt: 1. Rettung geschah in Gestalt eines machtvollen Sieges Gottes (V.1b). 2. In diesem Sieg ist Gottes gültiges Heil (צדקה) erkennbar geworden, das nach V.9 (vgl. צדק dort) universale Züge trägt. 3. Das Heil galt allerdings primär dem Gottesvolk; in ihm erwies sich Gottes unlösliche Bindung an Israel (V.3a). Nach Zeiten, da Israel klagte: „Jahwe hat mich verlassen, der Herr meiner vergessen" (Jes 49,14), hat es begreifen gelernt, daß Gott gar nicht „vergessen" kann, sondern aufgrund seiner Verläßlichkeit und seiner jede menschliche Analogie übersteigenden Güte zum Handeln genötigt ist. Ebendies meint als Konträrbegriff zum „Vergessen" Gottes „Gedenken": Es ist nie ein rein mentaler Akt, sondern kennzeichnet die Motive seines Handelns. Wie ein menschlicher Beter, der in Not Gott anfleht, nicht seiner Schuld, wohl aber seiner Schwachheit und Hinfälligkeit, ja seiner – Gottes – eigenen Barmherzigkeit zu „gedenken", damit Gott nicht vordergründig an etwas erinnern will, was ihm entfallen sein könnte, sondern ihm Motive seines erhofften Handelns nennt, so ist an der Rettung Israels Gottes unaufgebbare Zuneigung zu seinem Volk ersichtlich geworden. 4. Die Rettung geschah jedoch vor den Augen der Weltöffentlichkeit (V. 3 b), und das Sehen der Völker betraf mit Israels Rettung nicht weniger als die unverhüllte Offenbarung Jahwes, wenn man Jes 40, 5 als Deutehorizont zum zitierten Vers Jes 52, 10 heranziehen darf, bzw. das „Kommen" Jahwes, wie es Ps 98, 9 ausdrückt.

Entscheidend ist auf jeden Fall, daß das erfahrene *Heil* in Ps 98 im Gefolge DtJes's *streng geschichtlich* verstanden ist. Aus diesem Grunde ist es – per definitionem – primär partikulares Heil, und aus dem gleichen Grunde kann Israel in Ps 98 plötzlich wieder unbefangen erzählen, was es in den eigenen Hymnen stets tat, in den Jahwe-König-Psalmen aber aufgrund der mythisch-universalen Thematik zumeist sorgfältig vermied. Damit hängt zugleich zusammen, daß der Ton jubelnder Freude beim Festgottesdienst, den das Verb „zujauchzen" (V. 4.6) wie die Musikinstrumente, insbesondere Horn und Posaune (vgl. Ps 47, 6), kennzeichnen, den Psalm stärker prägt als Ps 96[6]. Der universale Aspekt des Heils ist für die 1. Strophe von Ps 98 mit der Zeugenschaft der Völker ausreichend gesichert. Allerdings darf gerade diese Aussage nicht ohne die zweite Strophe gelesen werden, die wie in Ps 96 auch die mit-lobende Natur in Gottes universales Heil einbezieht[7], weit direkter jedoch die Völker, die durch Jahwes – erkennbar schon angebrochenes – „Gericht" wie Israel von allem bedrückenden Unheil befreit und in eine universale Rechts- und Friedensordnung eingewiesen werden. So schließt Ps 98 mit der Gewißheit (die man kaum unbedenklich „eschatologisch" nennen wird), daß Gott bald universal zur Geltung und Durchführung bringt, was er an Israel schon begonnen hat.

C. Das hellenistische Zeitalter

Was die Psalmen der jüngsten Zeit innerhalb des Alten Testaments gegenüber den vorausliegenden kennzeichnet, ist das stärkere Auseinandertreten von Glaube und Erfahrung. Die religiöse Liedtradition der älteren Zeit wird massiert und gehäuft aufgeboten, um der Erfahrung von Unterdrückung und Unrecht entgegengestellt zu werden. Die Erwartung einer linearen Vollendung der Gegenwart, wie wir sie in der

---

[6] Der Beachtung wert ist in diesem Zusammenhang, daß der Gottesname Jahwe zweimal stark hervorgehoben wird, indem er außerhalb des Metrums gestellt wird (V. 6 b. 9 a α).

[7] Da V. 7 f. das „Meer" neben den „Strömen" nennt, mag verborgen eine Anspielung an die Chaoskampftradition anklingen (Leslie, Psalms 82). Aber sicher ist das nicht, da Meer und Ströme durch die bewohnte Erde (*tēbēl* wie in V. 9) voneinander getrennt sind.

Perserzeit kennenlernten, macht der Hoffnung auf ein urplötzliches, welterschütterndes Eingreifen Jahwes Platz, bei dem Gottes Recht so zur Geltung kommt, daß die heidnischen, götzendienerischen Mächte für immer gedemütigt werden.

1. Ps 97

1   Jahwe herrscht als König! Es juble die Erde,
    freuen sollen sich die zahlreichen Gestade!

2   Gewölk und Wolkendunkel sind rings um ihn,
    Gerechtigkeit und Gericht sind seines Thrones Stütze.

3   Feuer geht vor ihm her
    und verzehrt ringsum seine Feinde.

4   Seine Blitze erleuchten das Festland;
    die Erde sieht es und windet sich.

5   Die Berge schmelzen wie Wachs vor Jahwe[1],
    vor dem Herrn der ganzen Erde.

6   Die Himmel verkünden seine Gerechtigkeit,
    schauen werden alle Völker seine Herrlichkeit.

7   Zuschanden werden alle Bilderdiener,
    die sich der Nichtse rühmen;
    alle Götter fallen vor ihm nieder[2].

8   Zion hört es und freut sich,
    und es jubeln die Töchter Judas
    um deiner Gerichtsvollzüge willen, Jahwe.

9   Denn du, Jahwe, bist der Höchste über die ganze Erde,
    bist sehr hoch erhaben über alle Götter.

10 Jahwe liebt, die das Böse hassen[3],
    er beschützt das Leben seiner Frommen,
    rettet sie aus der Hand der Bösen.

11 Licht strahlt[4] auf den Gerechten,
    Freude den von Herzen Aufrichtigen.

12 Freut euch an Jahwe, ihr Gerechten,
    lobsingt seinem heiligen Namen!

---

[1] „Vor Jahwe" steht betont außerhalb des Metrums. Die Wiederholung ist beabsichtigt; vgl. Ri 5,5; Ps 68,9; 114,7 und E. Vogt, Bib. 46 (1965) 209.

[2] Die Deutung des Verbs als Imperativ (LXX, Pesch) ist vom Kontext her unwahrscheinlich.

[3] MT: „Die ihr Jahwe liebt, haßt das Böse!" ist im unmittelbaren Kontext, der durchweg Jahwe als Subjekt bietet, hart und wohl auf einen geringfügigen Schreibfehler (Dittogr. eines j am Anfang) zurückzuführen; vgl. Pesch. Die Annahme einer zusätzlichen Vertauschung von j und w im 3. Wort (Wellhausen) ist wahrscheinlich, aber nicht zwingend nötig, da auch ein asyndetischer Relativsatz vorliegen könnte.

[4] L. zāraḥ; vgl. die Vrs und Jes 58,10; Ps 112,4. Anders S. Morag, Tarbiz 33 (1963/4) 140–48.

1.

Der Aufbau von Ps 97 ist nicht auf den ersten Blick durchschaubar, letztendlich aber sehr durchdacht, freilich teilweise (besonders im Blick auf die Syntax der Verben) gekünstelt. Der Psalm beginnt in V. 1 überschriftartig mit der Proklamation des Königtums Jahwes und dem Aufruf zur weltweiten Freude. Die Reaktion der Welt hat Klammerfunktion: Bewußt wird in der Mitte des Psalms (V. 8) mit den gleichen Verben wie in V. 1 der Jubel Zions und der Städte in Juda ausgedrückt und am Ende des Psalms (V. 11 f.) das zweite Verb sogar zweimal (davon einmal das zugehörige Substantiv „Freude") aufgegriffen; nun aber betrifft es die „Aufrichtigen" und „Gerechten" in Israel (V. 11 f.). An der Bestimmung des Verhältnisses jener universalen (V. 1), dieser partikularen, das Gottesvolk betreffenden (V. 8) und der noch eingeschränkter partikularen Freude am Schluß des Psalms (V. 11 f.) hängt Entscheidendes für sein Verständnis.

In V. 2–5 folgt eine Theophanieschilderung voll traditioneller Elemente. Das Kommen Jahwes selber ist auffälligerweise nicht beschrieben, wohl aber werden die Begleitmomente dieses Kommens – Wolkendunkel, verzehrendes Feuer und Blitze, jeweils durch Possessivpronomina auf Jahwe bezogen – und die erschrockene Reaktion von Erde und Bergen genannt. Die Schreckensreaktion scheint den Hauptton zu tragen, ist sie doch in perfektischen Verbalsätzen gestaltet (V. 4 b–5), während die Gotteserscheinung selbst aus einem zunächst seltsam erscheinenden Gemisch anfänglich nominal (V. 2), dann imperfektisch-verbal (V. 3: x-jiqtol), zuletzt perfektisch-verbal (V. 4 a: qatal-x) geformter Sätze besteht. Dieser im Deutschen kaum imitierbare Gedankenfortlauf vom Statischen hin zum Aktiv-Verbalen beruht entscheidend darauf, daß mit V. 2b („Gerechtigkeit und Gericht sind seines Thrones Stütze") in die Theophanieschilderung ein traditionsgeschichtlicher Fremdkörper eingedrungen ist, der (bis auf das abschließende Suffix) wörtlich aus Ps 89, 15 entnommen und wesenhaft nominal gehalten ist. Dieser „Fremdkörper" ist aber nun keineswegs irrtümlich an seine Stelle geraten; vielmehr bietet er die entscheidenden Stichworte, die der Kontext aufgreift und ausführt. Von Jahwes „Gerechtigkeit" (bzw. Heil) ist wieder in V. 6 die Rede; sie ist dort Gegenstand der Proklamation des Himmels. Die gleiche Wurzel wird vor allem aber am Schluß des Psalms in V. 11 f. aufgenommen, wo die Menschen, die Jahwes Heil erfahren, zweimal „Gerechte" heißen. Das Thema „Gericht" wird wieder in V. 8 angeschlagen, wo Jahwes „Gerichtsvollzüge" der Grund zur Freude Zions sind.

Die Mittelstrophe des Psalms (V. 6–9) nennt eine Fülle unterschiedlicher Reaktionen Betroffener – das Sehen der Völker (V. 6 b), das Zuschandenwerden der Götzenanbeter (V.7), die Freude Zions (V.8) – mit einer abschließenden Motivation (V.9). Von den traditionellen Schreckensreaktionen auf Jahwes Theophanie (V.4b–5) sind sie formal dadurch unterschieden, daß sie zumindest anfangs als Folgesätze gestaltet sind (Perf.consec. V.6b, Imperf. V.7a; erst in V.7b und 8 Perf. wie in V.4b–5), inhaltlich dadurch, daß sie nicht direkt auf das Erscheinen Jahwes erfolgen, sondern schon im voraus auf dessen Proklamation hin (V.6a; vgl. V.8a).

Die Abschlußstrophe ist deutlich auf die Gegenwart des Psalms bezogen, wie das neue Mittel des Partizipialstils beweist (der in V.10b durch ein Imperfekt, in V.11 durch ein Perfekt fortgeführt wird, analog der Tempusabfolge in den anderen Strophen). Inhaltlich unterscheidet sie sich von der Mittelstrophe vor allem darin, daß nicht Jahweglaube und Götzenanbetung einander gegenübertreten (V.7f.), sondern eine Scheidewand durch das Gottesvolk selber gezogen wird und in ihm die Gerechten von den Bösen getrennt werden. V.12 kehrt dabei stilistisch zum Anfang zurück, insofern die dortigen Jussive jetzt durch Imperative aufgegriffen werden[5].

2.

Es sind somit zwei Begriffspaare, die alle drei Strophen durchziehen und gliedern: Jubel/Freude (V.1.8.11f.) einerseits, Gerechtigkeit/Gericht (V.2.6.8.11f.) andererseits. Aber während die Freude eingangs die Welt betrifft, gilt sie in der zweiten Strophe speziell Israel und in der dritten noch spezieller den Gerechten in Israel; und während in der 1. Strophe von Jahwes universaler, die Natur umgreifender „Gerechtigkeit" die Rede ist, so in der zweiten von ihren geschichtlichen Auswirkungen auf die Völker und das Gottesvolk, in der dritten aber von ihren heilvollen Kräften gegenüber denen, die ihr auf Seiten Israels entsprechen, den „Gerechten". Wie verhalten sich diese Aussagen mit weitem und engem Radius zueinander?

Zur Beantwortung dieser Frage sind die zeitlichen Relationen von großem Gewicht. Zunächst kann kein Zweifel daran bestehen, daß die

---

[5] Eine sehr sorgfältige Strukturanalyse hat W.A.M.Beuken vorgelegt (De Vreugde om JHWH's Heerschappij, in: Verkenningen in een Stroomgebied, FS M.A.Beek, Amsterdam 1974, 102–109). Der planmäßige Aufbau spricht deutlich gegen die Annahme, in Ps 97 seien zwei (O.Loretz, UF 6, 1974, 223) oder gar drei (Coppens, Royauté de Dieu 168ff.) Psalmteile sekundär verknüpft worden. Lipiński (Royauté de Yahwé 173ff.) vermutet, die Verse 2a. 3. 4b. 5aα.b. 7b. 9 seien Teil eines alten Epiphaniehymnus gewesen. Daß der Vf. des Psalms, bes. in V.2–5, älteres Traditionsgut aufgreift, erscheint als sicher; aber die künstliche Anordnung der Tempora im Psalm und die Fülle literarischer Bezüge der Einzelsätze (vgl. u. S.142) sprechen auch gegen diese Vermutung.

1. Strophe, die die traditionelle Form einer Theophanieschilderung aufgreift und abwandelt[6], ein wesenhaft zukünftiges Geschehen meint; allerdings auch wieder kein rein zukünftiges. Die Nominalsätze von V. 2 preisen die unwandelbare Festigkeit des Thrones des Weltenherrschers, die auf seiner ständigen heilvollen Richtertätigkeit basiert; aber die Festigkeit ist in ihrer Stetigkeit durch verhüllende Wolken verborgen (V. 2 a), bis einst verzehrendes Feuer aus dem Wolkendunkel hervorbrechen und den Gottesfeinden sinnenfällig und definitiv ein Ende bereiten wird (V. 3). Das ist nun freilich ein Kampfesgeschehen, das unter größten Erschütterungen der Welt erfolgt, ja selbst ihre festesten Teile, die Berge als die Fundamente, betrifft, indem es endgültig den Herrn des Universums offenbart (V. 4 f.; vgl. V. 7 b und 9).

Eine ganz analoge gedankliche Struktur zeigt die zweite Strophe, die letztlich nichts anderes als eine zeitgerechte Deutung der traditionellen Theophanieelemente bietet[7]. Auch sie richtet die Aufmerksamkeit weitestgehend auf zukünftige Erfahrungen, endet aber in einem traditionellen Nominalsatz, der ständig Gültiges ausdrückt und den Sänger zur Anbetung in der 2. Person führt. Die Erhabenheit Gottes über alle Götter, von der dieser V. 9 spricht, ist keineswegs erst eine Sache der Zukunft, sondern sie ist schon gegenwärtig wirksam, wird sie doch aufgrund ihrer Proklamation vom Gottesvolk voll Freude gehört und damit schon im voraus gewußt (V. 8, ein um das Glied „[Zion] hört es" erweitertes Zitat aus Ps 48, 12)[8]. Aber sie wird erst in der Zukunft sichtbar werden, dann aber vor der ganzen Völkerwelt, wenn nämlich Jahwes Endoffenbarung Ereignis wird, von der V. 3–5 sprachen und auf die das geringfügig veränderte Zitat von Jes 40, 5 in V. 6 b („alle Völker schauen seine Herrlichkeit")[9] hinweist. Diese Endoffenbarung ist nicht so sehr ein Kampfesgeschehen wie in V. 3 f., sondern vielmehr wesenhaft ein Gerichtsgeschehen. Darauf deutet schon V. 6 a („die Himmel verkünden seine Gerechtigkeit"), insofern „Gerechtigkeit und Gericht" in V. 2 Korrelatbegriffe sind und zudem Ps 50, 6, aus dem das Zitat stammt, mit diesem Satz Jahwe als Richter einführt[10]; weiter V. 7, der

---

[6] Vgl. im einzelnen Jeremias, Theophanie 28–30. 189–93.

[7] Vgl. nur das „Sehen" der Erde in V. 4 mit dem „Sehen" der Völker in V. 6 sowie das Verzehren der Feinde in V. 3 mit dem Zuschandenwerden der Bilderanbeter in V. 7.

[8] Beuken, a. a. O. 106 f., hat mit Recht herausgestellt, daß Zions „Hören" dem „Sehen" von Erde und Völkern (V. 4. 6) gegenübergestellt ist, was dazu führt, daß Zion die Reaktion der Freude, zu der die Erde erst aufgefordert werden muß (V. 1), schon jetzt vollzieht.

[9] Vgl. das analoge Zitat Jes 52, 10 in Ps 98, 3! Allerdings wird in Ps 97, 6 im Unterschied zu Ps 98, 3 das Tempus des dtjes Zitats unverändert beibehalten.

[10] Ist mit dem Satz in Ps 97 ein Geschehen gemeint, das dem Jubel der Natur beim Kommen des Weltenrichters in Ps 96, 11 f.; 98, 7 f. entspricht? In der Grundstelle Ps 50 bilden Himmel und Erde das Gerichtsforum (V. 4).

den Vorgang des Gerichts in zwei Akten schildert: schmachvoller Untergang aller Bilderanbeter und gleichzeitige Enthüllung der Ohnmacht der Götter, auf die sie ihr Vertrauen richteten[11]; schließlich auch V. 8, der mit dem Begriff „Gerichtsvollzüge" das Substantiv aus V. 2 aufnimmt, das zugleich dem Ps 96 und 98 beherrschenden Verb „richten" entspricht.

Im Unterschied zu den beiden voraufgehenden Strophen nennen die abschließenden Verse rein gegenwärtige Erfahrungen. Denn das Imperfekt aus V. 10 b („er rettet sie aus der Hand der Bösen") steht im Parallelismus zum voraufgehenden Partizip („er beschützt das Leben seiner Frommen"), bezeichnet also ständig mögliches Erleben, und nichts anderes gilt für das Perfekt[12] von V. 11. Das „Licht", das den Gerechten „aufstrahlt", ist wie häufig im AT Symbol für Leben; V. 11 führt also den Gedanken von V. 10 bruchlos fort.

3.

Die Erhebung der zeitlichen Bezüge im Psalm ergibt somit, daß zwar auch die universale Gerechtigkeit Gottes als Stütze seines Thrones eine schon gegenwärtige Größe ist, aber nur in äußerster Verborgenheit (V. 2); daß zwar auch die Erhabenheit Jahwes über alle Götter schon jetzt von Israel gewußt und im Gottesdienst anbetend besungen wird (V. 8 f.), aber noch nicht in einer den Völkern aufweisbaren Form erfahrbar ist; daß dagegen Gottes Zuneigung, Lebensfürsorge und Bewahrung schon heute im Alltag erlebbar sind für Menschen im Gottesvolk, die als „Gerechte" Gottes „Gerechtigkeit" entsprechen. Diese Eigenschaft legt der Psalm in einer für die Spätzeit typischen Weise doppelt aus: einmal objektiv („die das Böse hassen"), und zwar – wie auch in älterer Zeit üblich – nicht durch Aufzählung positiver Werte, sondern via negationis, d. h. in Abgrenzung von gemeinschaftszerstörendem Verhalten; zum anderen aber subjektiv („die von Herzen Aufrichtigen") durch den Aufweis einer lauteren Gesinnung.

In seiner logischen Gedankenfolge muß der Psalm somit eigentlich von hinten nach vorn gelesen werden. Die Freude, zu der die Gerechten im letzten Vers aufgefordert werden, ist eine in gegenwärtiger Erfahrung gegründete Freude; der (künftige) Jubel der Welt (V. 1), aber auch der (vorweggenommene) Jubel des Gottesvolkes (V. 8) gründen dagegen auf der endzeitlichen Offenbarung des Königtums Jahwes, wie es wohl von der feiernden Gemeinde schon jetzt gewußt, aber noch nicht

---

[11] Vgl. dazu H.-D. Preuß, Verspottung fremder Religionen im AT (1971) 250.
[12] Wenn die oben übernommene Lesart der Vrs im Recht ist; MT bietet ein Partizip.

erlebt wird. Erlebt wird vielmehr das Wirken von Gottesfeinden (V. 3), d. h. die Herrschaft der Völker in ihrer Bilderverehrung (V. 7). Daher dienen die ersten beiden Strophen geradezu dazu, die Gemeinde zu vergewissern, daß die gegenwärtigen Leiderfahrungen nicht Zeichen der Schwäche Jahwes sind, sondern Zeichen der Verborgenheit seiner Weltherrschaft, die sich in Kürze in einer welterschütternden Theophanie offenbaren wird, bei der dann kein Heide mehr an der Überlegenheit, ja Einzigartigkeit Jahwes vorbeigehen kann (V. 6–9). Für die Gegenwart aber ist die bewahrende Güte Jahwes im Einzelleben einziger Erfahrungsanhalt an seinem verborgenen Weltkönigtum. Hier im Einzelleben können Erfahrungen gemacht werden („er rettet sie aus der Hand des Bösen"), die – in begrenztem Rahmen – denen der Endoffenbarung Jahwes analog sind. Zugespitzt ausgedrückt: *Gottes gegenwärtige Fürsorge für seine Gerechten wird als Hoffnungsgrund für die Weltvollendung verkündet.* Sie läßt die Unrechtserfahrungen durch Fremdherrschaft ertragen sowie den scheinbaren Triumph der Götzen über den lebendigen Gott, wie er hinter V. 7 und 9 erkennbar wird.

Freilich läßt ebendieser Gedankengang im Hintergrund den Zweifel und die Anfechtungen der Gemeinde erahnen. Das Warten auf das Weltgericht, das doch eine Freude Israels sein soll (V. 8), weil mit dem Untergang der Bilderanbeter ja auch die Befreiung des Gottesvolkes erfolgen wird, bedarf offensichtlich der Stützung auf der Ebene der Erfahrung. In solcher Situation wollen V. 10–12 zum Praktizieren der „Gerechtigkeit" locken, auch ohne daß die Vorzeichen der Erfüllung der Endzeithoffnung allzu stark sind. Gottes Liebe ist in seiner Lebensfürsorge jedem erfahrbar – das ist zureichender Grund für die tradierte Hoffnung. Die Freude aber, zu der V. 12 auffordert, ist die Freude über Alltagserlebnisse, die mit der Freude des Universums, mit der der Psalm einsetzte, zwar verbunden sind, aber doch in einer denkbar lockeren Weise.

Unstrittig führt dieser Gedankengang in die äußerste Spätzeit des AT[13]. Der Jubel der Natur, der die Erwartung des kommenden Richters in Ps 96 und 98 prägte, ist in weite Ferne gerückt. Nahezu jede Einzelaussage des Psalms ist der gottesdienstlichen und prophetischen Tradition entnommen. Genannt seien summierend nur die eindeutigen Fälle: Zu V. 1 a vgl. Ps 96,11; die „Gestade" (V. 1 b) als Bezeichnung der fernsten Welt im Westen sind beliebter Sprachgebrauch Deuterojesajas; zu V. 2 b vgl. Ps 89,15; zu V. 2 a. 3: Ps 50,3; 18,9. 10; zu V. 4 a: Ps 77,19; zu V. 4 b: Ps 77,17; Hab 3,10; zu V. 5 a: Mi 1,4; zu V. 5 b: Mi 4,13; Sach 4,14 u. ö.; zu V. 6 a: Ps 50,6; zu V. 6 b: Jes 40,5; 60,2; 66,18 f.; zu V. 7: Jes 42,17; zu V. 8: Ps 48,12; zu V. 9: Ps 83,19; 47,10; zu V. 11: Ps 112,4; Jes 58,10; zu V. 12 a: Ps 32,11; zu V. 12 b: Ps 30,5. Zeichen der Spätzeit ist

---

[13] Lipiński, a. a. O. 268 f., denkt an die Notzeit unter Antiochus IV. Epiphanes. Aber für eine solche präzise Angabe gibt der Psalm nicht genügend Handhabe.

schließlich, daß der Psalm wieder unbefangen mythisch redet, was die älteren Psalmen unter so großen Mühen bewußt vermieden. Zur Zeit von Ps 97 braucht die „Erhabenheit" Gottes als des „Höchsten" nicht mehr absolut ausgesagt zu werden wie in Ps 47,10, sondern kann unbefangen als „Erhabenheit über die Götter" formuliert werden (V. 9; עלה nif. von Gott nur an diesen beiden Stellen im AT, jeweils in Verbindung mit der Prädikation עליון); das Niederfallen in Anbetung vor Jahwe braucht nicht von den Völkern ausgesagt zu werden wie im Kehrvers von Ps 99 und in der Neudeutung von Ps 29,2 in Ps 96,9, sondern kann (wie sonst nur noch im alten „kanaanäischen" Ps 29,2) unbefangen den Göttern anempfohlen werden (V.7). Die Rede von den Göttern ist problemlos geworden; sie sind machtlose „Nichtse" (V.7), kein Objekt der Auseinandersetzung mit den Nachbarn mehr[14].

2. Weitere Belege

Die im jüngsten Jahwe-König-Psalm erkennbare Tendenz setzt sich in anderen Psalmen aus dem Zeitalter des Hellenismus teilweise fort. Das Königtum Gottes wird dort, wo dies der Fall ist, mehr und mehr eine wesenhaft zukünftige Größe, weil Not und Unrecht im Alltag seine Gegenwärtigkeit weithin verdecken. Zugleich steigert sich die Erwartung des Neuen, das mit seinem vollen Sichtbarwerden anbrechen wird. Für seine gegenwärtige Erfahrbarkeit wird immer mehr auf das Einzelleben verwiesen.

So wird in dem Alphabetakrostichon *Ps 9–10* wie nie zuvor in den von uns behandelten Psalmen der universale Horizont der Begrifflichkeit, die mit dem Königtum Jahwes verbunden ist, mit dem Ergehen des Einzelnen unmittelbar verbunden. Die erfahrene und wieder erhoffte Bewahrung vor Feinden begründet der Beter in seinem anfänglichen Danklied so:

5 Denn du hast meinen Rechtsstreit geführt,
   saßest auf dem Thron als gerechter Richter,
6 hast Völker angegriffen, ließest Frevler verschwinden,
   wischtest ihre Namen aus für immer und ewig.
7 Der Feind – vernichtet sind sie, Trümmerstätten für immer;
   Städte hast du entvölkert, deren Ruhm verschwand.
8 (So) sie – aber Jahwe thront auf ewig,
   hat seinen Thronsitz zum Gericht gefestigt;
9 er richtet den Erdkreis in Gerechtigkeit,
   spricht Urteil den Nationen, wie es ihnen zukommt.

Deutlich wird in V.9 (wie analog auch in Ps 67,5) auf die Abschlußverse der Psalmen 96 und 98 angespielt, was für ihren Bekanntheitsgrad

---

[14] Vgl. insbesondere den (etwa zeitgleichen) Zusatz in Ps 96,5; entfernt auch Ps 95,3.

spricht. Aber sie werden im Kontext völlig anders ausgelegt. Nicht die Erwartung einer neuen Stabilisierung der „schwankenden" Welt, wie sie mit der Befreiung Israels anbrach, verbindet sich mit dem Vers, sondern die Hoffnung auf vernichtendes, verurteilendes Gericht, durch das die Völker (wie frühere politische Mächte) aufgrund ihrer Unrechtstaten ins ewige Vergessen versinken. Trümmer und Entvölkerung (V. 7), Totenreich und verstrickendes Netz (V. 16. 18) sind die Symbole dieses Gerichts, handelt es sich doch um Völker, die „Gottes vergessen" (V. 18 b); der „Angriff" Gottes (V. 6 a) wird mit einem Verb aus der traditionellen Chaoskampfthematik (גער) beschrieben[1]. Nur das Wissen um die Königsherrschaft Jahwes läßt den Beter die bedrückende Besatzungsmacht ertragen: „Jahwe ist König für immer und ewig; die Völker verschwinden aus seinem Land" (10, 16). Er bittet allerdings nicht so sehr um Gottes Gericht, sondern bekennt Jahwe als König, und das heißt eben entscheidend – das Leitwort des Psalms – als gerechten Richter. Er bittet vielmehr primär um die Wende der eigenen Not (Ps 10; vgl. 9, 14 f.), die doch mit der Not Israels untrennbar verbunden ist (V. 19–21). Im individuellen Lebensbereich aber hat er längst selber „Wunder" erfahren, die er „erzählen" kann (V. 2)[2], wie er denn auch jetzt hofft und erbittet, wieder „erzählen" zu dürfen (V. 15). So ist die erfahrene göttliche Hilfe in der Not des Einzelnen wie in Ps 97 Basis und Anhalt für die Hoffnung auf die sich in der Völkerwelt durchsetzende Königsherrschaft Gottes geworden[3].

Innerhalb des Alten Testaments singulär verbindet *Ps 22* individuelles Geschehen und Königtum Gottes. Im Anschluß an ein Danklied (V. 23–27), dessen sachliches Verhältnis zur vorausgehenden Klage (V. 2–22) umstritten[4], für unseren Zusammenhang aber nicht entscheidend wichtig ist, weitet sich dort der Blick so:

28 Wenn sie das bedenken, werden (zu Jahwe) umkehren alle Enden der Erde,
      werden niederfallen vor ihm[5] alle Sippen der Völker;
29 denn Jahwe gehört das Königtum,
      er ist Herrscher über die Völker.

---

[1] Vgl. o. S. 49, Anm. 9 zu Ps 104,7.

[2] Vgl. o. S. 125 zu Ps 96,2 f. Die „Wunder" früheren göttlichen Gerichtes an den Heidenvölkern (V. 6 f.) kann er in Gestalt der „*tôdā* der Heilsvergegenwärtigung" darbieten; vgl. dazu W. Beyerlin, ZAW 79 (1967) 208 ff., bes. 221–23. Dagegen deutet H. Junker, Unité, composition et genre litteraire des Psaumes IX et X, RB 60 (1953) 161–69, die Verse 5 ff. insgesamt als Vorwegnahme des Erhofften.

[3] Anders J. Becker, Israel deutet seine Psalmen, SBS 18 (1966) 61–63, der aber mit seiner vorgeschlagenen kollektiven Deutung des „Ich" im Psalm viele Nuancen des Psalms überhört.

[4] Gunkel z. St. etwa deutet V. 23 ff. als erweitertes Lobgelübde, H. Gese, Psalm 22 und das Neue Testament, ZThK 65 (1968) 1–22 (= Vom Sinai zum Zion, 1974, 180–201), bes. 11, Anm. 17, aus der Situation des Dankgottesdienstes heraus.

[5] Suffix der 3. Pers. mit LXX, Pesch, Vg.

30 Ja, vor ihm werden sich niederwerfen alle Kräftigen der Erde,
    vor ihm sich beugen, die zum Staub herabsteigen.
    Wo einer nicht am Leben blieb,
31 wird die Nachkommenschaft ihm dienen.
    Vom Herrn wird erzählt werden dem Geschlecht, 32 das kommt,
    sein Heilswirken wird man verkünden dem Volk, das noch geboren wird;
    denn er hat es getan![6]

Die (erwartete oder erfahrene) Errettung eines Einzelnen, dessen
Not im Klagelied so umfassend und alle individuelle Erfahrung trans-
zendierend geschildert wird wie sonst kaum in den Psalmen, ist zunächst Anlaß eines üblichen Dankgottesdienstes, bei dem die geladenen
„Brüder" in ihrem teilnehmenden Lobpreis „alle Nachkommen Jakobs,
alle Nachkommen Israels" repräsentieren (V. 24). Aber dann weitet sich
der Kreis ins Unermeßliche, und jetzt ist ohne jeden Zweifel der Blick
in die Zukunft gerichtet. Die im Gottesdienst gefeierte Rettung wird
zum Anlaß der Enthüllung des Königtums Jahwes – das Abstraktum
מלוכה (V. 29) wird nur hier und in Ob 21 im Alten Testament für Gott
verwendet –, indem räumlich alle Völker (V. 28), der Konstitution nach
Starke und Schwache (V. 30 a), zeitlich Lebende, Nachgeborene und
noch Ungeborene (V. 30 b–31) sich vor Gott anbetend niederwerfen
werden[7].
Kein Zweifel: Hier werden alle menschlichen Erfahrungsräume wie
in keinem der bisher behandelten Psalmen durchbrochen[8]. Das Königtum Gottes besteht zwar schon gegenwärtig und seit uran, sagen die
Nominalsätze in V. 29 – hier kommt genuine Tradition der Jahwe-König-Psalmen zur Sprache –; es betrifft nicht nur Israel, sondern alle
Völker (V. 28 b) – das wußte Israel seit alter Zeit und hat die Weise der
Betroffenheit der Völker in seinen nachexilischen Psalmen immer deutlicher dargelegt –; aber: alle Völker werden „zu Jahwe umkehren" (V.
28 a) – das ist nun keine geläufige Psalmenaussage mehr, sondern eine
spät-prophetische Vorstellung (z.B. Jes 19,22), die in V. 30 f. sodann
kombiniert wird mit der auch sonst in individuellen Klage- und Dankliedern üblichen Erwartung, daß die erbetene oder erlebte Rettung aus
Not alle künftigen Generationen angeht (nur daß hier sonst an Israel
gedacht ist: Ps 102,19). Kurz: Alle Welt in aller kommenden Zeit wird

---

[6] Bei den teilweise schwierigen textkritischen Entscheidungen zu den Versen 30 f., insbesondere zu V. 30 b–31 a, folge ich den überzeugenden Argumenten von O. Keel, Bib. 51
(1970) 405–13, die hier nicht wiederholt zu werden brauchen.
[7] Um der Identität des Verhaltens willen wird in V. 28 b wie in V. 30 a bewußt das
gleiche Verb gebraucht.
[8] Freilich nicht durch „apokalyptische Theologie", die Gese (a. a. O. 13) hier nur finden kann, weil er in den Text von V. 30 mit einer Konjektur eingreift („alle, die in der
Erde schlafen").

Jahwe aufgrund dieser Rettung anbeten. Es ist natürlich kein Zufall, daß die Passionsgeschichte Jesu in den ersten beiden Evangelien zur Deutung des Geschehens immer wieder auf Ps 22 zurückgreift[9].

Jedoch steht Ps 22 darin nicht allein, daß auch in anderen Psalmen der alttestamentlichen Spätzeit Jahwes universales Königtum mit der Treue Gottes gegenüber dem schwachen, hinfälligen bzw. in Not geratenen Glied der Gemeinde (Ps 103,19; 146,10) verbunden wird, also nicht nur die Macht, sondern auch die Verläßlichkeit des an Israel gebundenen Weltenherrschers auf diese Weise zum Ausdruck kommt. Nur geschieht das an den hier abschließend zu nennenden Belegstellen nun, ohne daß der Blick der lobenden Gemeinde über die Gegenwart hinaus gerichtet wird. In diesem Zusammenhang ist vor allem mit *Ps 145* ein weiteres Alphabetakrostichon zu erwähnen, das mehr als nur am Rande das Königtum Gottes berührt. Es prägt ein anderes Abstraktum für die Herrschaft Gottes neben der מלוכה (Ps 22,19; Ob 21), das in der alttestamentlichen Wirkungsgeschichte eine bedeutende Rolle spielen sollte: מלכות יהוה (V. 11–13; sonst noch Ps 103,19). Dieses Königtum ist einerseits durch die traditionellen Prädikationen „Hoheit", „Glorie", „Größe", „furchterregende Taten" (V. 5 f. 12) gekennzeichnet, daneben aber durch das Bekenntnis zu Gottes Güte und Erbarmen gegenüber den Schwachen (V. 8 f. 14) und zu seiner Bereitschaft, Gebete zu erhören (V. 18). Die Einzelaussagen des Psalms sind nahezu alle aus älteren Psalmen übernommen. Aber es geht ihm nicht um Originalität, sondern um die Vergewisserung der Gemeinde, daß ihr Herr, der König der Welt für alle Zeiten (V. 13), zu ihr steht, auch in der Not. Das gegenwärtige Wirken Jahwes ist Trost genug, eines Blickes in die Zukunft bedarf es hier ebensowenig wie in den zuvor genannten Psalmen 103 und 146. So zeigen gerade diese Unterschiede zu Ps 9–10 und vielen nach-alttestamentlichen Texten, daß man sich vor einlinigen Pauschalthesen in der Beschreibung des Königtums Gottes auch für die hellenistische Zeit hüten muß. Das Königtum Gottes war zwar immer eine gegenwärtige und zukünftige Größe zugleich, ohne daß doch in jedem Psalm jeweils beides oder gar beides gleichgewichtig ausgesagt werden mußte.

Ähnliches gilt grundsätzlich auch von den Psalmen in frühjüdischer Zeit. Das Material hat dankenswerterweise O. Camponovo jüngst zusammengestellt[10]. An den im 2. Drittel des 1. vorchristlichen Jh.s verfaßten „Psalmen Salo-

---

[9] Vgl. den Nachweis bei Gese, a. a. O. 14 ff.; H. H. Schmid, WuD 11 (1971) 119 ff., bes. 136 ff.

[10] Königtum, Königsherrschaft und Reich Gottes in den frühjüdischen Schriften, OBO 58, Freiburg–Göttingen 1984; vgl. bes. S. 200 ff. zu den Psalmen Salomos und S. 259 ff. zu den Qumran-Schriften. Zu ersteren vgl. auch H. L. Jansen, Die spätjüdische Psalmendichtung ..., SNVAO. HF 1937 No. 3, Oslo 1937; J. Schüpphaus, Die Psalmen Salomos, ALGHL 7, Leiden 1977.

mos", die hier als Beispiel dienen sollen, fällt die Vielfalt der Assoziationen, die sich mit dem Königtum Jahwes verbinden, auf. In Kap. 2 wird die Gerechtigkeit Jahwes als König (2, 30. 32) sowohl im Gericht am Gottesvolk (2, 9 f. 15–18: gemeint ist der Sturz der Hasmonäer) als auch an den Heiden, die den Tempel schändeten (2, 19–21. 26 f.: gemeint ist der Tod des Pompeius) gelobt, also im Rückblick auf jüngst erfahrene Geschichte. In Kap. 5 dagegen ist die Versorgung mit Nahrung in Hungerszeiten primäres Kennzeichen des universalen Königtums Gottes (V. 18 f.), wobei es am Menschen ist, sich mit dem von Gott Geschenkten zufrieden zu geben (V. 3 f.), weil Übermaß zur Schuld führt (V. 16). In Kap. 17 dagegen wird zwar zunächst wieder das Eingreifen des Weltenkönigs (V. 1–3) in die weit und kurz zurückliegende Geschichte gepriesen, jetzt aber nur an dem speziellen Ausschnitt des Königtums (V. 4–6: Davids und der Hasmonäer Königtum im Kontrast) und verbunden mit der Bitte, den gerechten David der Zukunft erstehen zu lassen (V. 21), der nicht etwa Jahwes Königtum ablösen wird (V. 34: Jahwe ist sein König; V. 44: Jahwe schafft das Heil durch den Messias; V. 46: Zitat aus Ex 15, 17: Jahwe bleibt König für immer), sondern vielmehr in Jahwes Namen das Heil verwirklichen wird. Hier nun ist im Unterschied zu Kap. 2 und 5 der Blick in die Zukunft gewendet, und die Bitte um eilige Erfüllung des Gebetes (V. 45) spiegelt die gegenwärtige Not erkennbar wider.

Ergebnis und Folgerungen

1.

1. Die Prädikation Jahwes als König war Israel aus Kanaan vorgegeben. Sie implizierte hier vor allem anderen die Gewißheit, daß der Mensch in einer zwar komplexen, aber geordneten Welt lebt, die in dieser Ordnung vom König der Götter erhalten und bewahrt bleibt. Die Mythen der Kanaanäer versuchen, beides zugleich auszudrücken: die Komplexität aller Welterfahrung durch die Erzählungen von Götterstreit, -neid, -liebe etc., die Ordnung der Welt durch die Erzählungen vom grundlegend-unüberholbaren Sieg des Gottes der Ordnung (Baal) über den Gott der chaotischen Mächte bzw. durch Erzählungen von einer hierarchisch geordneten Götterwelt, in der die niederen Götter nichts ohne das Haupt der Götter (El) zu tun vermögen[1].

Das biblische Israel konnte an dieser Gottesprädikation nicht vorübergehen, da mit ihr das Thema der gehaltenen Welt verbunden war. Hätte es sich einfach auf die eigenen Geschichtstraditionen zurückgezogen, hätte es mit ihnen zwar die eigene Sonderstellung vor Gott, nicht aber die Universalität der Herrschaft Gottes begründen können. Andererseits konnte Israel die kanaanäische Gottesprädikation nicht übernehmen, ohne sie tiefgreifend zu verändern, weil es von seinen eigenen Traditionen her weder die Entmachtung des Chaos durch Jahwe als Sieg im Götterkampf beschreiben noch die Vielfalt seiner Welterfahrung mit einer analogen Vielfalt der Götterwelt begründen konnte. Vielmehr mußte es letztlich das mythische Königtum Gottes mit seinen eigenen Heilserfahrungen begründen, um es als Königtum Jahwes preisen zu können, mußte also mit partikularen Geschichtserfahrungen die universale Herrschaft Jahwes belegen. Mit dieser notwendigen Übernahme bei gleicherweise notwendiger Auseinandersetzung hängt zusammen, daß das Thema des Königtums Gottes in den Psalmen – und weit über sie hinaus – im Laufe der Geschichte Israels so vielfältige Wandlungen erfuhr. Es konnte – polemisch – als Königtum über die Götter, aber auch als Königtum über die Welt, über die Völker, über Israel und schließlich über den einzelnen ausgelegt werden; es konnte als

---

[1] Ein königlicher Herrschaftsbereich kann dabei in Ugarit auch weiteren Göttern zugesprochen werden, die andernorts als Baal bzw. El untergeordnet erscheinen; vgl. o. S. 100.

Zustand wie als Ereignis beschrieben werden und im letzteren Fall als Ereignis sowohl der vergangenen Geschichte als auch der gegenwärtigen Erfahrung (im Kult) als auch der Hoffnung auf zukünftige Vollendung. Es wurde vor allem immer bewußter mit Gegenerfahrungen konfrontiert, die ihm scheinbar widersprachen. Es behielt bei dem allen sein Gewicht vor allem darin, daß es Israel nötigte, die Welt und die Völker nicht zu vergessen, wenn es von Gott sprach, ihn lobte und ihn im Gebet anredete.

2. Die Auseinandersetzung um das Verständnis des Königtums Gottes nahm Israel in seinen Psalmen sehr früh in Angriff. Es sind meiner Überzeugung nach die ältesten Hymnen des Alten Testaments, in denen sich dieser Prozeß vollzieht, obwohl eine solche Annahme mit einem hohen Grad an Unsicherheit belastet ist, da die Urgestalt der frühen Hymnen (Rahmenpsalm in Dtn 33; Ps 29.68.93) erst rekonstruiert werden muß. Durch den Zusatz teilweise nur eines einzelnen Wortes (Ps 93,5), teilweise eines einzelnen Verses (Dtn 33,4), teilweise aber auch ganzer Strophen (Ps 68) wurden die alten Hymnen für den späteren Gottesdienst aktualisiert. Mit Ausnahme von Ps 93 stammen diese ältesten Hymnen aus dem Gebiet des Nordreichs Israel. Das ist insofern kaum zufällig, als die für Israel theologisch entscheidenden, aber mythologisch besonders problematischen Aussagen der Kanaanäer zum Königtum Gottes der Baaltradition entstammen, mit der Israel wesentlich im Norden seines Gebietes in Berührung kam.

3. Die Auseinandersetzung vollzog sich auf zwei verschiedene Weisen, denen zwei unterschiedliche Formen von Hymnen entsprechen, die auch in der Spätzeit für die Abfassung neuer Psalmen Verwendung fanden. Nur eine dieser beiden Formen, die D. Michel als „Themapsalmen" (Ps 93.97.99) bezeichnet hat, ist als eigenständige Fügung anzusprechen. Die andere, Ps 47.95.96.98 bestimmende Form ist nur eine Abwandlung des in Israel üblichen imperativischen Hymnus; sie setzt die erstgenannte Form aber vermutlich schon voraus. Die Abwandlung des geläufigen imperativischen Hymnus geschieht nämlich durch den Gebrauch nominaler Zustandssätze (Ps 47,3.8.10b; Ps 95,3–5.7a; 96,4.6), die den gattungstypischen „erzählenden" Verbalsätzen vorangestellt werden, und ebendiese Nominalsätze prägen die erstgenannte Form[2]. Erhärtet wird diese Vermutung durch die Beobachtung, daß es sich inhaltlich bei den Nominalsätzen beider Formen um Aussagen handelt, die dem (kanaanäischen) Mythos entstammen. Schematisiert

---

[2] Am nächsten verwandt ist dieser Gestalt abgewandelter imperativischer Hymnen kaum zufällig eine andere Gruppe der Jerusalemer Festpsalmen: die Zionpsalmen, die ebenfalls mit Nominalsätzen einsetzen, um sie dann verbal zu explizieren; vgl. den Anhang u. S. 173 ff.

ausgedrückt – und ohne den Anspruch, eine im strengen Sinne geschichtliche Reihenfolge zu bezeichnen[3] –, fand die Auseinandersetzung mit dem Mythos der Kanaanäer also formal in zwei Stadien statt: in der Umprägung des Mythos zu Zustandssätzen und in der Verbindung solcher Zustandssätze mythischen Inhalts mit Verbalsätzen geschichtlichen Inhalts. Es bedurfte einer Wegstrecke von vielen Jahrhunderten, bis ein einzelner Psalm (Ps 98) noch weiter ging und Jahwes Königtum ausschließlich verbal, d. h. rein geschichtlich zu explizieren versuchte.

4. In der Gruppe der „Themapsalmen" wird der (sogleich noch näher zu betrachtende) Huldigungsruf יהוה מלך („Es ist Jahwe, der als König herrscht") in Strophen entfaltet, die je für sich auf eine neutrale Schilderung des Königtums Jahwes unmittelbare Gebetsanrede folgen lassen, so daß in Ps 93 eine zweifache, in Ps 99 sogar eine dreifache Abfolge der beiden Sprechrichtungen erfolgt (im jüngsten Beleg Ps 97 gilt dies aufgrund von Formmischungen nur noch für die Mittelstrophe).

a) Charakteristisch für den ältesten Psalm dieser Gruppe (Ps 93) ist, daß er sich auf die überlieferte Thematik der kanaanäischen Mythen beschränkt, sie aber in Satzformen überführt, die ausschließlich Zuständliches, bleibend Gültiges, Unveränderliches aussagen. Wo die kanaanäischen Mythen erzählten, wie Baal in einem urzeitlichen Kampf den Meeresgott Jamm besiegte und als Sieger den neuerbauten Palast auf dem Götterberg bestieg (und wo vermutlich die Wahrheit dieser Erzählungen in ihrer rituellen Vergegenwärtigung während des Neujahrsfestes für die Kultteilnehmer neu erfahrbar wurde), da sagt Israel nun, daß die Festigkeit der Welt auf der Unerschütterlichkeit der Herrschaft Jahwes beruht, die „von uran ... für die Dauer der Tage" besteht. Sie ist näherhin dadurch ausgezeichnet, daß Jahwes himmlischer Thron inmitten des Gottesvolkes auf dem Zion steht, so daß das Gottesvolk vor allen Gefahren geschützt ist und der Davidide auf dem Zion Gott vertreten darf.

b) In den Vorgang dieser Umformulierung gewährt Ps 29 noch Einblick, der unmittelbarer als alle anderen Psalmen kanaanäisches Traditionsgut übernimmt und noch nicht wie Ps 93 begrifflich vom Königtum Jahwes „von uran" spricht. Das Lob der machtvollen Donnerstimme des Wettergottes, die die Welt erschüttert, Kämpfe entscheidet, Gedeihen und Vernichtung bringt und daher wesentliches Merkmal der Weltherrschaft ist, war Israel im Baal-Hymnus offensichtlich schon vorgegeben. Israel hat diese übernommenen Sätze auf doppelte Weise sachlich umklammert und so ihr Verständnis gesichert: Es hat zum ei-

---

[3] Unter den erhaltenen Psalmen gehört der m. E. älteste (der Rahmenpsalm in Dtn 33) gerade der zweiten Gruppe an.

nen Gottes Stimme und Gottes Herrschaft scheinbar lokalisiert („über den Wassern", „über der Flut"), faktisch damit aber die Tradition vom Chaoskampf, wie sie als mythische Erzählung Baals Königtum begründete, ihres Handlungscharakters entkleidet und sozusagen auf den Begriff gebracht; es hat zum anderen (später) ein anfängliches Gloria in excelsis, gepaart mit einer abschließenden Bitte um Heil für Israel, hinzugefügt. Die erste, innere Klammer verdeutlicht, daß Israel von Gottes Macht nur sprechen kann im Kontext der ständig vor Unheil bewahrten, gehaltenen Welt; die zweite, äußere Klammer erweist, daß für Israel Erfahrungen in Natur, Kosmos und Geschichte als Erfahrungen der Macht des einen Gottes unlöslich zusammengehören und daß es dieser Gott ist, der im Himmel gelobt wird und zugleich im irdischen Tempel gegenwärtig ist.

c) War einmal der Chaoskampfmythos als zeitlos gültige Wahrheit zuständlich aussagbar geworden, war diese Wahrheit nicht mehr zwingend an den Tempelgottesdienst gebunden. Das zeigt der sehr viel jüngere Ps 104, in dessen Anfangsversen weisheitliche Theologie die Festigkeit und Sinnhaftigkeit der Welt preist. Im Unterschied zu Ps 93 wird eine Gefährdung der von Gott geschaffenen Welt nirgends erkennbar, soweit sie nicht der Bosheit des menschlichen Herzens entspringt. Die Welt ist nicht nur ständig von der Fürsorge Gottes durchwaltet, sondern von Anbeginn so erstellt, daß Unheil von außen sie gar nicht treffen kann.

5. Neue Dimensionen der Gottesaussagen öffneten sich Israel, als es – in der zweiten Form, die den geläufigen imperativischen Hymnus abwandelt – wagte, Gottes universale Herrschaft mit partikularer Geschichtserfahrung zu begründen. Jetzt konnten die im imperativischen Hymnus ungewöhnlichen, der ersten Form entstammenden Nominalsätze über Gottes universales Königtum verbunden werden mit gattungstypischen Verbalsätzen; jetzt konnte Israel wieder erzählen, was es in den Hymnen der ersten Form so bewußt vermied; jetzt konnten solche Erzählungen auch kultdramatisch vergegenwärtigt werden bzw. später die Erwartung künftiger Vollendung aus sich entlassen. Indem geschichtliche Ereignisse als Begründung der universalen Gottesherrschaft verwendet wurden, erfuhr Israels Geschichtsauffassung eine tiefgreifende Wandlung: Geschichte verlor den Charakter der Partikularität und Kontingenz; die wesentlichen Geschichtserfahrungen nahmen statt dessen den Charakter urzeitlicher, universalgültiger und unüberholbarer Geschehnisse an, wie sie Gottes Wesen für alle Menschheit verbindlich widerspiegeln.

a) Der älteste (und wohl einzige vorexilische) Psalm dieser Gruppe (Ps 47) begründet Jahwes universales Königtum mit der Landgabe und der bei ihr erfolgten Unterwerfung der Völker. Damit ist der Herr der

Welt zum Herrn der Weltgeschichte geworden. Die Völker nehmen die Rolle des Chaos ein, insofern sie Gottes Pläne mit seinem Volke behindern; sie sind gleichzeitig aber zur Anerkenntnis ihres neuen Oberherrn gerufen und werden, soweit sie dem folgen, in den Ehrennamen „Volk des Gottes Abrahams" einbezogen. Traditionen der Jahwekriege aus der Frühzeit übernehmen die Funktion des Chaoskampfmythos, die Wahl des Zion als Herrschaftsort tritt an die Stelle der Errichtung des kosmischen Palastes für den Sieger im Chaoskampf. Das so verstandene universalgeschichtliche Königtum Gottes kann nun auch kultdramatisch mit einer Ladeprozession vergegenwärtigt werden, weil es einen geschichtlichen Anfang hat (obwohl die anfänglichen Nominalsätze klarlegen, daß mit der Wahl des Zion nicht das Königtum Gottes als solches beginnt).

b) Die Vorgeschichte einer solchen Verbindung von Geschichte und Mythos im Lob Jahwes als König führt wiederum ins Nordreich. Das zeigt der mit Ps 47 eng verwandte Ps 68; seine noch erkennbaren Wachstumsspuren weisen ihn als einen ursprünglichen Nordreichspsalm aus, der seinerseits eine sehr enge Parallele im (vermutlich noch auf die Richterzeit zurückgehenden) Rahmenpsalm von Dtn 33 findet. Dtn 33 wie Ps 68* füllen die mythische Prädikation Baals als (mit Gewitterwaffen kämpfender und Fruchtbarkeit spendender) „Wolkenfahrer" bei der Übertragung auf Jahwe mit geschichtlichem Inhalt, ohne ihr doch den universalen Horizont zu nehmen: Der König Jahwe ist „Himmelsfahrer", um Israel in der Not gegen feindliche Völker zu helfen (Dtn 33,26) und ihm Anteil an seiner Macht zu geben (Ps 68,34–36); er ist zugleich „Wüstenfahrer" (Ps 68,5), weil er zu Israels Rettung und Bewahrung von seinem Wohnort in der Wüste erscheint; die Kriegswagen führen schließlich zum Ziel der Begegnung des siegreichen Gottes mit der feiernden Gemeinde (Ps 68,18; vgl. Dtn 33,5). – In der Frühform von Dtn 33 ist das Königtum Jahwes noch nicht wie später unlöslich mit dem Tempel verbunden; das Heiligtum ist noch nicht als ständiger Wohnort Gottes verstanden. Vielmehr erscheint Jahwe jeweils von der Wüste her als „der (Herr) vom Sinai" (Dtn 33,2; Ps 68,9.18), begleitet von unzähligem himmlischen Gefolge als äußeres Merkmal des Königtums (Dtn 33,2f.; Ps 68,18). Im Unterschied zu den Jerusalemer Psalmen, aber der Traditionsentwicklung aus dem Titel „Wolkenfahrer" entsprechend, ist in beiden Psalmen neben dem siegreichen kämpferischen Einsatz Jahwes für Israel die Gabe der Fruchtbarkeit des Landes hervorgehoben (Dtn 33,28; Ps 68,9–11). Umgekehrt spielen die Völker noch keine programmatische Rolle als Verkörperung des Chaos wie in Ps 47 (und auch in der Endgestalt von Ps 68; vgl. V.31 einerseits, V.33a andererseits); sie begegnen nur als geschichtliche Gegner Israels (und potentielle Feinde für die Zukunft).

Jahwe läßt sein Volk im geschenkten Land sicher wohnen: das ist die primäre Auswirkung seines Königtums. Der Sinai als Ausgangsort des Kommens Jahwes verbürgt für Israel die erneute Erfahrung von göttlichen Machttaten wie einst in seiner Frühgeschichte.

c) Demgegenüber setzt das berühmte Meerlied des Mose in Ex 15 Psalmen wie Ps 47 oder 68 offensichtlich schon voraus. Das wird außer an der Begrifflichkeit vor allem daran deutlich, daß einzig in Ex 15 das Königtum Jahwes nicht mit der Besiegung der Völker bei der Landgabe, sondern mit Jahwes Sieg über den Pharao am Schilfmeer begründet wird. Damit verbunden treten andere Änderungen auf. Jahwe kämpft in einem Zweikampf mit dem Pharao, an dem Israel nur als Objekt der Begierde des Pharao beteiligt ist und der doch nur um Israels willen stattfindet; er führt zu einem so totalen Sieg Jahwes, daß spätere Feinde beim bloßen Anblick Israels von panischem Schrecken ergriffen werden. Ein Kampf vor und während der Landnahme findet auch darum nicht statt, weil die Landnahme nichts anderes ist als die Heimholung Israels an Jahwes Wohnstatt auf dem Zion, dem von Gott selbst gegründeten Gottesberg, wo es künftig vor aller Gefahr gesichert leben darf. Die Weltgeschichte ist auf die beiden Akte Sieg Gottes und „Einpflanzung" Israels am Gottesberg reduziert, eine gewagte Neudeutung des Baalmythos vom Sieg Baals über Jamm mit anschließendem Palastbau für den Götterkönig. Mythos und Geschichte sind eine schlechterdings unlösliche Verbindung eingegangen. Von einem Festgeschehen ist im Unterschied zu Ps 47 und 68 in Ex 15 nichts mehr erkennbar.

6. Mit dem Untergang des Nordreichs, der prophetischen Verkündigung im Zeitalter Jeremias und vor allem der Exilserfahrung Judas wandelt sich das Verständnis des Königtums Jahwes entscheidend. Die beiden Formen, in denen es zuvor gerühmt wurde, beeinflussen sich ab jetzt gegenseitig und nähern sich einander an.

a) In den Psalmen 95 und 99 rücken die Völker in den Hintergrund (99,1–3) oder werden gar nicht mehr genannt. In Ps 95 treten die Götter wieder an ihre Stelle, aber nicht, um zur mythischen Thematik der Anfänge zurückzukehren, sondern um ihre totale Entmachtung anzusagen. Erstmals tritt auch die Schöpfungsthematik auf, die in Ps 95 wie auch sonst in den Jahwe-König-Psalmen ganz der Götterpolemik dient und nie – das ist in der Forschung fast stets übersehen worden – eine eigengewichtige Rolle spielt. Eine Gefährdung Israels geht allerdings weder von Völkern noch von Göttern noch von „Meerestiefen" aus; sie sind allesamt fest in Jahwes Hand. Die Gefahr des einbrechenden Chaos wird in einem ganz neuen Bereich entdeckt: Wenn Israel sein „Heute" verfehlt und sich der „Stimme Jahwes" (die mit Ps 29 nur noch den Namen gemein hat) verschließt, verspielt es seine Erwählung und sein Land (Ps 95). Allerdings hat ihm Jahwe über die besondere Gabe seines Rechtswillens hinaus noch ein weiteres unschätzbar wertvolles Vorrecht vor den Völkern geschenkt: die Institution des Notschreies durch die bevollmächtigten Priester und Propheten, wenn es sich verschuldet; Jahwe will hören und Schuld vergeben. Noch nicht die Verschuldung als solche gefährdet Israels Gottesverhältnis, sondern erst das Unterlassen des Notschreies (Ps 99).

b) Ungleich hellere Töne prägen die beiden Psalmen, die die Botschaft des großen Exilspropheten Deuterojesaja aktualisieren (Ps 96. 98). Die Rückkehr Israels aus dem Exil wird als das vom Propheten vorangekündigte große „Wunder" gepriesen, das im Angesicht der Weltöffentlichkeit geschah und zum Anbruch einer neuen Ordnung und Gerechtigkeit innerhalb der Völkerwelt (in Gestalt der Perserherrschaft) geführt hat. In der Vollendung dieser Ordnung wird das Königtum Jahwes offen zutage treten (Ps 98), und es ist Israels Aufgabe, im vorwegnehmenden Lob die Völker darauf vorzubereiten und zum Einstimmen in das Lob sowie zu seinem Festgottesdienst einzuladen. Sie werden darüber der Machtlosigkeit der eigenen Götter gewahr werden (Ps 96).

7. Eine ganz andere Grundstimmung beherrscht die Psalmen des hellenistischen Zeitalters. Erstmals wird das Königtum Jahwes in einigen Psalmen eine zukünftige Größe im strengen Sinne, die den politischen Erfahrungen von Unrecht und Gewaltherrschaft entgegengesetzt wird. Gegenwärtige Realität ist das Königtum Jahwes nur noch im Leben der Einzelnen, die, soweit sie sich treu an Jahwe halten, durch seine Güte vor allem Unheil bewahrt werden (Ps 97). Aber das jetzt weithin verborgene Königtum Jahwes und mit ihm Recht und Gerechtigkeit werden in einem urplötzlichen Eingreifen Jahwes unter dem (schon heute vorweggenommenen) Jubel Israels und der ganzen Welt offenbar werden, und mit der Beseitigung der Gewaltherrschaft wird dann das Anbeten von Götzen für immer ein Ende haben. – Es gibt freilich daneben Psalmen, für die die gegenwärtige Erfahrung der göttlichen Güte im Einzelleben, verbunden mit der Erinnerung an seine Großtaten in der Vergangenheit, einziger Gegenstand des Lobes bleibt (z. B. Ps 145). – Für die späte Redaktion einiger Psalmen zeigt sich Jahwes Königtum wesenhaft in der Gabe des „Gesetzes", dessen Bewahrung daher wesentlicher als alle gegenwärtige Not ist (vgl. Dtn 33,4 sowie die Endgestalt von Ps 93,5 und 99,7).

2.

Die Jahwe-König-Psalmen haben aller Wahrscheinlichkeit nach zu den *Jerusalemer Festpsalmen* gehört. Allein schon die formale und sachliche Nähe zu den Zionspsalmen sowie die unverwechselbar spezifisch jerusalemische Prägung ihres Inhalts legen diese Annahme nahe. Jedoch fehlt auffälligerweise in allen Psalmen – vielleicht mit Ausnahme des ursprünglichen Sinnes von Ps 93,5 a – ein Hinweis auf den irdischen König. Der These eines „königlichen Zionsfestes" (Kraus) ist diese Tatsache wenig günstig.

1. Nähere Angaben lassen sich der Gruppe der imperativischen Hymnen entnehmen, weil sie Ereignisse des Festgeschehens schildern. S. Mowinckel wird mit seiner Annahme Recht haben, daß die Psalmen am Hauptfest Jerusalems, dem Herbst- und Laubhüttenfest gesungen wurden. Den unmittelbarsten Hinweis bietet Ps 81, der von Ps 95 formgeschichtlich nicht getrennt werden kann, mit seiner Nennung von „Neumond" und „Vollmond" während „der Zeit unseres Festes" (V. 4); vierzehntägige Dauer und der absolute Gebrauch von „dem Fest" deuten zwingend auf das Herbstfest hin. Aber auch Einzelangaben späterer Tradition unterstützen die Annahme wie etwa der bekannte Verweis auf die Tempelweihe nach dem Exil in der Überschrift der LXX zu Ps 96[4]. Mit der Feier der Tempelweihe hängt der in Ps 47 und 68 beschriebene „Aufstieg" Jahwes und seiner Lade unlöslich zusammen, wurde doch die Lade nach 1 Kön 8,2 f. (par. 2 Chr 5,3 f.) anläßlich des Herbstfestes in den Jerusalemer Tempel „hinaufgeführt".

Von dem Festgeschehen selber wissen wir weit weniger, als Mowinckel und viele seiner Nachfolger zugeben wollten. Im Mittelpunkt stand neben einer Vielfalt von Gesang und Musikinstrumenten (Ps 68,26 f.; 81,3; 98,4–6) ein von Hörnerschall (Ps 47,6; 81,4) begleiteter „Festjubel" (תרועה), der wohl primär mit der Ladeprozession verbunden war (Ps 47,6), wie er denn zuvor bei der Ankunft der Lade im Kriegslager (1 Sam 4,5 f.) und bei ihrem Einzug in Jerusalem (2 Sam 6,15) erklungen war und später bei der Grundsteinlegung des zweiten Tempels (Esr 3,12 f.) erklang. Offensichtlich sind die Psalmen, die zum Einstimmen in solchen Jubel auffordern (הריעו Ps 47,2; 66,1; 81,2; 98,4.6; 100,1; Kohortativ Ps 95,1 f.), ausnahmslos von Haus aus Psalmen des Herbstfestes gewesen. Im übrigen erfahren wir Einzelheiten insbesondere aus dem ausführlichsten Psalm, Ps 68, der allerdings manche Züge enthält – etwa die Siegesorakel oder den Tribut von Völkern –, die in den anderen vorexilischen Psalmen unserer Gruppe nicht begegnen (es sei denn, Dtn 33,27 sei als Orakel zu deuten), von den späteren ganz zu schweigen; man kann seine Aussagen also nur bedingt für den vorexilischen Gottesdienst Jerusalems verallgemeinern. Er führt den term. techn. „Prozession" (הליכות) ein und beschreibt die Gruppie-

---

[4] Ps 29 gehörte nach der LXX an den Ausgang des Laubhüttenfestes. Nach Sach 14,16–19 werden die Völker Jahwe am Laubhüttenfest als König verehren.

rungen teilnehmender Sänger, Lautenspieler, Tamburin schlagender Frauen und Chöre genau (V. 25-27). Er zeigt, wie die Ideale des alten Stämmebundes lebendig blieben, indem Repräsentanten der Stämme den Festzug bildeten (V. 28; vgl. Dtn 33, 5); aus Ps 47, 10 erfahren wir zusätzlich von der Teilnahme Abgesandter der Nachbarstaaten. Wo er auf den Höhepunkt des Festgeschehens, den „Aufstieg" Jahwes mit seiner Lade, zu sprechen kommt – den Ps 47 als Auslegung des altjerusalemischen Gottestitels des „Höchsten" (עליון V. 3; vgl. V. 10) beschreibt –, verdeutlicht er, wie für den Kultteilnehmer in diesem Erleben Sinai, Zion und Himmel sowie Vergangenheit, Gegenwart und Zukunft ineinanderfließen. Wie immer die Ankunft Jahwes mit seinen unzähligen Kriegswagen, wie immer sein „Aufstieg" unter Mitführung von Gefangenen, wie immer der Empfang von Tribut (V. 18 f.) kultdramatisch vergegenwärtigt wurden: Mit der Ankunft der Kriegswagen war der „Wüstenfahrer" anwesend, dessen Einsatz für Schwache Israel in der Frühzeit seiner Geschichte vielfältig erfahren hatte (V. 5-7) und der als „der (Herr) vom Sinai" ihm sein Land und fruchtbaren Regen geschenkt hatte (V. 8-11), gleichzeitig aber auch der „Himmelsfahrer", der über den Wolken jetzt und künftig Herr aller Völker war und ihr Geschick entschied (V. 33-36); mit der Vorführung der Gefangenen und der Überreichung von Tribut waren die großen Siege der Vergangenheit (V. 12-15) ebenso gegenwärtig erfahrbar wie die noch ausstehenden künftigen (V. 20-24). Beide, vergangene wie zukünftige Siege, waren verbunden durch Siegesorakel, die beim Festgeschehen zitiert bzw. erstmals gesprochen wurden (V. 12-14. 23 f.). So machten die Kultteilnehmer im Tempelbereich Vergangenheits- und Zukunftserfahrungen gleichzeitig. Der Festgottesdienst nach Art von Ps 68 vermittelte zuallererst Siegesgewißheit. Insofern konnten die Psalmen gleichzeitig mit „historischem" und mit „eschatologischem" Inhalt gefüllt sein. Der künftige Sieg, um den in Ps 68 gebetet wird (V. 29-32), ist schon im Kult vorweg erfahren worden. Freilich gilt umgekehrt, daß die kultisch vorweggenommene Zukunft auch im Raum der Geschichte erfahrbar werden will und muß; von daher werden die mit der kultischen Feier unvereinbaren Gegenerfahrungen mit fortschreitender Zeit ein immer gewichtigeres Problem. Der Zusammenhang zwischen partikularer Geschichtserfahrung der Frühzeit und universaler Herrschaft Gottes, wie sie im Hymnus bekannt und in ihren Auswirkungen für die Zukunft erwartet werden, läßt sich aber ohne die kultische Dimension, d. h. ohne sakramentale Vergegenwärtigung in Wort und Tat am Fest und im Heiligtum, das deshalb immer wieder genannt wird (V. 6. 16-19. 25. 30. 36), nicht darstellen.

Spätestens ab dem Exil, vermutlich noch früher, konnte dann aber wie in Ps 95 eine levitische Predigt an die Stelle des Lade-„Aufzugs" treten, und den späteren Psalmen ist ein Fest-„Drama" im Sinne der Psalmen 47 und 68 nirgends mehr abzuspüren. Was hätte auch die verlorene Lade ersetzen sollen?

Von den fünf „Kultmythen", die S. Mowinckel seiner Rekonstruktion des vorexilischen Thronbesteigungsfestes zugrundelegte[5], hält damit nur ein einziger kritischer Nachprüfung stand. In Mowinckels „Schöpfungs- und Drachenkampfmythus" fließen zwei Themen zusammen, die in den Jahwe-König-Psalmen stets getrennt werden. Schöpfungsterminologie fehlt in den älteren Psalmen (Ausnahme: Ps 24,1 f.; vgl. u. S. 162 f.) völlig, begegnet überhaupt erst ab dem Exil (vgl. Ps 74,12 ff.; 89,6 ff.; dazu o. S. 28 f.), in den Jahwe-König-Psalmen ständig verbunden mit Fremdgötterpolemik (Ps 95,3; 96,4.5; 97,7.9), die ihrerseits in den Psalmen auch nicht früher belegt ist – im Unterschied zu frühen Aussagen zur Erhabenheit Jahwes über alle Götter und seiner Unvergleichlichkeit (Dtn 33,2; Ps 29,1 f.; Ex 15,11 u. ö.). „Königtum und Schöpfung gehören demnach kaum ursprünglich zusammen"[6]. Der „Drachenkampfmythus" aber ist in den Jahwe-König-Psalmen ins nominal Zuständliche umformuliert worden, wurde also gerade bewußt nicht kultdramatisch vergegenwärtigt. Vom „Götterkampfmythus" war soeben schon die Rede. Der „Auszugsmythus" ist innerhalb unserer Psalmengruppe ganz auf Ex 15 beschränkt, und dieses in vielerlei Hinsicht exzeptionelle Kapitel zeigt nirgends Spuren eines kultischen Gebrauchs beim Fest. Der „Völkerkampfmythus" ist das Spezifikum der Zionpsalmen; seine Entstehung versucht der Anhang (u. S. 173 ff.) zu erhellen. Der „Gerichtsmythus" endlich ist ausschließlich Thema der nachexilischen Psalmen unserer Gruppe und hat mit einem Festgeschehen unmittelbar nichts zu tun (vgl. o. S. 129 f.). So bleiben die „mythisch-epischen" Erzählungen von der Rettung aus Not für eine kultdramatische Vergegenwärtigung im Zusammenhang der Lade-Prozession. Die Kämpfe bei der Landgabe standen hierbei im Mittelpunkt (Dtn 33,27–29; Ps 47,4 f. u. ö.). – Erwähnt sei abschließend, daß jahreszeitliche Elemente, die für den Charakter des Festes als Neujahrsfest konstitutiv wären, weithin fehlen, sieht man einmal ab von Beschreibungen des fruchtbaren Landes in frühen Psalmen (Dtn 33,28; Ps 68,10 f.) und vom Lob der Fürsorge Jahwes in späten Belegen (Ps 145,15 f.; PsSal 5).

2. Läßt sich eine spezielle Funktion am Fest auch für die sog. „Themapsalmen" wahrscheinlich machen, die ja nun gerade kein Ereignis schildern? Hier hängt Entscheidendes an der Deutung des „Thema"-Rufes יהוה מלך.

Eine Auffassung als Verbalsatz, der ein Ereignis im Vollzug schildert, ist ausgeschlossen, da in Ps 99 und 97 Nominalsätze als Explikation erscheinen

---

[5] Ps.-Studien II 45 ff. Seinen „Mythus"-Begriff definiert er auf S. 45.

[6] Schmidt, Königtum Gottes 77; ähnlich Gray, Biblical Doctrine 19. Vgl. schon O. Eißfeldt, Jahwe als König (1928), Kl. Schr. I (1962) 191: „Die Verbindung der Vorstellung von Jahwe als König mit dem Schöpfungsgedanken findet sich erst in Stellen, die ... nachexilischer Zeit entstammen." Von einer Wiederholung der Schöpfung im Zusammenhang der Feier des Königtums Jahwes kann somit keine Rede sein. Auf das Verhältnis Schöpfung – Chaoskampf ist sogleich noch näher einzugehen (u. S. 162 f.).

(99,1b–2; 97,2) und in Ps 93 weitere Sätze im x-qatal, die auf verblose Nominalsätze hinauslaufen (V. 1 a. 2). Vielmehr entspricht der Ruf יהוה מלך der analogen Fügung יהוה... ישב „Jahwe thront (über der Flut)" in Ps 29,10, die ihrerseits den Nominalsatz „Jahwe über gewaltigen Wassern" aus V. 3 auslegt. Es bewährt sich also die häufig vermutete sachliche Differenz zwischen den Verbalsätzen im qatal-x: מלך אלהים (Ps 47,9) und im x-qatal: יהוה מלך[7]. Bei dieser Differenz geht es um mehr als nur um eine Frage der Betonung, wie schon 1954 J. Ridderbos in seiner Kritik an L. Köhler herausgestellt hat[8], so gewiß die Voranstellung des Gottesnamens Jahwe bei dem Thema des Königtums immer auch mit religionspolemischem Unterton gelesen und gehört wurde. יהוה מלך bezeichnet vielmehr als Stativ einen dauerhaften Zustand – freilich voll dynamischer Potenz –, wie es der analoge Nominalsatz *dMarduk-ma šarru* („Marduk ist König") in *enūma eliš* IV, 28 und in Ugarit der Satz *jm.lmt.b'lm.jml(k)* („Jamm ist wahrlich tot, Baal ist König!" (UT 68, 32) auch tun, wobei in beiden Paralleltexten der jeweilige Gottesname zusätzlich – durch ein enklitisches -*ma* – hervorgehoben wird. Eine ingressive Bedeutung, die das Denominativum מלך an sich durchaus haben kann[9], ist vom Kontext der betreffenden Psalmen her nirgends nahegelegt. Sie könnte allenfalls dann vermutet werden, wenn sich aus *außerhalb* der Psalmen selber liegenden Gründen wahrscheinlich machen ließe, daß die Psalmen sich auf einen soeben vollzogenen Kultakt zurückbezögen, d. h. einen Zustand beschreiben wollten, wie er sich aus einer vorausliegenden, in den Psalmen selber nicht beschriebenen Handlung ergeben hätte. Aber selbst in einem solchen Falle müßte man eigentlich erwarten, daß die Auslegung des „Themas" im folgenden Psalm diesen dynamischen Hintergrund widerspiegeln würde.

So stellt sich die formgeschichtliche Frage nach der Funktion des Zustandssatzes יהוה מלך. Michel und in seinem Gefolge Lipiński haben im Kontext des Königtums mit Recht unterschieden zwischen a) Investiturformeln, b) Akklamations- und c) Proklamationsrufen; Lipiński hat darüber hinaus d) Huldigungsrufe („formules d'hommage") und e) Be-

---

[7] Bes. stark hervorgehoben von Kraus, Königsherrschaft Gottes 3 ff.; Psalmen I, BK XV/1 (⁵1978) 99 ff. – Im jüngsten Psalm der Gruppe der „Thema-Psalmen" und aller Jahwe-König-Psalmen – Ps 97 – verschwimmt diese Differenz allerdings, insofern die anfänglichen Nominalsätze (V.2) in künstlicher Steigerung von invertierten Verbalsätzen im Imperfekt (x-jiqtol, V. 3) und sodann von reinen Verbalsätzen im Perfekt (V. 4.6) fortgesetzt werden.

[8] L. Köhler, VT 3 (1953) 188 f.; J. Ridderbos, VT 4 (1954) 87–89; ähnlich wie letzterer: D. Michel, VT 6 (1956) 40–68, bes. 49 ff.; A. Gelston, VT 16 (1966) 507–12; J. A. Soggin, Proceedings of the 5th World Congress of Jewish Studies (1969) 126–33, bes. 131 f.; P. Welten, VT 32 (1982) 297–310, bes. 307–09; K. Seybold, ThWAT IV 952; anders E. Lipiński, Bib. 44 (1963) 453 ff.; H. Cazelles, Art. Nouvelle An, DBS VI 632 f.; zuletzt J. H. Ulrichsen, VT 27 (1977) 361–74, bes. 369 ff.; Gray, Biblical Doctrine 20 ff. Während der Königszeit Israels kann man vielleicht mit F. Stolz, WuD 15 (1979) 21, zwischen „Vorgang" (qatal-x) und „Summe dieses Vorgangs" (x-qatal) unterscheiden, so daß in Ps 93,1 (vgl. 99,1) mit *Jhwh mālak* der über der Lade präsente Jahwe gepriesen wäre.

[9] Gegen Michel, a.a.O. 52 ff., mit Eißfeldt, a.a.O. 189; Ulrichsen, a.a.O. 363 ff.

kenntnisformulierungen („formules de profession de fidélité") als eigene Kategorien eingeführt[10]. Investiturformeln fallen als Erklärungsmöglichkeit sogleich aus, da sie stets in der Anrede gehalten sind („Richter Strom, du bist König ..." etc.). Entsprechendes gilt von den Bekenntnisformulierungen, bei denen die Sprecher die 1. Pers. pl. gebrauchen („Baal ist unser König" etc.). Dagegen ist eine reinliche Scheidung zwischen den Möglichkeiten b–d nicht durchführbar. Der Unterschied zwischen Akklamation und Huldigung besteht wesenhaft darin, daß erstere unmittelbar auf den Vorgang der Inthronisation bezogen ist, letztere auch von ihr getrennt – etwa bei wesentlichen Taten des Königs – erfolgen kann. M. E. scheidet Lipiński bei solcher Feindifferenzierung eine Akklamation als Erklärungsmodell des Rufes יהוה מלך mit Recht aus, da die klassische Akklamationsformel beim irdischen König (יחי המלך: „Es lebe der König") grammatisch zu weit von ihm entfernt ist[11]. Die verbleibenden beiden Modelle – Huldigungs- und Proklamationsruf – stehen beide in einem erheblich lockereren Bezug zur „Inthronisation". Insofern legt der kultische Kontext in beiden Fällen eine ingressive Nuance des Rufes nicht unmittelbar nahe, zumal – im Unterschied zur Akklamation – keineswegs absolut sicher ist, daß Huldigungs- bzw. Proklamationsruf *nach* dem „Aufzug" der Lade als Vergegenwärtigung der göttlichen Inbesitznahme des Zion angestimmt wurden; sollte dies der Fall sein, wäre eine solche Nuance andererseits nicht auszuschließen, würde sich im Gegenteil eher nahelegen. Hier bleibt vieles notwendig hypothetisch.

Es ist freilich kein Zufall, daß beim Abwägen der Alternative Huldigung-Proklamation im Blick auf die imperativischen Hymnen und die „Themapsalmen" je verschieden zu urteilen sein wird. In den imperativischen Hymnen legt schon die Reihenfolge Prädikat-Subjekt die Auffassung als Proklamationsruf nahe, da sie auch im profanen Bereich bei Proklamationen üblich ist (bei Absalom und Jehu jeweils qatal-x: 2 Sam 15,10; 2 Kön 9,13). Ebenso sprechen sachliche Gründe dafür: In Ps 47, wo der Ruf in V.9 begegnet, sind von Anbeginn an die Völker zum Lob aufgefordert; in Jes 52,7–10 wird Israel in einem Heroldswort mitgeteilt, daß sein Gott wieder – und zwar sichtbarlich – als König nach Zion zurückkehrt. Dagegen spricht die Reihenfolge Subjekt-Prädikat in den „Themapsalmen" für einen Huldigungsruf, da für diese Psalmen eben der Übergang zum Gebetsstil der Anrede charakteristisch ist[12]. Allerdings sind die Grenzen zwischen beiderlei Verwendung flie-

---

[10] Michel, a.a.O. 40 ff.; Lipiński, a.a.O. 405–60; teilweise identisch: Royauté de Yahwé 336–91.   [11] Bib. 44, 424 f.; Royauté de Yahwé 355 f.

[12] Gegen Lipiński, a.a.O. passim. Gerade die von ihm entdeckte Vorstufe in Gestalt des zweimal belegten Eigennamens *Baʿal-mālak* (Bib. 44,456) hätte ihn an seiner einlinigen Deutung von *Jhwh mālak* als Proklamationsruf zweifeln lassen sollen.

ßend, wie insbesondere Ps 96,10 beweist, wo der Huldigungsruf aus Ps 93,1 im Kontext einer Proklamation an die Völker genutzt wird, als dessen (vorweggenannte) Folge dann die Huldigung der Völker erwartet wird (V.7-9). Auch in dem jungen Ps 97 legt sich eine Auffassung des Thema-Rufes als Proklamation näher, da im Kontext ständig vom Hören und Sehen des Kommenden, jetzt nur Angekündigten die Rede ist.

3.

Die Anziehungskraft des Mythos vom Königtum Baals für Israel beruhte auf seiner universalen Perspektive. In der Tat hängen wesentliche Aspekte des *„Universalismus" im Alten Testament* mit seiner Auseinandersetzung mit diesem Mythos und der Beanspruchung des Königstitels für Jahwe zusammen. Der Universalismus als solcher ist so alt wie diese Auseinandersetzung selber. Was er allerdings sachlich bedeutete, unterlag ebenso geschichtlichem Wandel wie das Verständnis des Königtums Jahwes. Eine einlinige Entwicklung zeigt sich nicht.

1. Es gab Zeiten, in denen das Königtum Jahwes im Kern „partikularistisch" aufgefaßt wurde. Das geschah auf sehr unterschiedliche Weise in Epochen nationalen Hochgefühls ebenso wie in Zeiten der Gefährdung des Glaubens. Die erstgenannte Aufassung, die man einen Universalismus mit partikularistischem Interesse nennen könnte[13], setzt eine „Historisierung des Mythos", verbunden mit einer „Mythisierung der Geschichte"[14], bereits voraus. In ihr begegnen die Völker ausschließlich als Gefährdung Israels und seiner Erwählung. Das Königtum Jahwes wird entsprechend mit Siegen über die Völker – insbesondere bei der Landgabe – begründet, die königliche Macht Jahwes wird in der kultischen Vergegenwärtigung dieser Siege neu erfahren und für künftige Kriege als im voraus kampfentscheidend gewußt (Dtn 33; Ps 68). In den Zionspsalmen[15] und in Ex 15 wird diese Siegesgewißheit insofern noch überhöht, als ein Kampf Gottes gefeiert wird, in dem alle künftigen Feinde schon im voraus besiegt werden. Die Gefahr derartiger Sicherheit haben die klassischen Propheten aufgedeckt, wenn sie bei ihren Zeitgenossen eine ethische Indifferenz beklagen, die aus der Verabsolutierung solcher Psalmenaussagen gespeist ist (vgl. etwa das Zitat „Jahwe in unserer Mitte – uns kann kein Unheil treffen" in Mi 3,11).

---

[13] Vgl. zum Problem O. Eißfeldt, Jahwes Königsprädizierung als Verklärung national-politischer Ansprüche Israels, FS J. Ziegler I (1972) 51-55 = Kl. Schr. 5 (1973) 216-21 (mit problematischer Frühdatierung von Ps 47 ins 10. Jh.).
[14] Vgl. o. S. 56.
[15] Vgl. den Anhang.

Wie wenig man hier aber vorschnell verallgemeinern darf, zeigt ein
über weite Strecken analoger Psalm wie Ps 47, der nur am Ende einen
kühnen neuen Gedanken hinzufügt, um dessentwillen er häufig zu Unrecht in die nachexilische Zeit datiert wurde: So gewiß die Völkerwelt
dem „König der ganzen Erde" huldigen muß, weil er seit der Besitzergreifung vom Zion „König der Völker" ist, so gewiß bilden diejenigen,
die dieser Aufforderung (am Fest) folgen, mit Israel das „Volk des Gottes Abrahams" (V. 10). Es blieb der Spätzeit vorbehalten, diesen nur an-
gedeuteten Gedanken auszuführen, als das Verhältnis Israels zu den
Völkern seit dem Exil zentrales Thema wurde (s. u.).

2. Ganz anderer Art war die zweite „partikularistische" Deutung des
Königtums Jahwes. Sie stammt aus einem Zeitalter, in dem die Völker
nicht länger als die eigentliche Gefährdung Israels erscheinen, sondern
Israel selber in der Verfehlung seines Gottesverhältnisses die eigene Erwählung in Frage zu stellen droht, indem es sein „Heute" nicht ernst-
nimmt (Ps 95) oder sein „Schreien" zu Jahwe vergißt (Ps 99). Die unge-
wohnten Akzente, die diese Psalmen setzen, erweisen erneut, welchen
großen Einschnitt in der Glaubensgeschichte Israels die Botschaft der
Propheten einerseits und die Erfahrung des Exils andererseits bedeute-
ten.

3. Differenzen in der Auffassung des Königtums Jahwes lagen aber
nicht nur in unterschiedlichen Zeiten, sondern auch in unterschiedlichen Orten bzw. Räumen begründet. Neben einem sehr „partikularisti-
schen" Nordreichspsalm der Frühzeit wie Dtn 33 steht mit Ps 93 als ältester Jahwe-König-Psalm Jerusalems ein sehr „universalistischer"
Hymnus. Ps 29 beweist allerdings, daß es auch im Nordreich grundsätzlich vergleichbare Aussagen gab. So wird man sich auch hier vor
Pauschalthesen zu hüten haben.

Der frühe Universalismus der Psalmen 29 und 93 ist von der Intention her nahezu identisch mit dem kanaanäischen, wie er uns in Gestalt
der ugaritischen Mythen und Epen entgegentritt. Es geht jeweils entscheidend um die Stabilität und Sicherheit der Welt. Auffällig ist dabei,
daß man in Ugarit ebenso wie im frühen Israel die Gottheit offensichtlich längst ausführlich als Erhalter der Welt pries, bevor man sie gleichgewichtig als Schöpfer dieser Welt rühmte. In Ugarit, wo uns nahezu
keine Hymnen überkommen sind, gibt es zumindest keinen Mythos
von der Schöpfung der Welt, sondern nur Gottestitel des Hochgottes
El wie etwa „Vater der Menschheit" (*ab.adm*) oder „Schöpfer der Geschöpfe" (*bnj.bnwt*); im frühen Israel fehlen Schöpfungshymnen oder
auch nur das Thema Schöpfung innerhalb von Hymnen völlig, so gewiß
man Ps 19A und 24 nicht als Schöpfungshymnen bezeichnen darf[16].

---

[16] Ps 19A ist von seinem Ursprung her ein Hymnus auf den sich in der Sonne manife-
stierenden Kabod Els (O.H.Steck, FS C.Westermann, 1980, 323), Ps 24, 1f. bietet eine

Nicht die Deutung der Welt stand hier wie dort am Anfang, sondern das Bedürfnis, die Welt, in der man lebte, als sicher und gehalten begreifen zu können. Es spricht viel für die Auffassung A. S. Kapelruds, daß man diesen Tatbestand für Ugarit nicht mit L. R. Fisher und F. M. Cross dahingehend einebnen darf, daß man einfach verschiedene Arten der Rede von Schöpfung als gleichwertig nebeneinanderstellt und dann „Theogonie" als Schöpfung nach dem El-Typ von „Kosmogonie" als Schöpfung nach dem Baal-Typ unterscheidet[17] – als seien beide Arten des Mythos in ihrer Funktion vergleichbar –, sondern vielmehr das Fehlen eines Schöpfungsmythos im engeren Sinne mit seiner Entbehrlichkeit zu erklären hat, da die zyklische Lebens- und Weltauffassung Ugarits, d. h. die im Erleben jeden Neujahrsfestes neu bestätigte Vergewisserung einer stabilen Welt, seiner nicht bedurfte[18]. Für das frühe Israel gilt dann Entsprechendes[19], nur eben mit dem schon genannten Unterschied, daß es sich von seinen eigenen theologischen Prämissen aus außerstande sah, den Chaoskampf Jahwes zu erzählen. Damit war jedoch die an den Festen orientierte rhythmische Lebensdeutung noch keineswegs einfach abgelöst[20]. (Wohl aber war der spätere prophetische Gedanke vorbereitet, daß eine tödliche Gefährdung dieser

---

„Eigentumsdeklaration" Jahwes (M. Metzger, FS H.-J. Kraus, 1983, 37 ff.), die mit der Festigung der Erde (vgl. o. S. 23 zu Ps 93,1) begründet wird. Die weisheitliche Verbindung von Königtum Jahwes und Schöpfung in Ps 104 (vgl. o. S. 45 ff.) ist in ihrer vielfältigen Traditionsmischung vermutlich erst nachexilisch.

[17] Fisher, Creation at Ugarit and in the OT, VT 15 (1965) 313–24, bes. 315 f.; Cross, Canaanite Myth 43. 120. Ähnlich zuletzt J. H. Grønbaek, Baal's Battle with Yam – a Canaanite Creation Fight, JSOT 33 (1985) 27–44; vgl. zuvor A. E. Combs, The Creation Motif in the „Enthronement Psalms", Diss. Columbia Univ. 1963, bes. 156 ff. Das El-Material bietet vollständig J. C. de Moor, El, the Creator, in: The Bible World, FS C. H. Gordon, New York 1980, 171–87.

[18] Kapelrud, Baʿal, Schöpfung und Chaos, UF 11 (1979) 407–12; Creation in the Ras Shamra Texts, StTh 34 (1980) 1–11. Letztlich geht es in der genannten Auseinandersetzung um die Suche nach einem den Texten angemessenen Begriff von „Schöpfung". Sorgfältig differenziert jüngst J. Day, God's Conflict 17 f. Obwohl er nachweisen will „that the Canaanites may have associated the creation of the world with Baal's victory over the dragon and the sea", hält er fest, daß a) „the Ugaritic Baal-Yam text ... is not concerned with the creation" und b) daß seine These „does not imply that we should regard Baal as the creator, however", da El diese Funktion zuerteilt erhalte. Zuletzt hat sich Kloos, Yhwh's Combat 64 ff., bes. 67, mit klugen Argumenten der Ansicht Kapelruds angeschlossen.

[19] Treffend formuliert W. H. Schmidt: „Wichtiger als die Frage: wer schuf die Welt? ist die andere: wer gibt immer wieder Fruchtbarkeit und Leben? Gegenüber der Erhaltung des Bestehenden scheint in Kanaan die Schöpfung eine untergeordnete Rolle gespielt zu haben ... Der eigentliche Gegensatz bestand nicht zwischen Israels Gott der Geschichte und Kanaans Gott der Schöpfung, sondern zwischen Jahwe und Baal als Spender des Lebens." (Königtum Gottes 63) Zumindest gilt dies für die Frühzeit Israels.

[20] Vgl. die vorzüglichen Erwägungen zur „Entstehung des hebräischen Geschichtsdenkens" in G. von Rads Theol. des AT Bd. II.

Welt einzig von dem droht, dem sie ihre Stabilität verdankt; vgl.
Ps 29,5–9 mit V. 11).

4. Universalismus im Vollsinne der Frage nach dem Heil der Völker
ist erst in nachexilischen Psalmen anzutreffen, die in direkter oder nur
abgeleiteter Weise von Deuterojesaja beeinflußt sind. Darin besteht der
Wahrheitskern der Annahme Gunkels (sowie seiner Vorgänger und
Nachfolger), daß alle Jahwe-König-Psalmen „eschatologisch" aufzufassen seien. Diese Autoren haben die älteren Psalmen unwillkürlich prophetisch im Sinne Deuterojesajas gelesen. Interessant ist jedoch, wie
unterschiedlich die nachexilischen Psalmen die genannte Frage beantworten. Ps 98, der dem Exilspropheten sachlich (und wohl auch zeitlich) am nächsten steht, scheint wie Deuterojesaja damit zu rechnen,
daß die Zeugenschaft der Völker bei der Heilswende Israels genügt, um
sie des zur Vollendung gelangenden Königtums Jahwes gewahr werden
zu lassen, noch bevor die Ordnung der Völkerwelt im Sinne Jahwes voll
verwirklicht ist. Der Blick ist jedoch entscheidend auf Israel und sein
Heil gerichtet; der Gedanke, daß die Perserherrschaft für die Völker
mehrdeutig ist und ihre Götter sie an der Anerkenntnis Jahwes hindern
könnten, kommt nicht auf oder wird zumindest nicht ausgesprochen.
Das ist anders in Ps 96, der Ps 98 im übrigen eng verwandt ist und ihm
auch zeitlich nahesteht. Er setzt voraus, daß das Gottesvolk eine päd-
agogische Funktion für die Völker hat: daß es mit seinen Liedern nicht
nur Jahwe zu preisen hat, sondern auch den Völkern von Jahwes Königtum, das sich in den „Wundern" an Israel gezeigt hat, „erzählen"
muß, wie üblicherweise ein aus Not geretteter Einzelner den versammelten „Brüdern" von Jahwes Hilfe „erzählt", damit sie immer mehr
von seiner Macht und Güte erfahren; daß es zugleich – in Verwirkli-
chung des alten Anspruches aus Ps 47,10 – die Völker mit ihren Gaben
zum Festgottesdienst Israels einzuladen hat, damit sie in den Chor der
Himmlischen (vgl. Ps 96,7–9 mit Ps 29,1 f.) sowie der Natur und des
Kosmos (Ps 96,11 f.) einstimmen und darüber die Ohnmacht der eigenen Götter erkennen (V. 4.5).

5. Von einer solchen pädagogischen Funktion Israels reden die Psalmen der hellenistischen Spätzeit nicht. Teilweise kennen sie die Völker
nur als die gewaltsamen Bedrücker, die Jahwes erwartetem Gericht an-
heimfallen werden (Ps 9–10), teilweise sind die Völker wesentlich von
ihren Göttern, die doch „Nichtse" sind, im Dunkeln gehalten, sind aber
angesichts der bevorstehenden Endoffenbarung Jahwes zum vorwegnehmenden Jubel aufgefordert (Ps 97). Dabei ermöglicht das Thema
der machtlosen und schädlichen Götzen, daß hochmythologische Aussagen der Frühzeit verwendet werden, die Israel zwischenzeitlich bewußt vermied (V. 7 b. 9 b). In *einem* Falle freilich hat das alttestamentliche Israel in seinen Psalmen seine eigenen Grenzen in der Rede von

den Völkern rätselhaft überschritten: in Ps 22,28–32, wo es damit rechnet, daß angesichts der Rettung eines Einzelnen, der Leiden trug, die jeden denkbaren Erfahrungshorizont transzendieren, die Völkerwelt Jahwes Königtum erkennt und sich insgesamt ihm zuwendet. Wenn die
beiden ersten Evangelien die Passion Jesu später von Ps 22 her deuten,
ist das mehr als die Wahl eines beliebigen, austauschbaren Textes. Es
gibt keinen anderen Text im gesamten Alten Testament, der Jes 53
sachlich näher kommt als Ps 22. Mt 27,51 ff. berichtet, daß sich noch in
der Todesstunde Jesu selber die Ankündigung von Ps 22,28 f. zu erfül-
len begann.

6. Israel hat mit der ihm vorgegebenen Prädikation Gottes als König, mit der es universalistisches Denken aufgriff, über Jahrhunderte
hin gerungen, ihr immer wieder neue Inhalte entnommen. Die Jahwe-
König-Psalmen erlauben nicht, eine Entwicklungslinie dieses Ringens
zu zeichnen; sie zeigen nur einzelne Stadien auf diesem Weg. Soviel
aber erweisen auch diese Stadien noch deutlich: Es sind Israels ureigene
Traditionen gewesen, die es lehrten, den kosmischen Universalismus
der Kulturlandreligionen im Sinne eines geschichtlichen Universalismus
neu zu deuten, in dem schließlich allen Menschen die Teilhabe am Heil
Gottes zugesprochen werden konnte. Israels Unfähigkeit, seinen ererb-
ten Gottesglauben mit polytheistischer Welterklärung in Einklang zu
bringen, sein Festhalten am Bekenntnis der Väter zum Gott, der sich an
Israel band, für Israel handelte und sein alleiniger Helfer war, und am
Bekenntnis zum Ausschließlichkeitsanspruch dieses Gottes haben allein
diese Umdeutung ermöglicht. Universalistisches Denken war in Israels
Umwelt grundsätzlich tolerantes Denken, da es die Ordnungen aufspü-
ren wollte, die allem menschlichen Handeln vorgegeben waren. Durch
die Verbindung mit Jahwes Ausschließlichkeitsanspruch aber wurde es
aller ihm von Haus aus inhärenten Toleranz entkleidet und mit der ra-
dikalen Wahrheitsfrage nach der Einzigkeit Gottes verbunden.

Zugleich aber spiegeln die Jahwe-König-Psalmen Schritte wider, die
Israel im Lauf seiner Geschichte in seiner Gotteserkenntnis gegangen
ist und die auch in seinen gottesdienstlichen Liedern Niederschlag fanden. Das alttestamentliche Israel ist in seiner Gotteserkenntnis nicht
stehengeblieben. Jahwes Königtum wuchs und änderte sich mit den
neuen Erfahrungen und Einsichten seines Volkes. Jahwe wurde vom
Garanten der Weltordnung zum Lenker der Weltgeschichte, wurde der
Ort des Vertrauens in der Not, der drohend Strafende im Gericht, der
erhoffte Kommende in einer entgötterten Welt. In dieser Beweglich-
keit, in seiner Bereitschaft, sich neuen Seiten seines Gottes auszusetzen
und überkommene Glaubenssätze neu zu deuten, steht dieses Israel einzig da in seiner Umwelt, aus der es den Titel Gottes als König aufnahm.

Anhang

LADE UND ZION

Zur Entstehung der Ziontradition*

In kritischen Würdigungen des viel beachteten Aufsatzes von *MNoth* »Jerusalem und die israelitische Tradition«[1] urteilen *HWildberger*[2] und *GvRad*[3] unabhängig voneinander, daß *Noth* die religiöse Bedeutung Jerusalems zu stark allein durch die Lade, zu wenig durch die Ziontradition geprägt sah. Damit ist ein Problemkreis berührt, der durch die reine Addition von Lade- und Ziontradition nicht zu lösen ist. Denn es ist kaum vorstellbar, daß in Jerusalem über längere Zeit hinweg mit der Lade verbundene Vorstellungen und die genuin jerusalemische Ziontradition nebeneinander bestanden haben sollten, ohne sich gegenseitig zu durchdringen. Ist eine solche wechselseitige Beeinflussung aber nachweisbar? Oder hat man statt an ein Nebeneinander an ein Nacheinander zu denken, so daß Jerusalem seinen Aufstieg zum Symbol aller Glaubenshoffnungen in der Spätzeit zunächst der Lade verdankt hätte und die Ziontradition diese Entwicklung fortgeführt und vollendet hätte? Aber hier erheben sich sofort neue Fragen. Entstand die Ziontradition in diesem Falle erst, als die Lade ihre zentrale Bedeutung für Israel schon eingebüßt hatte, oder war es gerade die immer stärker in den Vordergrund tretende Ziontradition, die den Bedeutungsverlust der Lade bewirkte? Wie aber kam es dann überhaupt zur Bildung einer israelitischen Ziontradition, wenn diese, wie zumeist angenommen, weithin schon vorisraelitische Überlieferungen aufgriff? Leistete die Lade mit ihrem Vorstellungsgut hier Vorschub? Angesichts dieser Fragen wird deutlich: Es ist nötig, das Verhältnis von Lade- und Ziontradition möglichst exakt zu bestimmen, wenn man erklären will, wie die ursprünglich kanaanäische Stadt Jerusalem eine für den Glauben Israels so bedeutsame Rolle spielen konnte.

---

* Erstveröffentlichung in: Probleme biblischer Theologie, Festschrift für G. von Rad, hg. von H. W. Wolff, München 1971, 183–98.

[1] OTS 8 (1950) 28–46 = Ges. St. (ThB 6) 172–187.
[2] JSS 4 (1959) 167.
[3] TheolAT II (1960) 167, Anm. 15 (= ⁴1965, 163, Anm. 15).

I.

Die Einnahme des isolierten Stadtstaates Jerusalem durch David war zunächst nicht mehr als ein Akt politischer Klugheit. Als nach einigen Jahren der Königsherrschaft über Juda in Hebron auch die Nordstämme David die Königswürde antrugen, mußte er bei der Wahl einer neuen Hauptstadt darauf bedacht sein, das an ihn in Personalunion gebundene Groß-Israel nicht durch offensichtliche Bevorzugung eines der beiden Teile leichtfertig zu gefährden. Als Hauptstadt auf exterritorialem Gelände aber bot sich keine andere Stadt so sehr an wie eben Jerusalem, das zwar verkehrsgeographisch keineswegs günstig,[4] dafür aber auf der Grenze zwischen Nord- und Südstämmen lag (Jos 15₈; 18₁₆). David wußte, was er tat, als er Jerusalem nur mit ihm persönlich ergebenen Mannen eroberte (2Sam 5₆); Jerusalem wurde als sein Eigentum zur »Davidsstadt« (V. 7.9), er selbst, an frühere dortige Praxis anknüpfend, König und vielleicht auch Oberpriester in seiner Stadt. Israel hatte auf Jerusalem sowenig Anspruch wie auf Ziklag, das der Philisterfürst Achis von Gath David zu Lehen gegeben hatte.

Die Rolle, die Jerusalem in der Folgezeit *für Israel* spielen sollte, wird von diesen Maßnahmen Davids her nicht verständlich.[5] Israel wußte noch nach einigen Jahrhunderten, daß Jerusalem spät als ein Fremdling in seine Geschichte eingetreten und »nach Herkunft und Abstammung kanaanäisch« war (Ez 16₃). Seine eigentliche Bedeutung für Israel gewann Jerusalem erst durch den nachfolgenden, ungleich ungewöhnlicheren Akt Davids: die Überführung der Lade nach Jerusalem. Jetzt waren nicht mehr Davids Söldner ausführende Organe des königlichen Willens und hätten es im Sinne Davids auch gar nicht sein können, sondern »alle jungen Männer in Israel« (2Sam 6₁),[6] jetzt blieb Jerusalem nicht länger nur Regierungszentrum des Königs, sondern wurde religiöses Zentrum für Israel, und sollte David Oberpriester in seiner eigenen Stadt gewesen sein, so wurden er und seine Nachfolger jetzt, zumindest nominell, höchste Priester des Gottesvolkes (Ps 110₄).

Die Folgen dieses einschneidenden Aktes Davids für den Glauben Israels sind geradezu unüberschaubar. Ich möchte für die hiesige Fragestellung nur zwei der wichtigsten Aspekte dieser Folgen in aller Kürze herausgreifen:

1) Durch die Überführung des israelitischen Hauptheiligtums in eine rein kanaanäische Stadt wurden die Voraussetzungen dafür ge-

---

[4] *AAlt,* Jerusalems Aufstieg (1925), Kl. Schr. III 243ff.

[5] Vgl. *MNoth,* Die Gesetze im Pentateuch (1940), Ges. St. 9ff, bes. 44ff.

[6] Dieser Unterschied bleibt auch dann von Gewicht, wenn mit »Israel« primär die Nordstämme gemeint sein sollten (*AAlt,* Kl. Schr. II 46, Anm. 3).

schaffen, daß in Jerusalem israelitische und kanaanäische Glaubens-
vorstellungen einander nicht nur wie andernorts begegneten, um sich
hier und dort zu durchdringen, sondern sich in einer sonst unbekannten
Intensität miteinander vermischten. Jerusalem wurde zu *dem* Tor in
Israel schlechthin, durch das genuin kanaanäische und andere fremd-
religiöse Einflüsse auf den offiziellen Jahweglauben eindrangen. Zwei
Beispiele, die sich beliebig vermehren ließen, mögen das erläutern. Der
bald nach David entstandene Abschnitt Gen 14₁₈₋₂₀, die einzige Stelle
im Pentateuch, die Jerusalem erwähnt, läßt Abraham dem Jerusalemer
Priesterkönig Melchisedek den Zehnten darbringen (V. 20); damit soll
(traditionsbewußten und strenggläubigen Bevölkerungskreisen Judas
gegenüber) aufgewiesen werden, daß sich schon das im Patriarchen
verkörperte Israel dem Vorläufer Davids und damit auch Jerusalem
und seinem Kult verpflichtet wußte: »Eine so positive, tolerante Ein-
schätzung eines außerisraelitischen, kanaanäischen Kultus ist im AT
sonst ohne Beispiel.«[7] Von hier aus überrascht es nicht mehr, wenn
Salomo wenige Jahrzehnte nach der Ladeüberführung vor dem neu er-
bauten Tempel einen Brandopferaltar in eben der Gestalt errichten läßt,
die das altisraelitische Altargesetz expressis verbis untersagt hatte (Ex
20₂₆ₐ): ein Zeichen dafür, wie früh mit dem älteren Jahweglauben
konkurrierende »kanaanäisch-jebusitische Kulttraditionen von der
Verehrung eines ›höchsten‹ Gottes aufgenommen und umgestaltet auf
Jahwe übertragen« wurden.[8]

2) Die Bildung einer eigenständigen Davidtradition ist ohne die
Lade undenkbar. Wenn David nach 2Sam 7₈ (vgl. 1Sam 13₁₄; 25₃₀;
2Sam 5₂; 6₂₁) im Nachhinein den Titel eines (charismatischen) Führers
des Gottesvolkes erhält,[9] obwohl er selbst im wesentlichen Söldner-
kriege führte und zudem auf israelitische Traditionen nachweislich
kaum Rücksicht nahm,[10] so ist das am ehesten verständlich, wenn dieser
gewichtige Ehrentitel ihm als Überführer und Besitzer der Lade zuteil
wurde.[11] Vor allem aber hängt die Dynastieverheißung, die im Zentrum der Davidtradition steht, engstens mit der Überführung der

---

[7] *GvRad*, ATD 2/4 zSt.

[8] *DConrad*, Studien zum Altargesetz, Diss. Marburg (1968) 135.

[9] נָגִיד עַל־עַמִּי עַל־יִשְׂרָאֵל. Vgl. zu diesem Titel, der erstmals für Saul belegt ist (1Sam
9₁₆; 10₁), *AAlt*, Kl. Schr. II 22f; *HGese*, Der Davidsbund und die Zionserwäh-
lung, ZThK 61 (1964) 12, Anm. 7; *WRichter*, Die nāgīd-Formel, BZ 9 (1965)
71–84.

[10] Vgl. etwa seine Verwendung des נָגִיד-Titels in 1Kö 1₃₅ und dazu *AAlt*, ebd. 62,
Anm. 1.

[11] Vgl. *MNoth*, David und Israel in 2. Samuel 7 (1957), Ges. St. 334ff, bes. 338ff;
RSmend, Jahwekrieg und Stämmebund (1963) 64; *Noth* weist u. a. darauf hin,
daß David sein Gebet an Jahwe Zebaoth richtet, also vor der Lade spricht (V.
26f; vgl. u. S. 171f); auch in V. 8 wird Jahwe als Jahwe Zebaoth eingeführt!

Lade nach Jerusalem zusammen. Werden vergleichbare Verheißungen (in Ägypten und) im Zweistromland mehrfach dem jeweiligen König zugesprochen, weil sich im Bau eines Tempels seine Fürsorge für die Götter erwies,[12] so wird David der Tempelbau in Jerusalem von Jahwe gerade untersagt; bei ihm tritt die Überführung der Lade als Begründung für die Dynastieverheißung an die Stelle des Tempelbaus, wie insbesondere 2Sam 7₁ff und Ps 132 beweisen[13] und wie außerdem die keinesfalls zufällige Abfolge von 2Sam 6 zu 7 nahelegt.

Hat man diese weitreichenden Auswirkungen der Ladeüberführung nach Jerusalem vor Augen, so muß es verwundern, daß die Lade zwar in den David und auch Salomo unmittelbar angehenden Ereignissen häufig erwähnt wird, in der Folgezeit aber weitgehend aus dem Gesichtskreis der israelitischen Literatur entschwindet. Im wesentlichen ist nur noch in einigen Psalmen wahrscheinlich von Ladeumzügen die Rede (Ps 24; 132; vgl. 68) und später im dtn-dtr Schrifttum von der Lade als Behälter für die Gesetzestafeln sowie im P-Schrifttum zusätzlich von der Lade als Ort der Begegnung Jahwes mit Mose. Aber Dt-Dtr und P bieten theologische Anschauungen einer späteren Zeit, die in ihren Deutungen der Lade nicht einfach »historisch« ausgewertet werden dürfen; vielmehr verbinden sie mit der Lade Vorstellungen, die ihr von Haus aus, zumindest in der für uns überschaubaren Zeit, fremd waren.

Eine wie geringe Rolle die Lade in der Theologie der spätvorexilischen Zeit (außerhalb der dtn Kreise) spielte, geht besonders deutlich aus Jer 3₁₆ hervor, wo die Entbehrlichkeit der Lade für die Exilsgemeinde betont hervorgehoben wird. Die Lade braucht nach ihrer Zerstörung nicht mehr wiederhergestellt zu werden, weil – und diese Begründung ist höchst gewichtig – nicht länger sie, sondern Jerusalem Thron Jahwes ist oder doch sein wird (V. 17). Hätte die Lade ihre Bedeutung, die sie zur Zeit Davids besaß, bis zur Zerstörung Jerusalems in vollem Ausmaß beibehalten, wäre eine solche Aussage schwer verständlich. Was in Jer 3₁₆f verheißen wird – Jerusalem wird als ganzes die Stelle der Lade einnehmen –, muß sich in Israel längst zuvor angebahnt haben. So legt sich von hier aus die Annahme nahe, daß die lang »ersehnte Ruhe« (Ps 132₈.₁₄), die schon David, besonders aber durch den Tempelbau Salomo der Lade verschaffte, ihr allmähliches Absinken zur Entbehrlichkeit, ihre »ehrenvolle Emeritierung«[14] ein-

---

[12] Belege bei *SHerrmann*, Die Königsnovelle in Ägypten und Israel, Festschr. AAlt, WZLeipzig Gesellsch. und sprachwiss. Reihe 3 (1953/54) 33–44; *EKutsch*, Die Dynastie von Gottes Gnaden, ZThK 58 (1961) 147f (137ff).

[13] Vgl. zu Ps 132 bes. *Gese*, aaO 13. 16ff, der den Psalm jedoch m. E. erheblich zu früh datiert.

[14] *OEißfeldt*, Kl. Schr. II 287.

leitete. Jetzt hatte sie keine Möglichkeit zu Aggressionen mehr: Kein
Ussa, der sie mit der Hand berühren könnte, um tot zu Boden zu fallen,
würde mehr in ihre Nähe treten, keinen Dagon würde sie von seinem
Sockel stoßen können, keinen ihr gleichgültig gegenüberstehenden
Beth-Schemeschiten mehr erschlagen können. Vom Tempel in Silo und
vom Zelt in Jerusalem aus zog sie noch in den Krieg, vom Tempel
Salomos aus nicht mehr. Ihre letzte bedeutsame Tat war die Legiti-
mation Jerusalems, und an Jerusalem trat sie mit der Zeit ihre Rechte
ab.

Sollte man exakter formulieren können: Die Ziontradition trat mit
der Zeit an die Stelle der Lade? Bevor diese Frage geprüft werden kann,
muß kurz der Versuch unternommen werden, die entscheidenden Vorstellungen herauszustellen, die sich für das Israel zur Zeit Davids mit
der Lade verbanden. Ein solcher Versuch ist allerdings von vornherein
dazu verurteilt, Stückwerk zu bleiben, da das alttestamentliche Material nicht einmal mit letzter Sicherheit zu entscheiden erlaubt, ob die
Lade eine nomadische Vergangenheit hatte oder aber ein erst im Kul-
turland entstandenes Heiligtum war. Bei dieser Quellenlage müssen
wir uns für unsere Fragestellung auf das beschränken, was sich über
die Bedeutung der Lade in der Richterzeit mit einiger Sicherheit aussagen läßt. Hier nun stößt man auf einen seltsamen Dualismus: Auf
der einen Seite können wir mit Gewißheit sagen, daß die Lade für
längere Zeit im Tempel zu Silo stand[15] und dort – in Vorwegnahme
ihres Geschickes in Jerusalem – so etwas wie ein »Zentralheiligtum«
für die israelitischen Stämme, zumindest für die in Mittelpalästina an-
sässigen, gewesen sein muß. Zu dieser ihrer Stellung paßt die mit der
Lade verbundene Prädikation Jahwes als des הַכְּרֻבִים יֹשֵׁב vorzüglich, die
– höchstwahrscheinlich in Silo von den Kananäern übernommen[16] –
die ruhende Gegenwart Jahwes als thronenden (Königs) auszudrücken
scheint. Auf der anderen Seite aber ist zu etwa der gleichen Zeit zu
beobachten, wie die Lade mehr und mehr bei gewichtigen Jahwekriegen mitgenommen wird, um durch die unmittelbare Gegenwart und
Kampfesbereitschaft Jahwes diese Kriege zu entscheiden. Zu diesem

---

[15] Ungleich unsicherer ist, ob sie sich über einen längeren Zeitraum auch in Sichem,
Bethel oder Gilgal befand; vgl. *GFohrer*, ThLZ 91 (1966) 809f und bes. *RSmend*,
aaO 56ff.
[16] Vgl. *OEißfeldt*, Jahwe Zebaoth (1950), Kl. Schr. III 103ff, bes. 113ff; *WHSchmidt*,
Königtum Gottes in Ugarit und Israel (²1966) 89f. Möglicherweise bezieht sich
die in 2Sam 6₂ vorausgesetzte Neubenennung der Lade auf diesen Titel; ähnlich
(allerdings unter Einbeziehung von צבאות) *OEißfeldt*, Silo und Jerusalem (1957),
Kl. Schr. III 421f (417ff). Eine Entstehung des Titels in Jerusalem erscheint mir
schon deshalb unwahrscheinlich, weil die Keruben im salomonischen Tempel andere, nämlich schützende Funktionen ausüben.

nicht weniger bedeutsamen Aspekt der Lade[17] fügt sich die Prädikation Jahwes als יהוה צְבָאוֹת ausgezeichnet, die ihrerseits spätestens seit Silo (1Sam 1₃.₁₁; 4₄; 2Sam 6₂) eng mit der Lade verknüpft ist. Wie immer man das hier gebrauchte צבאות begreift – ob als Kennzeichnung irdischer oder himmlischer Heerscharen oder gar als Abstraktplural (*Eißfeldt*) –: offensichtlich steht diese Prädikation in sachlichem Zusammenhang mit dem kriegerischen Aspekt der Lade; denn als Jahwe Zebaoth ist Jahwe der »machtvolle Held in der Schlacht« (Ps 24₇₋₁₀), und die Lade ist »seine machtvolle Lade« (Ps 132₈).[18] Beiden so verschiedenartigen, in der späteren Richterzeit unausgeglichen nebeneinanderstehenden Funktionen der Lade in Krieg und Frieden ist eine Haupteigenschaft gemeinsam: Die Lade verbürgt wie kein anderer Kultgegenstand die Gegenwart Jahwes.[19]

II.

Läßt sich von diesem vorläufigen Ergebnis her die Ziontradition als Nachfolgerin und Fortführerin der Lade bestimmen? Diese Frage ist bei unserem gegenwärtigen Erkenntnisstand mit der zusätzlichen Schwierigkeit belastet, daß die Entstehungszeit der Ziontradition wieder fraglich geworden ist. *GWanke* hat in jüngster Zeit im Anschluß an ältere Exegeten erneut die Meinung vertreten, die Ziontradition sei erst in nachexilischer Zeit entstanden, als die legendenhafte Ausgestaltung der Ereignisse des Jahres 701 mit Gedanken Jeremias und Ezechiels vermischt worden sei und so zur Bildung des Motives vom Völkerkampf gegen Jerusalem geführt hätte.[20] Jedoch nennen die uns erhaltenen legendenhaften Schilderungen der Belagerung Jerusalems 701 für Sanheribs Abzug Gründe (2Kön 19₇.₈f.₃₅), die schwerlich zur Bildung einer Ziontradition führen konnten, und *Wankes* These

---

[17] Belege und deren Auswertung bei *RSmend* aaO sowie bei *FJHelfmeyer*, Die Nachfolge Gottes im AT (1968) 186ff. In diesem Sinne wollen offensichtlich auch die Ladesprüche Num 10₃₅f verstanden sein; vgl. das Fliehen der Feinde in V. 35 und den Terminus אֶלֶף in V. 36.

[18] Gegen einen ursprünglichen Zusammenhang beider Titel Jahwes, wie ihn *OEißfeldt* aaO aufgrund von 1Sam 4₄; 2Sam 6₂ annimmt, spricht vor allem, daß ישׁב הכרבים und יהוה צבאות in den Psalmen und auch sonst (vgl. bes. 1Chr 13₆! Jes 37₁₆ erweitert sekundär 2Kö 19₁₅) nur je für sich begegnen; vgl. auch die Einwände *RSmends*, aaO 59f. Nach *JMaier*, Das altisraelitische Ladeheiligtum (1965) 50ff, stammen beide Titel erst aus der Königszeit; seine Gründe für diese Annahme sind jedoch keineswegs überzeugend.

[19] Vgl. *LRost*, Die Überlieferung von der Thronnachfolge Davids (1926), Das kleine Credo (1965) 152. 155ff; *GvRad*, Zelt und Lade (1931), Ges. St. 115. 127.

[20] Die Zionstheologie der Korachiten (1966) bes. 70ff.

basiert auch sonst auf einer Fülle von unwahrscheinlichen Voraussetzungen.[21] M. E. läßt sich auch an Einzelheiten zeigen, daß schon
Jesaja die Ziontradition, wie sie in Ps 46; 48 und 76 belegt ist, voraussetzt.[22] Freilich hat *Wanke* darin sicher Recht, daß sich die Ziontradition nicht einfach als historisierter Chaoskampfmythos verstehen
läßt[23] und auch kaum in ihrer Ganzheit ohne weiteres als schon jebusi-
tische Überlieferung aufgefaßt werden darf.[24] Denn zu der Vorstellung von einem Kampf der Völker gegen den Gottesberg und ihrer
Abwehr durch einen Gott findet sich in den Umweltreligionen Israels
nicht nur keinerlei sachliche Parallele, sondern es muß nach Bekanntwerden der Texte von Ras Schamra auch ernsthaft gefragt werden,
ob sie im Raum kanaanäischer Gottesvorstellungen überhaupt denkbar ist. Die Völkerwelt spielt hier eine so geringe Rolle, daß man der
vorsichtigen Formulierung *WHSchmidts*, die Abwehr anstürmender
Völker setze »wohl einen gewissen ›Monotheismus‹ voraus, wie er im
alten Orient nur in Israel begegnet«, wird zustimmen müssen.[25]

Wie aber ist dann die Ziontradition entstanden? Auszugehen ist
von den Zionpsalmen 46; 48; 76 (und 87), denen gegenüber die Verwendung der Tradition im prophetischen Schrifttum, vor allem im
nachjesajanischen (Mi 4₁₁–₁₃; Ez 38f; Sach 12; 14 u. ö.), deutlich ein
späteres Stadium der Überlieferung darstellt.[26] Für die Zionpsalmen
nun ist m. E. die Beobachtung von großem Gewicht, daß sie nicht nur

---

[21] Vgl. im einzelnen *JJeremias*, BiOr 24 (1967) 365f, und *HMLutz*, Jahwe, Jerusalem und die Völker (1968) 213ff.

[22] Das kann im Rahmen dieses Aufsatzes nicht geschehen; vgl. aber schon die überzeugenden Argumente von *HMLutz*, ebd 171ff, die sich noch erheblich vermehren
ließen.

[23] So *SMowinckel*, Ps. St. II 57ff; ähnlich schon *HGunkel*, Schöpfung und Chaos
(²1921) 99f. Vgl. dazu u. S. 174, Anm. 29 und S. 178 ff.

[24] So *ERohland*, Die Bedeutung der Erwählungstraditionen Israels für die Eschatologie der atl. Propheten (1956) 131. 136. 140f; *JSchreiner*, Sion-Jerusalem (1963)
226. 235; *HMLutz*, aaO 174ff; *JHHayes*, The Tradition of Zion's Inviolability,
JBL 82 (1963) 419–426.

[25] Atl. Glaube und seine Umwelt (1968) 114. Der Versuch des gegenteiligen Nach-
weises durch *FStolz*, Strukturen und Figuren im Kult von Jerusalem, BZAW 118
(1970), ist m. E. nicht geglückt. Zwar werden in mesopotamischen Hymnen, besonders in Theophanieschilderungen, Götter häufig als Kämpfer auch gegen menschliche Feinde geschildert (*Stolz* 72ff; *JJeremias*, Theophanie, 1965, 73ff), aber diese
Texte handeln sowenig wie der ugaritische Bericht über Anats Mordlust und
Blutbad ('nt II) vom Ansturm der Völker gegen den Gottesberg. Nur unter Ver-
zicht auf zwingend notwendige Differenzierungen (hier wie auch sonst zugunsten
einer umfassenden religionspsychologischen Erklärung) kann *Stolz* in solchen
Texten wie auch in einer bunten Mischung verschiedenartigster atl. Belege (S. 86ff)
»das Völkerkampfmotiv« finden, um dieses dann »als jebusitisches Erbe anzusprechen« (S. 89).

[26] Vgl. neben *ERohland* aaO vor allem *HMLutz*, aaO 157ff.

sehr ähnlich aufgebaut sind, sondern darüber hinaus jeweils die gleichen drei syntaktischen Konstruktionen für die Hauptaussagen der
Psalmen verwenden:

1) Betont und geradezu überschriftartig am Anfang stehen jeweils
bekenntnisartige statische Aussagen, fast durchweg in Gestalt von
Nominalsätzen, die Gott als Bewohner und Schützer des Zion bzw.
Zion als von Gott prächtig ausgestattetes und geschütztes Bollwerk
beschreiben.[27]

2) Diese statischen Aussagen werden sachlich begründet durch *perfektische Verbalsätze:* Herr und Schützer des Zion ist Jahwe, weil er
den Völkeransturm abgewehrt hat.[28]

3) Jeweils zum Abschluß werden spezielle Folgen für die Hörer in
Imperativsätzen genannt, denen in Ps 48 und 76 Jussive vorangehen
und die zur Anerkennung Jahwes (46₉ₐ.₁₁), zur Festprozession (48₁₂ff)
oder zur Tōdāh und Erfüllung der Gelübde (76₁₁f) auffordern.

Variabel sind demgegenüber die mittleren Glieder der Psalmen; sie
stimmen jedoch darin überein, daß sie sämtlich allgemein und ständig
gültige Folgen der Völkerabwehr durch Jahwe beschreiben wollen.
Wird auf Israel geblickt, so wird in imperfektischen Verbalsätzen seine
Furchtlosigkeit bei allen künftigen Gefahren herausgestellt (Ps 46₃f),[29]
wird auf Jahwe geblickt, so bricht hymnischer Stil durch: Beschreibende
Imperfecta weisen auf »substantielle Handlungen« Jahwes[30] (46₆b;
48₈.₉b; 76₁₃), oder der Lobpreis der Gemeinde wendet sich in der direkten Anrede an Jahwe (48₁₀f; 76₅.₈[31]).

---

[27] Ps 48₂–₄; 76₂(₃); in Ps 46 leiten die statischen Aussagen die ersten beiden Strophen
ein (V. 2. 5f; dabei nimmt V. 6b V. 2b auf) und werden durch den Kehrvers 8. 12,
der wohl auch nach V. 4 zu ergänzen ist, summierend zusammengefaßt. In Ps 87
sind gewichtige statische Aussagen der Tradition (V. 1b. 2b. 3b. 5b. 7b) in einen
neuen Kontext gestellt worden.

[28] Ps 48₅–₇ (zur Satzstellung vgl. *DMichel,* Tempora und Satzstellung in den Psalmen, 1960, § 29c); 76₄.₆f.₉f (unterbrochen durch den kehrversartigen Satz über
Jahwes furchterweckendes Handeln V. 5. 8. 13); 46₇.₉b.₁₀ (V. 9b. 10 sind partizipial formuliert und begründen so die Imperative 9a. 11; wie Ps 76₄ beweist, gehören sie jedoch sachlich zur perfektischen Schilderung).

[29] Aus dieser syntaktischen Beobachtung geht deutlich hervor, daß für Ps 46 Chaoskampf (V. 3f) und Völkerkampf (V. 7) nicht auf gleicher Ebene liegen. Den Völkerkampf *hat* Jahwe abgewehrt und ist so zur Fluchtburg Israels geworden; auf das
Chaos wird als ständig latente Gefahr geblickt (vgl. Hi 3₈; 7₁₂ u. ö.), der gegenüber nun die Furchtlosigkeit Israels gilt, das sich auf Jahwe verlassen kann. Freilich wird der Völkerkampf mit Hilfe der Terminologie des Chaoskampfes geschildert; vgl. u. S. 178 ff.

[30] *DMichel,* aaO § 15–16. 18.

[31] Von V. 5. 8 her drang die Anrede auch in V. 6f. 9f ein. Vgl. zu dieser Stilform
bes. *FCrüsemann,* Studien zur Formgeschichte von Hymnus und Danklied in
Israel (1969) 174ff.

Weisen diese Psalmen somit eine gleichartige syntaktische Struktur
und ein gleichartiges formales sowie inhaltliches Gefälle auf, so sind
sie daneben auch durch einen geprägten Vorstellungskreis verbunden.
Das gilt im strengen Sinne allerdings nur für die ersten beiden der genannten Glieder. Die mittleren Verse sind nicht nur formal, sondern
auch inhaltlich variabel; die Ähnlichkeit ihrer Motive hängt damit
zusammen, daß sie alle von den fest umrissenen Aussagen der ersten
Glieder herkommen: Jahwes furchterregendes Handeln gegen seine
Feinde (Ps 76) ist zugleich seine Hilfe für Israel (Ps 46), in der seine
Zuverlässigkeit und Gerechtigkeit zum Ausdruck kommen (Ps 48). Im
Anklang an diesen letzten Gedanken kann Ps 76₉f dann sogar – und
zwar perfektisch! –, dem Kontext weniger angemessen, von Jahwes
richterlichem Einschreiten speziell für die »Armen« reden.[32] Aber auch
die imperativischen Aufrufe an die Hörer zum Abschluß der Psalmen
sind sehr unterschiedlichen Inhalts – Ps 46₁₁ ist zudem als Jahwerede
formuliert –, so daß es gut vorstellbar ist, daß die Psalmen von Haus
aus verschiedenen Sitzen im Leben zugehört haben.[33] Der eigentlichen
Ziontradition sind diese abschließenden Imperativsätze somit sowenig
wie die mittleren Verse der Psalmen zuzurechnen; sie wollen beide
nichts anderes, als die schon vorgegebene Ziontradition der Gemeinde
explizieren.[34] Für die Frage nach der Entstehung der Ziontradition ist
eine Konzentration auf die ersten beiden Glieder geboten.

Schon bei dem ersten Blick auf die statischen Aussagen der Nominalsätze muß auffallen, daß zwar alle drei Zionpsalmen mit Aussprüchen
über Jahwe einsetzen, daß diese aber sogleich durch andere abgelöst
werden, die vom Zion reden. Es geht diesen einleitenden Versen offensichtlich durchweg darum darzulegen, was es für Israel heißt, daß
Jahwe auf dem Zion wohnt. Keine andere Aussage wird in gleichen
und wechselnden Wendungen so nachdrücklich eingeschärft wie die,
daß Jahwe in Zions Mitte (46₆), in Zions Palästen (48₄) ist, daß er auf
Zion wohnt (46₅; 76₃; 87₁f), auf Zion (שָׁם bzw. שָׁמָּה 48₇; 76₄) und von
Zion aus (76₅) handelt, Zion somit »Stadt Jahwes«,[35] »Stadt unseres
Gottes« (48₂.₉), »Stadt des Großkönigs« (48₃) ist. Alles Übrige ist letztlich Explikation dieses zentralen Gedankens: Als Herr und Bewohner
des Zion (und als Sieger über den Völkeransturm) ist Jahwe »groß«
(48₂; vgl. 76₂), »Burg« und »Bollwerk« (46₂.₈.₁₂; 48₄) und als solcher
»bewährt« und »bekannt« (46₂; 48₄; vgl. 76₂) – einzig in Ps 76₂ könnte

---

[32] Auch geht – einzig hier in den Zionpsalmen – Jahwes Handeln vom Himmel als
seinem Wohnort aus!

[33] So *E Rohland,* aaO 124ff.

[34] Einzelne Aussagen der Tradition sind freilich in sie eingeflossen; vgl. 48₈.₉αβb.₁₁αβ.

[35] So wird Ps 46₅ (auch 87₃?) vor der elohistischen Überarbeitung gelautet haben.

auf eine Zeit vor dieser Inbesitznahme geblickt sein[36] –, und nur weil Jahwe auf dem Zion wohnt, ist der Zion »heilige Wohnung« (46₅; vgl. 24₃), »heiliger Berg« (48₂; 87₁; vgl. 2₆; 15₁; 110₃ u. ö.) und damit unüberwindbar, ist er der Gottesberg Zaphon und als solcher Freude der ganzen Erde (48₃; vgl. 50₂; Thr 2₁₅), festgegründet für alle Zeiten (48₉; 87₁.₅) und Ort des Gottesstromes (46₅; vgl. 87₇; 65₁₀; Ez 47 u. ö.).[37]

Nun ist längst erkannt, daß die genannten Prädikationen des Zion ausnahmslos vorisraelitischen Ursprungs sind; Israel hat sie vermutlich in Jerusalem von den Jebusitern übernommen und zugleich den in Gen 14₁₈–₂₀; Ps 46₅; 87₅ u. ö. genannten Stadtgott von Jerusalem, (El) Eljon, mit Jahwe identifiziert.[38]

Es genügt hier für die Wendungen הר קדש und משכן auf den Nachweis WH Schmidts,[39] für die Verben כון und יסד auf die einschlägigen Wörterbücher[40] und für die Gleichsetzung des Zion mit dem Thronsitz Baals, dem Berg Zaphon (= ǧebel 'el-'aḳra')[41] – der in Ugarit ebenfalls »heilig« und »schön« (qdš bzw. n'm : 'nt III 27f; 76 III 32) genannt wird –, auf OEißfeldts Ausführungen zu verweisen.[42] Dagegen dürfte die Vorstellung vom Gottesstrom schwerlich, wie früher oft angenommen, von Haus aus mit dem als Paradiesesgarten betrachteten Götterberg als solchen zusammenhängen – in Ez 28₁₁–₁₉ liegt spätere Traditionsmischung vor[43] –, sondern speziell mit dem Wohnsitz des Gottes El »an der Quelle der (zwei) Ströme« (nhrm), »inmitten des Schoßes der (zwei) Fluten« (thmtm; 51 IV 21f u. ö.), der zugleich auf einem Berg liegt, und zwar auf dem fernen Weltberg (ḫršn; 'nt pl IX, II 23; III 22),

[36] וַיְהִי V. 3. Zwingend ist dieses Verständnis allerdings nicht; vgl. ERohland, aaO 138 mit Anm. 7. Zugleich fällt auf, daß in Ps 76₃ die kanaanäischen Termini der Tradition (s. u.) durch genuin hebräische ersetzt werden.

[37] Vgl. zu diesen Aussagen und ihren Parallelen im AT GFohrer, Zion-Jerusalem im AT, ThW VII 291ff = BZAW 115 (1969) bes. 222ff. 233ff.

[38] Vgl. HSchmid, Jahwe und die Kulttraditionen von Jerusalem, ZAW 67 (1955) 168ff; ARJohnson, Sacral Kingship in Ancient Israel (²1967) 49ff mit Lit.; RRendtorff, El, Ba'al und Jahwe, ZAW 78 (1966) 277ff.

[39] Wo hat die Aussage: Jahwe »der Heilige« ihren Ursprung?, ZAW 74 (1962) 62ff, bes. 65; ders., מִשְׁכָּן als Ausdruck Jerusalemer Kultsprache, ZAW 75 (1963) 91f. Zu einem möglichen Beleg aus den Mari-Texten vgl. JJeremias, Kultprophetie und Gerichtsverkündigung (1970) 106, Anm. 1.

[40] Vgl. JAistleitner, Wörterbuch s. v. kn (dazu auch WHSchmidt, Königtum Gottes² 23, Anm. 6), mknt und jsd; CHGordon, Ugaritic Textbook, Glossary s. v. kwn, ysd I (Textzählung im Folgenden nach Gordon) sowie CFJean-JHoftijzer, Dictionnaire s. v. כון II–III. Vgl. weiter PHumbert, Note sur yāsad et ses derivés, Festschr. WBaumgartner (1967) 135ff.

[41] In Jes 14₁₃f wird der Himmel als Wohnort Eljons mit dem Zaphon gleichgesetzt. Eine solche Mischung ganz verschiedener mythischer Vorstellungen wird jedoch schwerlich schon in vorisraelitischer Zeit eingesetzt haben; vgl. WHSchmidt, Königtum Gottes² 35; anders jetzt FStolz, aaO 164f.

[42] Baal Zaphon, Zeus Kasios und der Durchzug der Israeliten durchs Meer (1932); vgl. ALauha, Zaphon (1943); WFAlbright, Baal-Zephon, Festschr. ABertholet (1950) 1–16; WHSchmidt, aaO 32ff. Auch Ps 48₈ ist aus dem Kult des Baal Zaphon übernommen worden; vgl. ERohland, aaO 135f.

[43] Vgl. WHSchmidt, ebd 35; WZimmerli, BK XIII zSt.

wo die Wasser der Ober- und Unterwelt sich mischen;[44] es sind demnach Ausläufer des kosmischen Ozeans, die in kanalisierter Gestalt am Zion hervortreten. Zum Ausdruck »Stadt Jahwes« bzw. »Gottesstadt« schließlich kann darauf verwiesen werden, daß in den Texten aus Ras Schamra die Stadt *Ablm* als Kultzentrum des Mondgottes »Stadt des Fürsten *Jrḫ*« (*qrt. zbl. jrḫ*; 1 *Aqht* 163f; 3 *Aqht* obv. 8; rev. 30f) heißt.[45]

Ist damit erwiesen, daß die statischen Aussagen ingesamt als Ausweitung und Interpretation einer schon vorgegebenen jebusitisch-kanaanäischen Tradition zu verstehen sind? Wohl kaum. Die Zion-Prädikationen hängen zwar durch ihre gemeinsame Herkunft zweifellos zusammen, doch nicht so, daß sie in sich einen festen Traditionskomplex bilden würden. Die Vorstellungen vom Gottesberg und Gottesstrom, zu denen sich das Motiv der Gottesstadt als ein eigenständiges Drittes hinzugesellt, haben je verschiedenen Ursprung; es ist daher eher unwahrscheinlich, daß sie schon in vorisraelitischer Zeit miteinander verknüpft wurden, zumal die beiden erstgenannten – abgesehen von dem späten Ps 87 – auch in den Zionpsalmen unverbunden in verschiedenen Psalmen begegnen. Sollte vom Wohnsitz des Stadtgottes von Jerusalem, (El) Eljon, all das ausgesagt worden sein, was in Ras Schamra entweder von El oder von Baal oder von dem Mondgott *Jrḫ* gilt? Angesichts der prinzipiellen Gleichartigkeit der kanaanäischen Religion in ihren verschiedenen Ausprägungen ist es kaum denkbar, daß der Stadthügel Jerusalems schon vor David nicht nur als »Stadt (El) Eljons«, sondern zugleich als Gottesberg Zaphon und dazu noch als kosmischer Weltberg verstanden wurde. Ungleich wahrscheinlicher ist, daß das junge Israel kanaanäische Wohnvorstellungen verschiedensten Ursprungs aufgriff und miteinander verband, um Jahwes Wohnung und Gegenwart »inmitten« Jerusalems adäquat zu umschreiben, als Jahwe sich im Tempel niedergelassen hatte (שכן 1Kön 8₁₂). Jahwes Gegenwart aber hing engstens an der Lade, insbesondere seit er in Silo der יֹשֵׁב הַכְּרֻבִים geworden war; deshalb stellt die Überführung der Lade in den Tempel Höhepunkt und Abschluß des Tempelbauberichtes dar, und deshalb findet Jahwe seine »Ruhe«, als die Lade ruht (Ps 132₈.₁₄). Die statischen Aussagen der Ziontradition wollen dann letztlich nichts anderes, als – weithin mit Hilfe kanaanäischen

[44] Vgl. zur Lokalisierung des Wohnsitzes Els bes. *OEißfeldt*, Kl. Schr. II 503. 506; *HSchmid*, aaO 181. 187f; *MPope*, El in the Ugaritic Texts (1955) 61ff; *OKaiser*, Die mythische Bedeutung des Meeres (1959) 47ff; *HJKraus*, BK XV 343f; *WH Schmidt*, aaO 7f. Vgl. dazu Jes 28₁₆, wo die Vorstellung vom Grundstein des Tempels vorliegt, der zugleich als Schlußstein des Weltgebäudes die Urflut abschließt, und dazu *JoachJeremias*, Der Eckstein, Aggelos 1 (1925) 65–70; ders., Golgotha (1926) 51ff. 77ff; *HSchmidt*, Der heilige Fels in Jerusalem (1933) 94ff.

[45] Zu vergleichen ist bes. Ps 48₃ קִרְיַת מֶלֶךְ רָב (dagegen ist mit Mots »Stadt« und Residenz *hmrj* ein Ort der Unterwelt gemeint).

Vorstellungsgutes – explizieren und interpretieren, *was die Gegenwart des auf der Lade thronenden Jahwe für Israel* und speziell Jerusalem *bedeutet.* Mit der Überführung der Lade nach Jerusalem mußte es zur Begegnung und Vermischung älterer israelitischer Überlieferungen mit Jerusalemer Traditionen kommen, aber den Maßstab für die Art und den Grad der Verschmelzung setzten – soweit der offizielle Jahweglaube betroffen war – erstere, nicht letztere.

Von daher ist es natürlich auch nicht zufällig, daß in Ps 46 8.12 (vgl. 48 9 und im Zionpsalm 84 die Verse 2. 4. 9. 13) Jahwe bei der Summierung der statischen Aussagen mit dem Ladetitel יהוה צְבָאוֹת genannt wird. Kultische Plerophorie späterer Zeiten liegt hier gewiß nicht vor,[46] zumal dieser Titel auffallend selten (nur 15 mal gegenüber fast 300 mal im gesamten Alten Testament) im Psalter belegt ist und Jahwe auch in Jes 8 18 יהוה צְבָאוֹת הַשֹּׁכֵן בְּהַר צִיּוֹן heißt (vgl. Jes 6 3). Diese Beobachtung bestätigt vielmehr die Vermutung, daß die statischen Aussagen der Ziontradition ursprünglich zur Deutung der Gegenwart Jahwes auf der Lade, dh seit Salomo: im Tempel und damit auf dem Zion, dienten.

Ein ganz ähnlicher Befund bietet sich bei den perfektischen Verbalsätzen der Zionpsalmen, die von Jahwes Sieg über die anstürmenden Völker handeln. Daß diese Vorstellung kaum als ganze vorisraelitischen Ursprungs ist, wurde schon gesagt. Wohl aber finden sich auch in ihr kanaanäische Motive. So werden bei der Darstellung des Völkeransturms in Ps 46 7a (המה vgl. V. 4; מוט vgl. V. 3) und seiner Abwehr in Ps 76 7 (גער) Termini des Chaoskampfmythos verwendet und in Ps 46 7b; 76 9b Theophanieschilderungen in Kurzform aufgegriffen, wie sie in der Ps 46 7b vorliegenden Gestalt ähnlich in Ras Schamra und im Zweistromland belegt sind.[47] Aber im Zentrum der perfektisch formulierten Verse stehen sie, zumindest in Ps 48 und 76, nicht. Ungleich betonter wird das lähmende Entsetzen der anstürmenden Völker bei ihrer Ankunft auf dem Zion in den Vordergrund gerückt und mit einer Fülle verschiedenartigster Verben und Bilder beschrieben, in Ps 76 6 in beinahe grotesker Steigerung. Daneben ist in Ps 46 10 und 76 4 hervorgehoben vom Zerbrechen und Vernichten feindlicher Waffen die Rede. Woher diese Vorstellungen stammen, kann nicht zweifelhaft sein: Gottesschrecken und Bannung feindlichen Gutes, speziell feindlicher Waffen, sind Charakteristika des Jahwekrieges.[48] Vom Charak-

---

[46] Allenfalls ist der Titel in Ps 48 9; 84 4.9 sekundär.

[47] Vgl. *jtn. ql* in 51 V 70f; VII 29ff und zu weiteren altorientalischen Parallelen *J Jeremias*, Theophanie 73ff; zu גער vgl. ebd 33.

[48] Vgl. *GvRad*, Der Heilige Krieg im alten Israel (³1958); zur Bannung feindlicher Waffen im Jahwekrieg vgl. bes. Jos 11 6.9 (von hier aus sind auch Hos 1 5; 2 20; Jes 9 4; Nah 2 14; Jer 49 35; Ez 39 9f zu verstehen!).

ter des Jahwekrieges als eines Befreiungskrieges her erklärt sich auch,
daß Jahwe anstürmende Völker abwehrt (vgl. Ri 5₁₉ₐ u. ö.).[49] Als Parallele drängt sich Gen 14₂₀ auf, wo neben genuin jebusitischen Traditionen vom Weltschöpfergott (El) Eljon typische Terminologie des
Jahwekrieges begegnet: Ebendieser (El) Eljon hat Abrahams Feinde
in dessen Hand ausgeliefert! Wie aber ist der Jahwekrieg mit dem
Zion verbunden worden? M.E. ist nur eine Antwort möglich: Es war
die Lade, die zusammen mit dem Titel צבאות יהוה auch die an ihr haften-
den Vorstellungen vom Jahwekrieg mit nach Jerusalem einbrachte. So
kann es auch hier nicht Zufall sein, daß in Ps 76₁₀ im Anschluß an die
Ladetradition vom »Aufstehen« (קום wie in dem Ladespruch Num 10₃₅;
vgl. Ps 68₂; 132₈ u. ö.) Jahwes die Rede ist. Entsprechend heißt es in
Ps 46 nicht nur »Jahwe in seiner (Zions) Mitte« (V. 6), sondern wie
in den alten Jahwekriegen auch »Jahwe« – und zwar Jahwe Zebaoth –
»mit uns«.[50] Der Völkerkampf in den Zionpsalmen ist letztlich wiederum nichts anderes als eine Explikation dessen, *was das Handeln
des mit der Lade verbundenen Kriegers Jahwe bedeutet.*[51]

Mit diesen Beobachtungen ist freilich die Entstehung der Vorstellung
von einem Völkerkampf noch nicht hinreichend erklärt. Denn es sind
eben Völker, Königreiche und Könige (Ps 46₇; 48₅), die gegen den
Zion anstürmen wie nie in den Berichten von Jahwekriegen aus der
Richterzeit, ja offensichtlich ist gemeint, daß *alle* Völker am Ansturm
beteiligt sind (Ps 76₁₃; 48₅ 𝔚, LXX–MSS). Dieser universalistische
Aspekt ist auch sonst in den Zionpsalmen durchgehend wahrzuneh-
men: in der potentiellen Gefährdung der gesamten Erde durch das
Chaos (46₃f), in der Freude, die der Zion für die ganze Erde darstellt
(48₃), in Jahwes furchterregender Tat über die ganze Erde hin (46₉f;
76₁₃), die Hilfe für alle »Armen« der Erde bringt (76₁₀), so daß Jahwes
Ruhm bis an die Enden der Erde dringt (48₁₁) und Jahwe sich als
über die Völker und die Erde erhaben erweist (46₁₁). Zudem weist der
Völkerkampf den Charakter eines weit zurückliegenden Ereignisses, ja
nahezu eines Urgeschehens auf, denn er begründet die schon stets vor-
findliche unüberwindliche Stellung des Zion (48₅). Nun ist längst erkannt, daß die Universalität göttlichen Anspruches ebenfalls kana-

---

[49] Vgl. *HPMüller*, Ursprünge und Strukturen atl. Eschatologie (1969) 40f.

[50] V. 8. 12; vgl. Num 14₄₃f; Jos 7₁₂; Ri 6₁₃.₁₆ u. ö. und dazu *HDPreuß*, ZAW 80
(1968) 154f.

[51] Wie schon oben an Hand von V. 9f und V. 2f aufgezeigt, erweist sich Ps 76 auch
in der Aufnahme von Motiven der Exodustradition (V. 7b; vgl. Ex 15₂₁) jünger
als Ps 46 und 48. Allerdings ist auch in Ex 15 das Schilfmeergeschehen als Jahwekrieg verstanden und führt auch dort zur Inbesitznahme des Zion durch Jahwe;
vgl. u. S. 180f.

anäisches Erbe ist, allerdings in Gestalt einer universalen Herrschaft
über die Erde, nicht über die Völker. Sie beruht wesentlich auf dem
Sieg Baals über seine Feinde im Götterkampf,[52] und dieses Motiv
klingt, wie wir sahen, in Reminiszenzen an den Chaoskampfmythos
auch in den Zionpsalmen an. Der Gottesberg Baals, Zaphon, kann
ebendeshalb »Berg des Sieges« heißen (*gbᶜ.tlijt*; ᶜ*nt* III 28; 76 III 29.32;
RS 24.245, obv. Z. 3). Aber wie in Israel aus Baals Königtum über die
Erde (vgl. Ps 47₃.₈ₐ) Jahwes Königtum über die Völker (Ps 47₉ₐ) wurde,
so aus Baals Sieg im Götterkampf Jahwes Sieg im Völkerkampf.[53] Das
aber war nur möglich, weil mit der Lade Vorstellungen und Terminologie
des Jahwekrieges nach Jerusalem einflossen und den kanaanäischen
Mythos entscheidend umprägten: Vor dem Kerubenthroner erzittern
nun die Völker (Ps 99₁). Und wiederum gilt, wie schon bei den statischen Aussagen der Zionpsalmen: Bei der Begegnung und Verschmelzung der mit der Lade verbundenen Vorstellungen mit genuin jebusitisch-kanaanäischen waren es entscheidend erstere, die letztere umprägten, nicht umgekehrt. Der Völkerkampf Jahwes ist, wie die ver-
wendeten Termini zeigen, wesenhaft ein universaler Jahwekrieg, nicht
ein historisierter Götterkampf. Der »Gott Jakobs« (Ps 46₈.₁₂; 76₇)
hatte in der Traditionsbildung über »Eljon« (46₅; 87₅) gesiegt und die
mit ihm verbundenen Vorstellungen sich dienstbar gemacht.

Die Konsequenz dieser Art von Traditionsbildung, die eine Tendenz
zur Mythisierung israelitischer Geschichtstraditionen in sich birgt,[54]
zeigt am deutlichsten Ex 15: Gottes Sieg über die Ägypter wird nicht
nur wie im älteren Mirjamlied (V. 21) als Jahwekrieg verstanden, sondern auch als neuer Sieg über das Chaos, und er zielt nur in zweiter
Linie auf die Landnahme Israels, primär aber auf die Gründung und
Inbesitznahme des Heiligtums auf dem Zion durch Jahwe (V. 17f.; vgl.
11aβ. 13b). Wie dieses Ziel mit Termini beschrieben wird, die an die
statischen Aussagen der Ziontradition erinnern,[55] so der Schrecken, der
die Völker dabei ergreift, mit Termini aus der Schilderung des Völker-
kampfes (V. 14–16). Hier ist die Erwählung des Zion zum Höhepunkt

---

[52] Vgl. bes. *WHSchmidt*, Königtum Gottes² 77. 91 mit Anm. 1; Atl. Glaube 130.
[53] Ähnlich schon *WHSchmidt*, Königtum Gottes² 92; Atl. Glaube 114. 130. Dem
entspricht auch die Beobachtung von *HMLutz*, aaO 162 zu Ps 46: »Die terminologische Überfremdung des Völkersturmmotivs durch Elemente des Chaoskampfmythos weist darauf hin, daß die Vorstellung von einem Kampf Jahwes gegen
das Meer die andere vom Aufstand der Könige interpretieren soll und somit wohl
als die ... ältere Tradition anzusprechen ist.«
[54] Vgl. *HPMüller*, aaO 46.
[55] Auch die Bezeichnung des Zion als הר נחלה ist wörtlich in Ras Schamra belegt
(ᶜ*nt* III 27; IV 64); נחלה in Parallele zu שבת findet sich wie in Ex 15₁₇ auch 51
VIII 13f; 67 II 16; ᶜ*nt* VI 15f; zu מכון ist *mknt* in *Krt* 11 zu vergleichen, zu מקדש
qdš in ᶜ*nt* III 27 und 2.*Aqht* I 27.45; II 16.

göttlicher Heilsgeschichte geworden, und als Ergebnis der Landgabe
lagert ganz Israel um den Gottesberg Zion herum (ähnlich Ps 78₅₄.₆₈f).

III.

Es sind somit entscheidend die Lade und die mit ihr verbundenen Vorstellungen gewesen, die zur Aufnahme wesentlicher kanaanäischer
Überlieferungen und zur Bildung einer Ziontradition geführt haben,
und zwar sowohl die statischen Vorstellungen vom thronenden Jahwe
als auch die dynamischen von Jahwe als Krieger. Die gesamte Ziontradition ist in ihrer ältesten Gestalt für das damalige Israel nichts anderes
gewesen als eine moderne, mit Hilfe kanaanäischer Motive vollzogene
Exegese der Lade und ihrer Tradition; kanaanäisches Gedankengut
aber war längst vor Jerusalem, spätestens in Silo, eine enge Verbindung
mit der Lade eingegangen und hatte insbesondere zu der Prädikation
Jahwes als Kerubenthroner geführt. Freilich muß sich in Jerusalem die
Ziontradition bald verselbständigt haben, und der Gottesberg Zion
muß damit an die Stelle der Lade getreten sein, die alles Wesentliche,
was ihre Bedeutung ausmachte, an die Ziontradition abgegeben hatte.
Insofern behält *MNoth* Recht, wenn er vom Zion sagt, daß erst all-
mählich »die Heiligkeit dieses Berges ... unabhängig von der Lade
(wurde), die einst diese singuläre Heiligkeit für Israel diesem Berg ...
erst übertragen hatte. ... Sie hatte ihre Funktion als eines kultischen
Mittelpunktes offenbar längst an die heilige Stätte von Jerusalem als
einen lokal festliegenden Kultort abgetreten.«[56]
    In der Ziontradition also ging die Lade auf, aber sie ging nicht in ihr
unter; sie wurde vielmehr frei für neue Deutungen. Die besondere Lei-
stung der dtn-dtr Theologie war es, die Lade engstens mit dem Bun-
desgedanken zu verbinden; als Behälter der Bundesurkunde erhält sie
eine völlig neue Funktion.[57] Entscheidendes Gewicht kommt ihr auch
jetzt zu: In seiner programmatischen Tempelrede genügt es Dtr nicht,
Salomo die Erwählung Davids und Jerusalems im Anschluß an 2Sam 7
hervorheben zu lassen (1Kö 8₁₆ff), sondern er läßt ihn abschließend bewußt auf die Lade als den gewichtigsten Kultgegenstand des Tempels
blicken (V. 21), ohne den Jerusalems »Erwählung aus allen Stämmen«
(V. 16), dh die Kultzentralisation in Jerusalem, auch für Dtr undenkbar wäre (vgl. Dtn 10₅). Die Priesterschrift schließlich greift die dtn-dtr

---

[56] Ges. St. 185f; vgl. *RdeVaux*, Jerusalem and the Prophets, in: Interpreting the
  Prophetic Tradition, ed. *HMOrlinsky* (1969) 288 (277ff).
[57] *LPerlitt*, Bundestheologie im AT (1969) 40ff. Dabei mag die dtn-dtr Theologie an
  ein älteres, für uns nicht mehr greifbares Verständnis der Lade als »Kasten« an-
  geknüpft haben; vgl. *GvRad*, Ges. St. 118f.

Deutung der Lade auf, kombiniert sie aber mit der Zelttradition und mit der Vorstellung vom fallweisen Erscheinen Jahwes über der Lade-Deckplatte.[58] Hier wird die Lade zur zentralen Offenbarungsstätte Jahwes.

Ohne die Überführung der Lade nach Jerusalem hätte die gesamte Geschichte und Glaubensgeschichte Israels seit der Königszeit völlig anders verlaufen und an Jerusalem mehr oder weniger vorbeigehen müssen. Bei der Übertragung des Königstitels auf Jahwe,[59] der Bildung der Davidtradition und in besonderem Maße bei der Entstehung der Ziontradition war die Lade entscheidend beteiligt. Auf dem Umweg über die David- und die Ziontradition, die dtn-dtr Bewegung und die priesterschriftliche Theologie ist es letztlich die Lade gewesen, die Jerusalem zum Symbol der Hoffnung für die Exilierten werden ließ, die die spätere Theokratie in Jerusalem vorbereitete und die für die Apokalyptik und das Neue Testament im neuen Jerusalem die entscheidenden Hoffnungen des Glaubens zusammengefaßt sein ließ.

---

[58] *GvRad*, ebd 125f; *MGörg*, Das Zelt der Begegnung (1967) 59ff.
[59] *AAlt*, Kl. Schr. I 350f; *WHSchmidt*, Königtum Gottes² 89f.

Abgekürzt zitierte Monographien

Buber, Königtum Gottes = M. Buber, Königtum Gottes. Das Kommende, Untersuchungen zur Entstehungsgeschichte des Messianischen Glaubens I, Berlin 1932

Coppens, Royauté de Dieu = J. Coppens, La royauté, le règne, le royaume de Dieu. Cadre de la relève apocalyptique, BEThL 50, Louvain 1979

Cross, Canaanite Myth = F. M. Cross, Canaanite Myth and Hebrew Epic. Essays in the History of the Religion of Israel, Cambridge/Mass. 1973

Cross-Freedman, Studies = F. M. Cross - D. N. Freedman, Studies in Ancient Yahwistic Poetry, SBL Monogr. Series 21, Missoula/Montana 1975

Crüsemann, Studien = F. Crüsemann, Studien zur Formgeschichte von Hymnus und Danklied in Israel, WMANT 32, Neukirchen 1969

Day, God's Conflict = J. Day, God's Conflict with the Dragon and the Sea. Echoes of a Canaanite Myth in the Old Testament, Cambridge 1985

Gaster, Thespis = Th. H. Gaster, Thespis. Ritual, Myth, and Drama in the Ancient Near East, New York 1950

Gese, Religionen Altsyriens = H. Gese, Die Religionen Altsyriens, in: H. Gese, M. Höfner, K. Rudolph, Die Relgionen Altsyriens, Altarabiens und der Mandäer. Die Religionen der Menschheit Band 10, 2, Stuttgart - Berlin - Köln - Mainz 1970, 3–232

Gray, Biblical Doctrine = J. Gray, The Biblical Doctrine of the Reign of God, Edinburgh 1979

Gunkel - Begrich, Einleitung = H. Gunkel, Einleitung in die Psalmen. Die Gattungen der religiösen Lyrik Israels, zu Ende geführt von J. Begrich, Göttingen 1933 (= ²1966)

Hillmann, Wasser und Berg = R. Hillmann, Wasser und Berg. Kosmische Verbindungslinien zwischen dem kanaanäischen Wettergott und Jahwe, Diss. Halle-Wittenberg 1965

Jeremias, Theophanie = J. Jeremias, Theophanie. Die Geschichte einer alttestamentlichen Gattung, WMANT 10, 2., überarbeitete und erweiterte Auflage, Neukirchen 1977

Johnson, Sacral Kingship = A. R. Johnson, Sacral Kingship in Ancient Israel, Cardiff ²1967

Kaiser, Mythische Bedeutung = O. Kaiser, Die mythische Bedeutung des Meeres in Ägypten, Ugarit und Israel, BZAW 78, Berlin ²1962

Keel, Bildsymbolik = O. Keel, Die Welt der altorientalischen Bildsymbolik und das Alte Testament. Am Beispiel der Psalmen, Einsiedeln-Neukirchen 1972

Kloos, Yhwh's Combat = C. Kloos, Yhwh's Combat with the Sea. A Canaanite Tradition in the Religion of Ancient Israel, Amsterdam - Leiden 1986

Kraus, Königsherrschaft Gottes = H.-J. Kraus, Die Königsherrschaft Gottes im Alten Testament, BHTh 13, Tübingen 1951

Lipiński, Royauté de Yahwé = E. Lipiński, La royauté de Yahwé dans la poésie et le culte de l'Ancien Israël, VVAW. L 27, Brüssel ²1968

Loretz, Psalmen II = O. Loretz, Die Psalmen. Teil II. AOAT Bd. 207/2, Kevelaer-Neukirchen 1979

Mettinger, Dethronement = T. N. D. Mettinger, The Dethronement of Sabaoth. Studies in the Shem and Kabod Theologies, CB.OT 18, Lund 1982

Metzger, Königsthron und Gottesthron = M. Metzger, Königsthron und Gottesthron. Thronformen und Throndarstellungen in Ägypten und im Vorderen Orient im dritten und zweiten Jahrtausend vor Christus und deren Bedeutung für das Verständnis von Aussagen über den Thron im Alten Testament, AOAT 15, 2 Bde., Kevelaer – Neukirchen 1985

Michel, Tempora = D. Michel, Tempora und Satzstellung in den Psalmen, AET 1, Bonn 1960

Miller, Divine Warrior = P. D. Miller, The Divine Warrior in Early Israel, HSM 5, Cambridge/Mass. 1973

de Moor, New Year = J. C. de Moor, New Year with Canaanites and Israelites, 2 Bde., Kampen 1972

Mowinckel, Ps.-Studien II = S. Mowinckel, Psalmenstudien II. Das Thronbesteigungsfest Jahwäs und der Ursprung der Eschatologie, Oslo 1922 (= Neudruck Amsterdam 1961)

Mowinckel, Psalms I–II = S. Mowinckel, The Psalms in Israel's Worship, transl. by D. R. Ap-Thomas, 2 Bde., Oxford 1962

Otto, Fest und Freude = E. Otto (– T. Schramm), Fest und Freude, Kohlhammer-Taschenbuch 1003, Stuttgart – Berlin 1977

Schmidt, Königtum Gottes = W. H. Schmidt, Königtum Gottes in Ugarit und Israel. Zur Herkunft der Königsprädikation Jahwes, BZAW 80, Berlin ²1966

Schreiner, Sion – Jerusalem = J. Schreiner, Sion – Jerusalem, Jahwes Königssitz. Theologie der Heiligen Stadt im Alten Testament, StANT 7, München 1963

Steck, Friedensvorstellungen = O. H. Steck, Friedensvorstellungen im alten Jerusalem. Psalmen, Jesaja, Deuterojesaja, ThSt 111, Zürich 1972

Stolz, Strukturen = F. Stolz, Strukturen und Figuren im Kult von Jerusalem. Studien zur altorientalischen, vor- und frühisraelitischen Religion, BZAW 118, Berlin 1970

Vosberg, Reden vom Schöpfer = L. Vosberg, Studien zum Reden vom Schöpfer in den Psalmen, BEvTh 69, München 1975

Westermann, Loben Gottes = C. Westermann, Das Loben Gottes in den Psalmen, Göttingen ³1963

Kommentare werden nur mit Autorennamen und „z.St." zitiert. – Die Abkürzungen richten sich nach S. Schwertner, Internationales Abkürzungsverzeichnis für Theologie und Grenzgebiete, Berlin – New York 1974. – Die ugaritischen Texte werden nach C. H. Gordon, Ugaritic Textbook (UT), AnOr 38, Rom 1965, zitiert. Die neueste Zählung nach KTU (AOAT 24, 1, 1976) ist versehentlich beim Druck fortgefallen, wird aber im Register notiert.

Register

(Ausführlich behandelte Stellen bzw. Begriffe sind kursiv gedruckt.)

2. Namen und Begriffe

3. Ugaritische Texte

V:1ff.	(=	V:7ff.)	100
30f.	(=	38f.)	30A.2
36	(=	44)	23A.22
VI:15f.	(=	VI:15f.)	100, 180A.55
KTU 1.4	(= UT 51)		25
I:5	(=	51:I:5)	23A.22
10–13	(=	10–13)	43
IV:1ff.	(=	IV:1ff.)	100
21f.	(=	21f.)	176
41–43	(=	41–43)	30A.2
48	(=	48)	23A.22
50f.	(=	50f.)	43
V:6–9	(=	V:68–71)	41, 178A.47
VII:29–35	(=	VII:29–35)	41, 178A.47
VIII:12–14	(=	VIII:12–14)	100, 180A.55
KTU 1.5	II:15f.	(= UT 67:II:15f.)	100, 180A.55
KTU 1.6	I:55ff.	(= UT 49: I:27ff.)	37
57–62	(=	29–34)	58f.A.16a
III:6f.12f.	(=	III:6f.12f.)	92A.32
V:1–3	(=	V:1–3)	21
3	(=	3)	22A.18
5	(=	5)	36
KTU 1.10	III:11–14	(= UT 76:III:12–15)	36, 58f.A.16a
28.31	(=	29.32)	176, 180
KTU 1.14	:11	(= UT *Krt* 11)	180A.55
KTU 1.16	VI:22–24	(= UT 127:22–24)	36
KTU 1.17	I:26.44	(= UT 2 *Aqht*: I:27.45)	180A.55
II:16	(=	II:16)	180A.55
KTU 1.18	I:30f.	(= UT 3 *Aqht* rev. 30f.)	177
IV:8f.	(=	obv. 8f.)	177
KTU 1.19	I:44–46	(= UT 1 *Aqht*: I:44–46)	42A.40
IV:1f.	(=	I:163f.)	177
KTU 1.23	:33–35	(= UT 52:33–35)	37A.23
65	(=	65)	29A.1
KTU 1.101	:1–4	(= RS 24.245 = UT 603:1–4)	*37f.*, 41f., 180

Jörg Jeremias
Der Prophet Hosea

(Das Alte Testament Deutsch, Band 24/1). 1983. 174 Seiten, kartoniert und Leinen

Kein anderer Prophet reflektiert und beschreibt das Gottesverhältnis Israels so grundsätzlich wie Hosea, kein anderer greift in einem auch nur annähernd vergleichbaren Maße auf Traditionen der frühen Geschichte des Gottesvolks zurück. Die Auslegung ist von der Überzeugung geleitet, daß die gegenwärtige Prophetenexegese stärker als bisher zwischen mündlich verkündetem und schriftlich überliefertem Prophetenwort zu unterscheiden hat. Das Hoseabuch ist als ein umfassendes Ganzes literarisch konzipiert worden und beansprucht als solches Gültigkeit für spätere Generationen.

„Der Kommentar stellt eine echte Bereicherung der Hoseaforschung dar und gibt dem Praktiker ein zwar sehr dichtes, aber klar geschriebenes und gut lesbares Hilfsmittel zur Erschließung dieses Prophetenbuches in die Hand."
Bibel und Liturgie

Herbert Donner
Geschichte des Volkes Israel und seiner Nachbarn in Grundzügen

1987. 511 Seiten, 7 Kartenskizzen, Zeittafeln und Register, Leinen
Dieser Leinenband faßt die beiden Teilbände zu einer Gesamtdarstellung zusammen.

„Ein ausführliches Grundlagenwerk für Studium, Lehre und Forschung. Nicht nur der wissenschaftlich arbeitende Theologe ist hier angesprochen, sondern auch jeder, der an den Voraussetzungen der biblischen Schriften, der Geschichte und den Begebenheiten im Vorderen Orient in Vergangenheit und Gegenwart interessiert ist."
Rhein-Neckar-Zeitung

Teil I: Von den Anfängen bis zur Staatenbildungszeit
(Grundrisse zum Alten Testament, Band 4/1). 1984. 232 Seiten, 3 Karten, kartoniert

Teil II: Von der Königzeit bis zu Alexander dem Großen
Mit einem Ausblick auf die Geschichte des Judentums bis Bar Kochba. (Grundrisse zum Alten Testament, Band 4/2). 1986. VIII, 278 Seiten, 4 Karten, Zeittafeln und Register, kartoniert

Vandenhoeck & Ruprecht · Göttingen und Zürich

Hermann Gunkel · Die Psalmen

6. Auflage 1986. XVI, 639 Seiten, Leinen

„Wer in der neueren Psalmenforschung ad fontes gehen will, wird auch in Zukunft auf Gunkels ‚Einleitung in die Psalmen‘ und den Kommentar ‚Die Psalmen‘ nicht verzichten können."
Deutsches Pfarrerblatt

Hermann Gunkel · Genesis

Mit einem Geleitwort von Walter Baumgartner. 9. Auflage 1977. (Reprint der 3. Auflage 1910). 18, CIV, 509 Seiten, Leinen

„Es sind wohl nur wenige Kommentare, denen man wie H. Gunkels Genesis bescheinigen kann, auch nach Jahrzehnten gleich lesenswert zu sein wie bei ihrem ersten Erscheinen. Im Leser wird nicht nur ein Gespür für die religiöse Lebendigkeit des alten Israel und seine vielfältigen Überlieferungen geweckt, Vorurteile gegenüber Märchen und Sagen innerhalb der religiösen Überlieferung abgebaut und der Blick für das Besondere des israelitischen Glaubens geschärft, sondern auch eine ganz unmittelbare Freude an den biblischen Erzählungen hervorgerufen."
Bibel und Kirche

Artur Weiser · Die Psalmen

Psalm 1–60. (Das Alte Testament Deutsch, Band 14). 9. Auflage 1979. 300 Seiten, kartoniert.
Psalm 61–150. (Das Alte Testament Deutsch, Band 15). 9. Auflage 1979. 312 Seiten mit Sachregister und Bibelstellenverzeichnis zum Gesamtband, kartoniert; beide Bände zusammen Leinen

„Der Kommentar von Artur Weiser bringt ausführliche Erörterungen über die kultischen Grundlagen der Psalmendichtung, die Psalmen im Bundesfestkult und die Gattungen der Psalmen. Bei jedem Psalm gibt er eine allgemeine Kennzeichnung hinsichtlich Inhalt, Aufbau, Gattung, Entstehung, Besonderheiten, Parallelen sowie die Exegese nach Sinnabschnitten."
Bibel und Kirche

Claus Westermann · Ausgewählte Psalmen

1984. 210 Seiten, kartoniert

„Es geht Claus Westermann nicht um einen Beitrag zur wissenschaftlichen Fachdiskussion, sondern er will die Psalmen zum Reden bringen. Das glückt ihm aufs beste."
Kirchl. Amtsblatt Westfalen

Claus Westermann · Lob und Klage in den Psalmen

6. Auflage von „Das Loben Gottes in den Psalmen" 1983. 212 Seiten, kartoniert

„Die hier vereinigten Untersuchungen zu den Psalmen haben seit dem ersten Erscheinen nichts an Bedeutsamkeit und Aktualität verloren." *Theologische Revue*

Vandenhoeck & Ruprecht · Göttingen und Zürich